Preparazione al
GCSE in Italiano

Marco De Biasio

EDILINGUA

Marco De Biasio has a BA degree in Foreign Languages and Literature from the University Ca' Foscari in Venice and holds the ITALS Masters Degree in Teaching the Italian language and culture. He obtained an MSc in Education with Distinction at Birkbeck, University of London.

After teaching Italian at the Istituto Italiano di Cultura and also at the Universidad Rafael Landivar of Guatemala City, he moved to London where he prepared students for the GCSE exam in Italian at Westminster Tutors School.

Marco De Biasio is the author of *Mosaico Italia*, published by Edilingua, which covers Italian language and culture and which is ideal for students who are at the level B2 of the Common European Reference for Languages.

Marco De Biasio currently teaches Italian at the Sixth Form College, Solihull.

I would like to express my most sincere gratitude to Martin Smith, whose educational expertise and knowledge have shaped an excellent Italian Department at the Sixth Form College, Solihull. His valuable support and important advice have played a decisive role not only in the process of writing of the book but also in the whole didactic scope of my teaching.

Marco De Biasio

© **Copyright edizioni Edilingua**
Headquarters
Cola di Rienzo Street, 212 00192 Rome, Italy
Tel. +39 06 96727307
Fax +39 06 94443138
info@edilingua.it
www.edilingua.it

Depot and Distribution Centre
Moroianni Street, 65 12133 Athens, Greece
Tel. +30 210 5733900
Fax +30 210 5758903

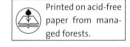

Thank to the adoption of our books, Edilingua adopts at distance children that live in Asia, Africa and South America. Because together we can do a lot against poverty! Learn more on what we do on our website ("Chi siamo").

1st **Edition:** February 2015
ISBN: 978-88-98433-25-4
Editing: Laura Piccolo, Antonio Bidetti
Recordings: *Autori Multimediali*, Milan

Printed on acid-free paper from managed forests.

The author would welcome your suggestions, feedback and comments about the book (to be sent via email to redazione@edilingua.it).

Introduction

The **General Certificate of Secondary Education** (GCSE) represents a critical step in the educational progress of students in the UK, and is a decisive period of thorough assessment. The grades obtained during these years will have a significant impact upon their higher education and will ultimately determine their chances of attending university. For this reason — and I speak from experience — during this time, students, teachers and parents cooperate extensively in order to ensure the best possible result through classroom tuition supplemented by additional study guides in order not only to facilitate study and practice through exercises, but also to become familiar with the style of the exam itself.

In the UK there is a specialised bibliography for *Modern Foreign Languages* for the preparation of the GCSE exams, which is widely used by schools and private students. However, this is the first publication entirely conceived for the GCSE in Italian. For the explicit purpose of meeting the needs of students and teachers, I have adapted this guide specifically around the *AQA* and *Edexcel* specifications. The four chapters of the book (*Media and Arts*, *Sports and Free Time*, *Holidays and Geography* and *Education and Work*) are divided into different subsections, each of which presents a specific topic through an introductory text followed by a comprehensive list of words correlated to the general topic proposed. This guarantees that the students can develop a robust vocabulary, communicative abilities and a thorough comprehension of grammar so that they are easily able to fulfil the linguistic requirements for the GCSE exam in Italian.

The guide contains drills, exercises and tasks which will develop the reading, listening, writing and speaking skills necessary for both the controlled assessment portion of the exam (*Speaking* and *Writing*) and for the exam component (*Listening* and *Reading*). It also contains two complete GCSE practice exams in line with *AQA* and *Edexcel* specifications. The latter is available in a specific online section on the Edilingua website. Furthermore, the writing and speaking strategies provided will allow the student to cover a wide range of topics for spoken dialogues while improving linguistic ability and accuracy. In this way, the reader can approach the GCSE exam through the use of strategic planning and creativity, which will allow him/her to tailor the design and speaking tasks to suit his/her topic preferences and ability level. In order to implement the specific skills required for the controlled assessment, in each chapter there is also a *Tips* section, in which the students can learn useful and effective strategies to improve both their writing and speaking abilities.

In each section, for all activities, I have indicated whether tasks are *Higher Tier* or *Foundation Tier* levels of attainment. The practice GCSE exams in this guide correspond to the *Higher Tier* level in order to challenge students and allow them to test their knowledge fully, in preparation for the actual GCSE exam. At the end of each chapter there is also a comprehensive grammar summary followed by some exercises to reinforce the students' knowledge. The explanation of grammar is provided in both Italian and in English so that the students may achieve a good understanding of key grammatical concepts in both languages.

Preparazione al
GCSE in Italian

While the idioms and colloquial linguistic structures are fully described alongside the topics, the order of the chapters does not follow a chronological progression of difficulty. For this reason, the guide can be used in a flexible way, such that students and teachers can focus on those language topics which they think are most useful to improve specific skills or to fill gaps in understanding. Such flexibility is ideal for the thematic planning of the *controlled assessments*.

The book includes an Audio CD and the keys to the exercises.

It is my hope that this guide might serve to assist students learning the Italian language at GCSE level. In particular, I am confident that it will assist students in achieving their full potential. Moreover, it is my wish that through the materials provided in this book they might develop a lifelong appreciation for the scope and diversity of the Italian language, culture and people.

CEFR: A2-B1

Marco De Biasio, BA, MA, Msc
Italian teacher

Contents

Preparazione al
GCSE in Italian

Chapter 1

Media and Arts
Cinema, TV programs, Newspapers and Magazines, Internet, Cultural Events, Books

SECTION	COMMUNICATION	VOCABULARY	GRAMMAR	GCSE TASKS
INTERNET page 38	• Expressing a purpose with per + Infinitive • Giving advice with the verb potere • Expressing an opinion and supporting it (in primo luogo, e poi, in conclusione)	• Vocabulary of the computer and the Internet: the computer and its parts, web-sites • Use of the computer for study and leisure	• Adverbs of time (spesso, qualche volta, ogni tanto, sempre, non … mai) • Modal verbs ("verbi servili") dovere, volere and potere + Infinitive: meaning, use and conjugation	• *Speaking task (Edexcel – Picture-based free-flowing discussion)* • *Writing task (Edexcel)* • *Reading task (AQA – H)* • *Listening task (AQA – H)*
CULTURAL EVENTS page 47	• Describing past events • Describing past habits, feelings, sensations and situations in the past • Describing a chronology of past events	• Cultural events (concerts, plays, exhibitions) • Anniversaries and important meetings: birthdays, weddings, graduation exercises	• Adverbs and other expressions of time (ieri, l'altroieri, tre giorni fa, la settimana scorsa) • Time connectives (prima, e poi, e dopo, alla fine) • Passato Prossimo: form and use • Past Participle: regular and irregular verbs • Imperfetto: form and use	• *Speaking task (AQA – Context: Leisure - Free Time and the Media)* • *Writing task (AQA – Context: Leisure - Free Time and the Media)* • *Reading task (AQA – F/H)* • *Listening task (AQA – F/H)*
BOOKS page 60	• Announcing news • Showing surprise and amazement in response to news • Asking for help • Agreeing to give help • Refusing to give help • How to describe a book (title, author, genre, characters, setting, plot)	• Vocabulary of literature: fable, fairy tale, novel, short story, poem, play, essay • Adjectives to describe a book	• Direct object pronouns and pronoun ne • Direct object pronouns and pronoun ne with modal verbs volere, dovere, potere • Direct object pronouns and pronoun ne in the Passato Prossimo	• *Speaking task (Edexcel – Presentation followed by discussion)* • *Writing task (Edexcel)* • *Reading task (Edexcel – H)* • *Listening task (Edexcel – F/H)*

Edizioni Edilingua

Contents

Preparazione al
GCSE in Italian

Chapter 2

Sports and Free Time
Sports, Free Time, Food and Drink, Lifestyle, Fashion

SECTION	COMMUNICATION	VOCABULARY	GRAMMAR	GCSE TASKS
LIFESTYLE page 109	• Talking about lifestyle and health problems • Talking about what is good and bad for your health • Stress/Emphasize a contrast with mentre/invece • Giving advice with the Imperative or with ti consiglio + di + Infinitive • Expressing a consequence of an opposite action with altrimenti/se no/in caso contrario... • Describing physical and psychological conditions • Introducing a condition with se (if)	• Health problems and remedies • Parts of the body • Physical and psychological conditions • Consequences of bad habits	• Informal and formal Imperative: form and use • Negative Imperative • Imperative with pronouns	• *Speaking task (AQA – Context: Health and Lifestyle)* • *Writing task (AQA – Context: Health and Lifestyle)* • *Reading task (AQA – H)* • *Listening task (AQA – H)*
FASHION page 124	• Describing clothes • How to communicate in a clothing shop or in a shoe shop (asking to try something on, asking the price, describing the size, paying) • Making comparisons • How to dress according to the occasion	• Vocabulary of clothing: clothes, materials and colours • Cardinal numbers • Ways of payment • Clothing and shoe size • Adjectives to describe clothes and shoes	• Demonstrative adjective quello (quello, quella, quel, quell', quei, quegli, quelle) • Comparisons (comparativo di maggioranza, minoranza and uguaglianza) • Simple preposition di + definite article	• *Speaking task (Edexcel – Open interaction)* • *Writing task (Edexcel)* • *Reading task (Edexcel – F/H)* • *Listening task (Edexcel – F/H)*

Edizioni Edilingua

Contents

Holidays and Geography
Holidays, Excursions and Accommodation, House and Public Places, Geography and Environment

Chapter 3

Preparazione al
GCSE in Italian

Chapter 4

Education and Work
School and University, Work and Employment, Family

SECTION	COMMUNICATION	VOCABULARY	GRAMMAR	GCSE TASKS
SCHOOL AND UNIVERSITY page 191	• Talking about schools • Saying which school year and level you are in • Drawing a logical conclusion with questo/ciò significa che/questo/ciò vuol dire che • Giving advice with the Conditional (Condizionale)	• Vocabulary of schools • School subjects • University courses and faculties • Objects and furniture in a classroom • The Italian school system (years and levels)	• Adverbs of quantity: non ... affatto/ per niente, poco, un po', piuttosto/ abbastanza, tanto, molto, solamente/ solo/soltanto, troppo • Conditional: conjugation and uses	*Writing task (Edexcel)* *Speaking task (Edexcel – Open interaction)* *Reading task (Edexcel – H)* *Listening task (Edexcel – F/H)*
WORK AND EMPLOYMENT page 207	• Talking about work • Talking about one's skills with the verbs potere, sapere, essere in grado di, essere capace di + Infinitive • Adding information with non solo ... ma anche/ oltre a (+ Infinitive) • Describing an action done in the moment one is speaking • Describing an imminent action	• Job sectors, jobs, professions, vocations • Workplaces • Professional skills • Personal skills • Working activities	• stare + Gerund • stare + per + Infinitive	*Speaking task (Edexcel – Picture-based free-flowing discussion)* *Writing task (Edexcel)* *Reading task (Edexcel – F/H)* *Listening task (Edexcel – H)*
FAMILY page 221	• Talking about family • Physical and psychological description of people • Identifying a person with quello/a + adjective, quello/a + con + part of the body description	• Vocabulary of the family: family tree • Adjectives to describe people physically and psychologically	• Possessive adjectives	*Speaking task (AQA – Cross Context)* *Writing task (AQA – Cross Context)* *Reading task (AQA – H)* *Listening task (AQA – H)*

Edizioni Edilingua

Contents

Preparazione al
GCSE in Italian

Edizioni Edilingua

Media and Arts

Cinema, TV Programs, Newspapers and Magazines, Internet, Cultural Events, Books

Goals: in this chapter you will learn...

- how to talk about a film (plot, setting, director, etc.)
- how to discuss a television program
- how to talk about newspapers and magazines
- how to talk about the Internet
- how to talk about cultural events (concerts, plays, art exhibitions, etc.)
- how to describe books (plot, setting, genres, etc.)

CINEMA

1 **Leggi la seguente mail.** *Read the following e-mail.*

A...	marco87@gmail.com
Cc...	
Oggetto:	Ciao

Caro Marco,

Come stai? Spero bene. La settimana scorsa sono andato al cinema con la mia amica Giulia. Abbiamo visto un film molto bello e interessante. È una commedia che si intitola *Caterina va in città*. Gli attori protagonisti sono Sergio Castellitto, Margherita Buy e Alice Teghil. Il film è ambientato a Roma e i protagonisti sono Caterina, la sua famiglia e alcuni suoi amici. La trama è molto semplice: una ragazza di tredici anni di nome Caterina va a vivere a Roma e lì conosce nuovi amici. Il padre fa l'insegnante e sogna di diventare scrittore mentre la madre è una casalinga infelice. Il film mi è piaciuto molto perché descrive bene il mondo dei giovani italiani di oggi. Ti consiglio di andare a vederlo perché è molto bello.

Ci vediamo sabato prossimo a casa di Paolo.
Roberto

2 **Rispondi alle seguenti domande (prima a voce e poi per iscritto).**
Answer the following questions (first speaking and then in writing).

 1. Quando e con chi è andato al cinema Roberto? ....

....

2. Quale film ha visto? ....

....

3. Dov'è ambientato il film? ....

....

4. Di cosa parla il film? ....

....

5. Perché il film è piaciuto a Roberto? ....

....

Preparazione al
GCSE in Italian

a. Vocabolario *Vocabulary*

ambientazione = *setting*
attore = *actor*
attrice = *actress*
biglietto = *ticket*
botteghino = *ticket booth / box office*
coda = *queue*
colonna sonora = *soundtrack*
copione = *script*
durata = *running time*
effetti speciali = *special effects*
fare la coda/la fila = *to queue*
film = *film*
locandina = *poster*
premio = *award*
produttore = *filmmaker*
protagonisti = *characters*
recitare = *to act*
regista = *director*
sceneggiatura = *script*
spettatori = *spectators*
successo = *success*
trama = *plot*

A film can be:
bello (*beautiful*)
stupendo (*wonderful*)
avvincente (*engaging*)
banale (*banal*)
noioso (*boring*)
commovente (*moving*)
interessante (*interesting*)
divertente (*entertaining*)

b. I generi cinematografici. Scrivi le seguenti parole sotto le immagini come negli esempi.
Film genres. Write the following words under the images as in the examples.

drammatico (*drama*) • d'azione (*action*) • commedia (*comedy*) • di guerra (*war*)
western (*western*) • fantascienza (*sci-fi*) • storico (*history*) • dell'orrore (*horror*)

1 .... d'animazione .... 2 .... 3 .... 4 .... documentario ....

5 .... 6 .... 7 .... 8 ....
.... fantastico ....

Edizioni Edilingua

Media and Arts

Cinema, TV Programs, Newspapers and Magazines, Internet, Cultural Events, Books

.... *d'azione* ....

3 **Completa le seguenti frasi con le parole dei punti a e b.**

Complete the following sentences with the words of points a and b.

1. Catherine Zeta Jones è un'.. molto bella.
2. Il .... di *ET* è Steven Spielberg.
3. Ho dovuto fare una .... molto lunga al botteghino.
4. La .... sonora è degli *U2*.
5. Angelina Jolie ha avuto un grande ....
6. In un film .... ci sono i cowboy.
7. Tom Hanks è un .... che ha vinto numerosi premi.
8. Ho già comprato i .... per il film di questa sera.
9. Nella mia camera da letto c'è la .... di *Django Unchained*.
10. *The Hobbit* ha molti .... speciali.
11. *2 Guns* è un film d'... mentre *The King's Speech* è un film drammatico.
12. Secondo me, Daniel Radcliffe .... molto bene nei suoi film.

c. Espressioni per descrivere un film *Expressions to describe a film*

- **Il film s'intitola** + titolo = *The film is entitled* + title
- **Il film dura circa** + tempo = *The film lasts about* + time
- **Gli attori principali sono...** = *Starring...*
- **I personaggi principali sono...** = *The main characters are...*
- **Il film parla di** + argomento = *The film is about* + subject
- **È un film** + genere cinematografico = *The film is* + film genre
- **La trama è** semplice/complicata/lunga/difficile... = *The plot is simple/complicated/long/difficult...*
- **Il film (non) mi è piaciuto perché...** = *I liked/didn't like the film because...*

Chapter 1

Preparazione al GCSE in Italian

15

Preparazione al
GCSE in Italian

4 **Completa le seguenti frasi con le espressioni presentate al punto c.**
Complete the following sentences with the expressions of point c.

1. .... sono Orlando Bloom, Keira Knightley e Johnny Depp.

2. .... un ragazzo inglese infelice che un giorno scopre di essere un mago.

3. .... molto perché gli attori sono bravi, la trama è interessante e ci sono bellissimi effetti speciali.

4. .... sono due poliziotti che devono arrestare una banda di assassini.

5. "Come .... il film che avete visto domenica sera?" "*Harry Potter.*"

6. *Twilight* è un po' lungo: .... due ore.

🖊 **Attività di scrittura (*Edexcel*)** *Writing task*

You have just seen a film which you liked a lot. Write an e-mail to your friend to describe it and recommend that he/she see it.

You could mention:

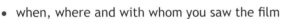

- when, where and with whom you saw the film
- the genre
- the cast and the main characters
- the plot
- why you liked it
- your advice to watch it

💡 **Suggerimenti** *Tips* ✉

✱ **To start an e-mail to your friend**
Caro/a...,
Come stai? Spero bene. Ti scrivo...

✱ **To give advice to see a film**
Ti consiglio di andare a vederlo perché è bello/interessante/divertente/gli attori recitano bene etc.

✱ **To conclude an e-mail to your friend**
Ciao/Ci vediamo/Un abbraccio/A presto

Edizioni Edilingua

Chapter 1

Cinema, TV Programs, Newspapers and Magazines, Internet, Cultural Events, Books

💬 **Attività di parlato (*Edexcel – Open interaction*)** *Speaking task*

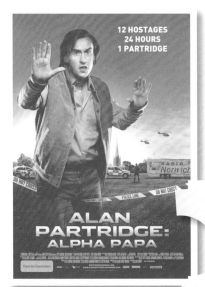

Odeon Cinema – *Alan Partridge: Alpha Papa*

Comedy (90 minutes)
Directed by Declan Lowney
Starring: Kevin Loader, Henry Normal

The film describes the story of the famous DJ Alan Partridge, who, when he knows that his job is at risk, will do anything not lose it.

Ticket prices

Child 12 years and under	£7.45
Teen Ages 13-17	£7.90
Student Valid student card required	£6.80
Adult Ages 18+	£9.95

Situation
You would like to invite an Italian friend to the local cinema. He/She will start the conversation.

Task
He/She may ask you:
- for information about the films (title, running time, director, actors)
- what the film is about
- about ticket prices
- which day you would like to go to the cinema

Be prepared to ask questions during the conversation.

The dialogue will last between 4 and 6 minutes.

💡 **Suggerimenti** *Tips* 💬

✿ **Invitare** *To invite*	✿ **Accettare (dire di sì)** *To say yes*	✿ **Rifiutare (dire di no)** *To say no*
Ti va di andare al cinema?	Volentieri.	Mi dispiace ma purtroppo non posso perché devo studiare.
Andiamo al cinema?	Buona idea.	Veramente avrei un impegno.
Vieni al cinema?	D'accordo.	Veramente non mi va molto.
Che ne dici di andare al cinema?	Perché no?	
Hai voglia di andare al cinema?	OK.	
	Va bene.	

Preparazione al
GCSE in Italian

Attività di lettura (*Edexcel – H*) *Reading task*

Films

A.

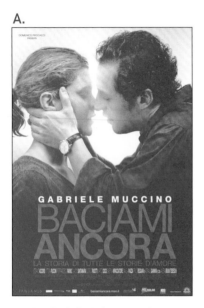

Regia di Gabriele Muccino
Drammatico - *140 minuti*

Questo film descrive le storie drammatiche di alcuni amici quarantenni che vivono a Roma. Carlo capisce di amare ancora la sua ex moglie e vuole tornare con lei. Marco non sa cosa fare per sua moglie, frustrata e infelice perché non può avere figli.

B.

Regia di Aureliano Amadei
Drammatico - *94 minuti*

Un film molto duro che mostra le drammatiche conseguenze della guerra.
Durante il conflitto in Iraq il giovane Aureliano accetta l'offerta di andare a lavorare come aiuto regista in un film documentario sulla missione di pace dei militari italiani.

C.

Regia di Paolo Costella
Commedia - *97 minuti*

Un film divertente con una trama imprevedibile piena di colpi di scena.
Gustavo cuoco milanese che lavora in una modesta trattoria di Roma sogna di diventare un grande chef internazionale.

Which movie would you recommend to these people? Write A, B or C in the box.

Example: Maria likes comedies.   *C*

a. Paolo likes neither long films nor comedies.

b. Michele prefers funny films rather than sad ones.

c. Monica is interested in drama films set in Rome.

d. Gianluca likes bright films with strong political messages.

e. Daniele would like to see a movie describing romantic situations.

f. Carla loves watching movies about war and social issues.

g. Pietro does not want to watch a film with unhappy characters.

h. Francesco is 40 years old and insists on watching a movie about his peers.

Edizioni Edilingua

Cinema, TV Programs, Newspapers and Magazines, Internet, Cultural Events, Books

Attività d'ascolto (*Edexcel – H*) *Listening task*

Let's go to the cinema!

*Listen to the conversation. Put crosses (**X**) next to the **four** correct statements.*

Example: Matteo asks Francesca which movie she would like to see tonight. **X**

a. Francesca feels tired tonight.

b. Matteo suggests that they go see a film by Paolo Virzì.

c. Paolo Virzì's film is a drama.

d. Paolo Virzì's film is scheduled for tomorrow evening at 8pm.

e. Francesca does not seem to be interested in watching this movie.

f. Francesca's friend has said that the movie is beautiful.

g. It lasts about one hour and forty minutes.

h. Finally they decide not to go to see the movie.

Grammatica *Grammar*

Completa lo schema. *Complete the chart.*

ARTICOLI DETERMINATIVI *Definite articles*		
	MASCHILE *Masculine*	**FEMMINILE** *Feminine*
SINGOLARE *Singular*	**il** + consonante (*consonant*) il biglietto	**la** + ... la trama
	l' + ... l'attore	**l'** + vocale (*vowel*) l'attrice
	lo + s-consonante (*consonant*) lo spettacolo **lo** + z- lo zaino	
PLURALE *Plural*	**i** + ... i biglietti	**le** + consonante (*consonant*) le trame
	gli + ... gli attori	**le** + ... le attrici
	gli + s-consonante (*consonant*) gli spettacoli **gli** + z- gli zaini	

Preparazione al
GCSE in Italian

1 Inserisci l'articolo determinativo. *Insert the definite article.*

1. _l'_ isola
2. .... porta
3. .... finestre
4. .... zaino
5. .... porte
6. .... italiani
7. .... zaini
8. .... spaghetti
9. .... macchina
10. .... gatti
11. .... gatto
12. .... cane
13. .... penna
14. .... matita
15. .... cena
16. .... matite
17. .... uomo
18. .... donna
19. .... studenti
20. .... famiglia

2 Inserisci l'articolo determinativo. *Insert the definite article.*

1. .... isole
2. .... libro
3. .... quaderni
4. .... cestino
5. .... casa
6. .... italiano
7. .... libri
8. .... bambino
9. .... ragazza
10. .... bambini
11. .... cani
12. .... persona
13. .... penne
14. .... case
15. .... amiche
16. .... amico
17. .... direttore
18. .... donne
19. .... studente
20. .... banchi

3 Inserisci l'articolo determinativo. *Insert the definite article.*

1. .... spettatori
2. .... sedia
3. .... tavoli
4. .... stranieri
5. .... bambine
6. .... tavolo
7. .... studentessa
8. .... Francia
9. .... giornale
10. .... Inghilterra
11. .... mamma
12. .... sorella
13. .... pizze
14. .... aglio
15. .... Polonia
16. .... gelato
17. .... amici
18. .... gelati
19. .... finestra
20. .... Italia

Edizioni Edilingua

TV PROGRAMS

1 **Leggi il seguente dialogo.** *Read the following dialogue.*

Franca: Cosa fanno questa sera alla TV?

Marco: Su Rai1 c'è una partita di calcio mentre su Rai2 trasmettono un film con Silvio Muccino.

Franca: E sugli altri canali?

Marco: Dunque, su Rai3 alle 9:10 c'è un programma di attualità, su Canale 5 alla stessa ora c'è una puntata della serie *Le tre rose di Eva*, su Italia 1 alle 9:30 un quiz a premi e su Retequattro alle 9 danno uno spettacolo di varietà.

Franca: E su La7?

Marco: Su La7, alle 10, danno una rubrica di attualità. Che ore sono, scusa?

Franca: Sono le otto.

Marco: Allora, accendiamo la TV e mettiamo sull'Uno perché sta per cominciare il telegiornale.

Franca: Perché invece non guardiamo *CSI: Miami* su Italia 1?

Marco: No, dai, guardiamo il telegiornale.

2 **Scegli l'opzione corretta.** *Choose the correct option.*

1. Stasera

a. Su Rai1 c'è una partita di calcio, su Rai2 fanno un programma di attualità e su Rai3 trasmettono un film.

b. Su Rai1 c'è un film, su Rai2 trasmettono una partita di calcio e su Rai3 fanno un programma di attualità.

c. Su Rai1 fanno una partita di calcio, su Rai2 trasmettono un film e su Rai3 c'è un programma di attualità.

2. Sugli altri canali

a. Su Canale 5 alle 9:10 c'è una puntata della serie *Le tre rose di Eva*.

b. Su La7 alle 10 danno uno spettacolo di varietà.

c. Su Retequattro alle 10 fanno una rubrica di attualità.

3. Marco

a. Vuole guardare *CSI*.

b. Vuole guardare il telegiornale.

c. Non vuole guardare la TV.

4. Franca

a. Vuole guardare *CSI*.

b. Vuole guardare il telegiornale.

c. Non vuole guardare la TV.

Preparazione al
GCSE in Italian

a. Vocabolario *Vocabulary*

accendere = *to turn on, to switch on*

andare in onda = *to be broadcast*

canale = *channel*

documentario = *documentary*

episodio = *episode*

film = *film*

gioco a premi = *game show*

guardare = *to watch*

in diretta = *live*

in onda = *on air*

intervista = *interview*

mandare in onda = *to broadcast*

notizie = *news*

palinsesto = *TV program schedule*

previsioni del tempo = *weather forecast*

programma = *TV program*

pubblico = *audience, spectators*

pubblicità = *advertising*

puntata = *episode*

rete = *network*

rubrica = *television programme*

sceneggiato = *TV drama*

serie = *serial*

servizio = *report*

spegnere = *to turn off, to switch off*

telecronista = *TV commentator*

telefilm = *TV series*

telegiornale = *newscast*

telenovela = *soap opera*

trasmettere = *to broadcast*

trasmissione = *TV program*

varietà = *TV show*

b. Scrivi le parole sotto le immagini. *Write the words under the images.*

telecomando • telespettatori • cartoni animati • schermo • conduttore/presentatore • partita

3 Completa le seguenti frasi con le parole dei punti a e b.
Complete the following sentences with the words of points a and b.

1. Il .... di questo varietà è molto simpatico e divertente.

2. Purtroppo non ho potuto vedere l'ultimo .... di quella lunga serie di telefilm.

Edizioni Edilingua

Media and Arts

Cinema, **TV Programs**, Newspapers and Magazines, Internet, Cultural Events, Books

3. Il .... non funziona e dunque non posso cambiare canale.

4. Ieri sera ho visto la .... di calcio Inter-Juventus.

5. Non mi piace quando la .... interrompe i programmi.

6. I telespettatori dei cartoni .... sono quasi sempre bambini.

7. Le .... del tempo hanno previsto che oggi piove.

8. Io non guardo molto il .... perché preferisco leggere le notizie su Internet.

9. Prima di andare a letto devi .... la TV.

10. La mia TV ha uno .... al plasma molto grande.

11. La *Domenica Sportiva* va in .... la domenica sera alle 10:30.

12. Questa sera trasmettono il concerto di Andrea Bocelli in ....

c. Descrivere i propri gusti *To describe your own tastes*

- *Mi piace/piacciono... = I like...*
- *Preferisco... = I prefer...*
- *Amo... = I love...*
- *Mi interessano... = I am interested in...*
- *Il mio* + **sostantivo maschile** + *preferito è... = My favourite* + masculine noun + *is...*
- *La mia* + **sostantivo femminile** + *preferita è... = My favourite* + feminine noun + *is...*

d. Il verbo *piacere*

- *A me/Mi piace (I like)* + **sostantivo singolare/verbo all'Infinito** (singular noun/verb in the Infinitive):
  A me piace/Mi piace *la pizza/il vino/la musica classica/l'Italia/Roma ecc.*
  Mi piace/A me piace *fare sport/dormire/giocare a tennis/cucinare/leggere ecc.*

- *A me/Mi piacciono (I like)* + **sostantivo plurale** (plural noun):
  A me piacciono/Mi piacciono *gli spaghetti/i tortellini/i fiori/i cani/le patatine fritte ecc.*

Mi piace la pizza. E a te? } **Anche a me.** *Me too/So do I.*
A me no, invece. *I don't, instead.*

Non mi piace il pesce. E a te? } **Neanche a me./Nemmeno a me./Neppure a me.** *Neither do I, I don't like it either.*
A me sì, invece. *I do, instead.*

Preparazione al
GCSE in Italian

e. Gli orari *Schedule/Times*

- *Il film comincia* **alle** *(at) dieci e mezzo.*
- *Il telegiornale è* **dalle** *(from) otto* **alle** *(to) otto e mezzo.*

Ma *(but):*
- a mezzanotte
- a mezzogiorno   *lo studio* **da** <u>mezzogiorno</u> **alle** *due.*
- all'una

4 **Traduci in italiano le seguenti frasi.** *Translate into Italian the following sentences.*

1. I love watching football matches with my friends.

....

2. My favourite TV program is *Hell's Kitchen*.

....

3. "I like soap operas." "So do I".

....

4. The TV show is at 9 on Rai2.

....

5. "I don't like watching TV." "Neither do I."

....

6. I am interested in documentaries.

....

Attività di parlato (*Edexcel – Open interaction*) *Speaking task*

Rai 1
21:15
Superquark
(Documentario
sui serpenti)

Rai 2
21:10
N.C.I.S
Unità anticrimine
(Telefilm)

Rai 3
21:05
Gomorra
(Film drammatico)

5
21:10
Iron Man
(Film d'azione)

21:20
Bayern Monaco-Chelsea
Supercoppa Europea
(Sport - calcio)

21:15
Mission: Impossible
(Film d'azione)

21:10
Vacanze nel Paese
delle meraviglie
(Varietà)

21:15
Concerto
di Eros Ramazzotti
(Musica dal vivo)

Edizioni Edilingua

Media and Arts

Cinema, **TV Programs**, Newspapers and Magazines, Internet, Cultural Events, Books

Situation
Look at the TV schedule and discuss with your friend about what you would like to watch on TV tonight. He/She will start the conversation.

Task
He/She may ask you:

- about programs and schedule times
- about your favourite program
- what you would like to watch
- which program you watched last night

Be prepared to ask questions during the conversation.

The dialogue will last between 4 and 6 minutes.

💡 Suggerimenti *Tips* 💬

✱ **To talk about TV programs**
Su + nome del canale + **alle** + orario + **trasmettono/fanno/danno/c'è/ci sono/va in onda...**:
Su Rai Uno alle 8 trasmettono il telegiornale.
Su La7 alle 9 fanno un programma d'attualità.
Su Canale 5 alle 9:30 c'è un varietà.

✱ **To express the intention or the desire to watch something**
Vorrei/Mi piacerebbe/Ho voglia di vedere/guardare...:
Vorrei guardare la partita stasera.
Ho voglia di vedere un documentario.
Mi piacerebbe guardare un film adesso.

✱ **To propose something else**
Perché invece non + verbo coniugato alla prima persona plurale del Presente Indicativo...? *(Why don't we ... instead?)*:
- Vorrei guardare la partita stasera.
- **Perché invece non guardiamo** il film su Rai Uno?
- **No, dai,** guardiamo un'altra cosa. *C'mon, let's watch something else.*

ℹ️ Attività di scrittura (*Edexcel*) *Writing task*

Write an e-mail to an Italian TV magazine to describe the TV programs of your country.

You could mention:
- the most important channels and programs
- what kind of programs young people usually watch
- the program(s) that you find interesting and why
- the program(s) that you don't like and why
- negative aspects of television

Preparazione al
GCSE in Italian

 Suggerimenti *Tips*

* **To start a formal letter/e-mail**
  Gentili signori,
  Vi scrivo per...

  Egregio Direttore,
  Le scrivo per...

* **To describe the program(s) that you find interesting and why**
  Mi interessano/Mi piacciono i documentari **perché** posso imparare tante cose.
  Mi piace guardare/Preferisco (guardare) i telefilm **perché** mi divertono.
  Il mio programma preferito è.../I miei programmi preferiti sono...

* **To describe the program(s) that you don't find interesting and why**
  Non mi interessano/Non mi piacciono i programmi sportivi **perché** sono noiosi.
  Non guardo i varietà **perché** sono ridicoli.
  Evito di guardare i telefilm **perché** per me non sono realistici.

* **To describe the negative aspects of television**
  Le cose negative/Gli aspetti negativi della televisione sono...
  Una cosa negativa della televisione è che...

  Negative aspects of television
  * *C'è troppa pubblicità.*
  * *Alcuni film sono troppo violenti.*
  * *I ragazzi guardano troppo la TV e poi non studiano.*
  * *Alcuni programmi sono diseducativi.*

* **To conclude a formal letter/e-mail**
  Cordialmente
  Distinti/Cordiali saluti
  Saluti

 Attività di lettura (*Edexcel – H*) *Reading task*

Domenica in è un programma di intrattenimento che va in onda su Rai1 tutte le domeniche dalle due del pomeriggio alle sette di sera. Durante il programma ci sono interviste a personaggi famosi, presentazioni di nuovi film, esibizioni di cantanti dal vivo e molte altre cose interessanti. Ovviamente nel corso del programma ci sono anche delle brevi interruzioni per la pubblicità e per il telegiornale. Mara Venier presenta il programma di quest'anno. Il conduttore dell'anno scorso era Massimo Giletti. Questa popolare trasmissione, nata nel lontano 1976, ha sempre avuto un pubblico molto vasto, in particolare fra gli adulti. I giovani invece la domenica pomeriggio preferiscono uscire e andare in discoteca, allo stadio o a fare una passeggiata in centro con gli amici. Su Canale 5, alla stessa ora va in onda un programma simile che si chiama *Domenica Live*. Questa trasmissione ha meno telespettatori di *Domenica in*.

Edizioni Edilingua

Media and Arts

Cinema, **TV Programs**, Newspapers and Magazines, Internet, Cultural Events, Books

Answer these questions in English.

a. When is *Domenica in* broadcast and on which channel?

....(2)

b. What can one watch during the program?

....(1)

c. Who presented *Domenica in* last year and who is presenting it this year?

....(2)

d. Why don't young people watch this program so much?

....(1)

e. Which is the program similar to *Domenica in* and on which channel is broadcast?

....(2)

Attività d'ascolto (*Edexcel – H*) *Listening task*

TV programs

Listen to Simone talking about TV programs. Put a cross (x) in each correct box.

Example: Simone does not watch television so much because ...

   x   **A.** he prefers to do something else.

        B. he does not have time.

        C. his parents don't allow him to do so.

(i) Simone watches sports ...

        A. for example car races and tennis.

        B. for instance football matches and car races.

        C. for example tennis and football.

(ii) He watches documentaries because ...

        A. he is told to watch them by school teachers.

        B. he likes to be informed about historical facts.

        C. he likes to study Biology at school.

(iii) He doesn't like TV shows ...

        A. because he finds them stupid.

        B. because he prefers to watch films.

        C. because he prefers to watch TV news.

Preparazione al
GCSE in Italian

(iv) When he was a child ...

        A. he did not watch too much TV.

        B. he used to watch Japanese cartoons.

        C. he used to watch American cartoons.

Grammatica *Grammar*

Completa lo schema. *Complete the chart.*

ARTICOLI INDETERMINATIVI *Indefinite articles*	
MASCHILE *Masculine*	**FEMMINILE** *Feminine*
un + consonante (*consonant*) un <u>c</u>anale	**una** + ... una *partita*
un + ... un *episodio*	**un'** + vocale (*vowel*) un'<u>i</u>ntervista
uno + s-consonante (*consonant*) uno <u>s</u>pettacolo **uno** + z- uno <u>z</u>aino	

1 **Inserisci l'articolo indeterminativo (un, uno, una, un').** *Insert the indefinite article.*

1. .. un .. albergo
2. .... ristorante
3. .... studente
4. .... lavagna
5. .... insegnante
6. .... farmacia
7. .... medico
8. .... amica
9. .... straniero
10. .... porta
11. .... italiano
12. .... quaderno
13. .... zaino
14. .... finestra
15. .... libro
16. .... aula
17. .... penna
18. .... studio
19. .... negozio
20. .... ragazza
21. .... matita
22. .... casa
23. .... bambino
24. .... amico
25. .... anno

2 **Inserisci l'articolo indeterminativo (un, uno, una, un').** *Insert the indefinite article.*

1. Io ho .... casa in Italia.
2. Questo è .... libro di italiano.
3. .... cuoco lavora in .... cucina.
4. Chiara ha 15 anni: lei è .... ragazza.
5. .... architetto lavora in .... studio.
6. Valerio ha 8 anni: lui è .... bambino.
7. L'Italia è .... stato dell'Europa.
8. Compro .... macchina nuova la prossima settimana.
9. Questo è .... esercizio facile.
10. La Sicilia è .... isola italiana.

Edizioni Edilingua

NEWSPAPERS AND MAGAZINES

1 **Leggi la seguente e-mail.** *Read the following e-mail.*

Gentili signori,

mi chiamo Paolo Rossi, sono un ragazzo italiano di Roma che studia inglese da qualche mese. Vi contatto per descrivere la stampa del mio Paese. Dunque, i quotidiani più importanti sono il *Corriere della Sera*, *La Repubblica*, *La Stampa* e *Il Messaggero*. I giornalisti di questi giornali sono molto preparati perché scrivono articoli molto interessanti e completi. Di solito io leggo *La Repubblica* e i miei genitori normalmente leggono il *Corriere della Sera*. Le sezioni per me più interessanti sono lo sport, cultura e spettacoli e gli articoli di politica interna. Gli articoli di politica estera invece non mi interessano molto. Mia madre normalmente legge gli articoli di cronaca e mio padre legge le notizie di economia e finanza.

Le riviste principali sono *L'Espresso*, che esce ogni venerdì con articoli di politica, cultura, economia e finanza, poi ci sono *Panorama*, che è un altro settimanale con molti articoli di vario genere, e *TV Sorrisi e canzoni*, che contiene articoli di musica e spettacolo e la guida con i programmi della televisione.

Tutti questi quotidiani e riviste sono pubblicati anche on line su Internet.

Secondo me, la stampa italiana descrive bene gli avvenimenti che succedono nel mio Paese e nel mondo. D'altra parte qualche volta gli articoli sono un po' troppo lunghi e complicati e quindi non sempre riesco a capire tutto.

Distinti saluti,

Paolo Rossi

2 **Vero/Falso? Indica se le affermazioni sono vere o false.**
True/False? Indicate whether the following statements are true or false.

	Vero	Falso
1. Paolo Rossi scrive la mail per descrivere la stampa italiana.	○	○
2. Secondo Paolo, i giornalisti dei quotidiani italiani non sono preparati.	○	○
3. Di solito lui legge il *Corriere della Sera* e i suoi genitori leggono *La Repubblica*.	○	○
4. A lui interessano gli articoli di sport.	○	○
5. Sua madre legge gli articoli di cronaca e suo padre legge le notizie di politica interna.	○	○
6. *L'Espresso* e *Panorama* sono due riviste settimanali.	○	○
7. In *TV Sorrisi e canzoni* ci sono articoli di musica e spettacolo.	○	○
8. Per Paolo gli articoli della stampa italiana qualche volta sono lunghi e complicati.	○	○

Preparazione al
GCSE in Italian

a. Vocabolario *Vocabulary*

avvenimento = *event, happening*
cronista = *reporter*
edicola = *news stand*
fotoreporter = *newspaper/magazine photographer*
fumetti = *comics*
giornale = *newspaper*
giornalista = *journalist*
inchiesta = *investigative report*
intervista = *interview*
inviato = *correspondent*
leggere = *to read*
mensile = *monthly magazine*
notizie = *news*
periodico = *news magazine*

quotidiano = *daily (newspaper)*
recensione = *review/critique*
rotocalco = *news magazine*
redazione = *newsroom*
rivista = *magazine*
rubrica = *column, section*
scrivere = *to write*
servizio = *report*
settimanale = *weekly magazine*
sondaggio = *survey*
stampa = *press*
tabloid = *tabloid*
titolo = *heading, headline*

b. Le sezioni di un giornale. Unisci le due colonne come nell'esempio.
The sections of a newspaper. Match the two columns as in the example.

1. **Armi e droga, arresti e perquisizioni**
   Operazione della Polizia di Stato

2. **Governo, la situazione rimane tesa**
   Il primo ministro incontra il leader dell'opposizione

3. **Calcio, il Chelsea affronta l'Arsenal**
   Lampard determinato a vincere

4. **Tom Cruise e Cameron Diaz insieme in un film d'azione**
   Regia di James Mangold

5. **Australia: elezioni, conservatori favoriti**
   Dopo 6 anni di governo laburista

6. **Borsa: Londra apre debole -0,06%**
   Indice Ftse-100 a 6.582,22 punti

a. **Economia e finanza**

b. **Sport**

c. **Politica interna**

d. **Cultura e spettacoli**

e. **Cronaca**

f. **Politica estera**

3 Completa le seguenti frasi con le parole dei punti a e b.
Complete the following sentences with the words of points a and b.

1. Un articolo di politica .... descrive gli avvenimenti accaduti in un altro paese.

2. Di solito io .... il *Corriere della Sera*, che è un .... italiano molto importante.

3. Io trovo un po' difficile da capire la sezione di .... e finanza mentre mi interessa molto quella di .... e spettacoli.

Edizioni Edilingua

4. L'inviato da Washington ha fatto un' .... al Presidente americano.

5. *L'Espresso* è una .... italiana molto conosciuta.

6. Questo .... scrive sul quotidiano *La Repubblica*.

7. Secondo un recente sondaggio, molti italiani leggono le .... su Internet.

8. Daniela legge solo i .... della prima pagina.

9. Mi interessa molto la .... culturale.

10. Monica di solito legge le notizie di .... perché le piace molto il calcio.

c. Esprimere un'opinione *To express an opinion*

- Secondo me/Per me/A mio avviso, ...

  Secondo me, il *Guardian* e il *Daily Telegraph* sono i migliori quotidiani inglesi.

d. Esprimere gli aspetti negativi e positivi di qualcuno o qualcosa
To express the positive and negative aspects of someone or something

- Se da un lato ... dall'altro (però)...
- ...ma/però...
- D'altra parte/Dall'altra parte...

  Se da un lato in Italia ci sono molti quotidiani, **dall'altro (però)** i giornalisti non sempre sono preparati.

  Ho letto un articolo molto interessante **però/ma** molto difficile.

  La stampa del mio Paese è libera e indipendente. **Dall'altra parte**, secondo me, non informa bene i cittadini.

4 **Esprimi la tua opinione sui seguenti temi parlando degli aspetti positivi e negativi.**

Express your opinion on the following subjects mentioning the positive and negative aspects.

i tabloid inglesi

....

le riviste inglesi

....

i giornalisti inglesi

....

Internet

....

la televisione

....

e. I connettivi *Transition words/Connectives*

✿ **causali** che esprimono la conseguenza (expressing the consequence)
così/quindi/allora/dunque/perciò/pertanto/di conseguenza/per questo motivo (so/therefore/thus):
*Oggi i giornali non escono e **quindi** non possiamo leggere le notizie.*

✿ **logici** che introducono la causa (introducing the cause)
dato che/siccome/poiché/dal momento che (since/as/because):
***Dato che** ho comprato TV Sorrisi e canzoni, possiamo leggere quali programmi ci sono in TV stasera.*

✿ **temporali** che si riferiscono a una cronologia (referring to a chronology)
prima/innanzitutto (first), poi (then), successivamente/dopo (after/later), alla fine/in conclusione/insomma (finally), in breve (in short), durante (during), mentre (while):
*Oggi **prima** vado in edicola a comprare il giornale, **poi** vado al bar a prendere un caffè, **infine** torno a casa a pranzare.*

5 **Completa con i connettivi.** *Complete with the connectives.*

1. Di solito io leggo il giornale .... la pausa pranzo.

2. .... Alessio cucina, sua moglie legge il giornale.

3. Sono molto stanco e .... vado a dormire.

4. Non mi interessano le notizie di cronaca e .... non le leggo.

5. .... non ho comprato i giornali, non possiamo leggere le notizie.

6. Ieri .... sono andato in edicola a comprare i giornali, ... ho
letto le notizie al bar, ... sono tornato a casa.

💬 **Attività di parlato (*Edexcel – Presentation followed by discussion*)** *Speaking task*
(4-6 minutes talking – preparation 2-3 minutes)

Describe the press (newspapers and magazines) of your country.

Probable questions you may be asked after the presentation

- Quali giornali e che tipo di articoli leggi di solito?

- Quali sono gli articoli che non ti interessa leggere e perché?

- Quali giornali e quali articoli leggono normalmente i tuoi genitori?

- Leggi qualche rivista? Se sì, quale/i?

- Quali sono, secondo te, gli aspetti positivi e negativi della stampa?

Suggerimenti *Tips*

⋇ To describe newspapers and magazines
Dunque/Allora (to start the speech), **i quotidiani/le riviste più importanti/principali sono...**

⋇ To express an action you normally do
Di solito (usually) io leggo il *Guardian.*
Normalmente (normally) mi interessa la sezione di sport.
Generalmente (generally) non leggo gli articoli di economia e finanza.
In genere (generally) mio padre compra il *Daily Telegraph.*

Attività di scrittura (*Edexcel*) *Writing task*

Write an article for an Italian newspaper in which you describe the press of your country.

You could mention:

- the main newspapers and magazines
- which newspapers and magazines you normally read
- which articles you normally read and why
- whether you prefer to read the news on paper or on the Internet
- positive and negative aspects of the press

Suggerimenti *Tips*

⋇ To mention the main newspapers and magazines
I quotidiani/Le riviste principali/più importanti sono...

⋇ To say which articles you normally read and why
Normalmente/Di solito/In genere io leggo gli articoli di + sezione del giornale (sport, cronaca, politica interna etc.) **perché** mi interessano/mi piacciono/sono appassionato di questi temi.

⋇ To express the positive and negative aspects of the press of your country
(*See also point d on page 31*)
Se da un lato ... dall'altro (però)...
...ma/però...
D'altra parte/Dall'altra parte...

Preparazione al
GCSE in Italian

👥 **Attività di lettura** (*Edexcel – F/H*) *Reading task*

Piero: Io di solito leggo le notizie sportive, soprattutto quelle sul calcio.

Marta: In particolare mi interessano le notizie sul cinema, il teatro oppure i concerti.

Dario: Non leggo molto i quotidiani, a dire il vero. Qualche volta leggo i fatti di cronaca della mia città.

Luca: Per il mio lavoro io devo tenermi aggiornato sulle notizie di economia e finanza, in particolare quelle sulla Borsa e l'andamento dei mercati.

Giulia: Siccome studio Relazioni internazionali all'università, normalmente leggo e cerco di approfondire le notizie di politica estera.

Silvana: Seguo costantemente quello che succede dentro il Parlamento italiano e sto attenta alle decisioni prese dal governo.

Write the correct name.

Example: ....*Piero*........ normally reads sport news.

a. .... is interested in domestic policy.

b. .... reads the news about culture and entertainment.

c. .... is interested in foreign policy.

d. .... usually reads the news about business and finance.

③ **Attività d'ascolto** (*Edexcel – F/H*) *Listening task*

Italian press

Listen to Maria talking about Italian newspapers. Put a cross (X) in the proper box as in the example.

		Corriere della Sera	Il Sole 24 Ore	La Stampa	Il Messaggero	La Repubblica
A.	Headquarters in Milan	X				
B.	Founded in Rome with many articles and columns					
C.	Best selling daily newspaper in Rome					
D.	Important journalists write in this daily newspaper					
E.	You can read finance articles					

Edizioni Edilingua

Media and Arts

Grammatica *Grammar*

Leggi le frasi e completa lo schema. *Read the sentences and complete the chart.*

- Io compro il giornale in edicola.
- Io e Paolo compriamo il giornale in edicola.
- Tu leggi *La Repubblica*.
- Tu e Marco leggete *La Repubblica*.
- Sandro apre il giornale.
- Sandro e Fabrizio aprono il giornale.

PRESENTE INDICATIVO - VERBI REGOLARI *Regular verbs*			
COMPRARE	**LEGGERE**	**DORMIRE (I Tipo)**	**FINIRE (II Tipo -isc-)**
Io	Io leggo	Io apro	Io finisco
Tu compri	Tu	Tu apri	Tu finisci
Lui/Lei compra	Lui/Lei legge	Lui/Lei	Lui/Lei finisce
Noi	Noi leggiamo	Noi apriamo	Noi finiamo
Voi comprate	Voi	Voi aprite	Voi finite
Loro comprano	Loro leggono	Loro	Loro finiscono
parlare, lavorare, studiare, mangiare, cantare, guardare etc.	*scrivere, prendere, vedere, ridere, decidere, vendere etc.*	*dormire, partire, sentire, applaudire, vestire, seguire etc.*	*capire, spedire, preferire, pulire etc.*

1 **Completa le seguenti frasi con il Presente Indicativo.**
Complete the following sentences with the Present.

1. "Dove (voi-vivete) ....?"

   "(Noi-vivere) .... a Londra."

2. Io e Giuseppe (leggere) .... un libro.

3. Voi (preparare) .... la cena?

4. Claudio e Franco (lavorare) .... in un ufficio.

5. Lucia (prendere) .... l'autobus per andare a scuola.

6. Mio marito (studiare) .... italiano.

7. Gabriella (leggere) .... molti libri.

8. Noi (mangiare) .... la pizza il sabato.

9. Quale giornale (voi-leggere) .... ?

10. Io (parlare) .... con i miei amici.

11. Tu (guardare) .... la TV questa sera?

12. Noi (correre) .... al parco la domenica mattina.

2 **Rispondi alle seguenti domande.** *Answer the following questions.*

1. Dove abiti?

....

2. A che ora finisce la lezione?

....

3. Quando guardi la TV?

....

4. Quali giornali leggi di solito?

....

5. A che ora finisci di lavorare?

....

6. Quante e-mail scrivi al giorno?

....

PRESENTE INDICATIVO - VERBI IRREGOLARI (si imparano a memoria)				
Irregular verbs (you have to learn them by heart)				
ESSERE	**AVERE**	**ANDARE**	**VENIRE**	**STARE**
Io sono	Io ho	Io vado	Io vengo	Io sto
Tu sei	Tu hai	Tu vai	Tu vieni	Tu stai
Lui/Lei è	Lui/Lei ha	Lui/Lei va	Lui/Lei viene	Lui/Lei sta
Noi siamo	Noi abbiamo	Noi andiamo	Noi veniamo	Noi stiamo
Voi siete	Voi avete	Voi andate	Voi venite	Voi state
Loro sono	Loro hanno	Loro vanno	Loro vengono	Loro stanno
DARE	**USCIRE**	**DIRE**	**FARE**	**RIMANERE**
Io do	Io esco	Io dico	Io faccio	Io rimango
Tu dai	Tu esci	Tu dici	Tu fai	Tu rimani
Lui/Lei dà	Lui/Lei esce	Lui/Lei dice	Lui/Lei fa	Lui/Lei rimane
Noi diamo	Noi usciamo	Noi diciamo	Noi facciamo	Noi rimaniamo
Voi date	Voi uscite	Voi dite	Voi fate	Voi rimanete
Loro danno	Loro escono	Loro dicono	Loro fanno	Loro rimangono

Edizioni Edilingua

3 **Completa le seguenti frasi con il Presente Indicativo.**

Complete the following sentences with the Present.

1. Domani io e mio marito (andare) .... a Roma.

2. Quando (venire) .... a casa mia tu e tua moglie?

3. Daniele e Paolo (dire) .... che non (avere) .... la macchina questa sera.

4. Noi (avere) .... una casa a Hong Kong.

5. Loro (uscire) .... e (andare) .... a teatro domani sera.

6. Noi (fare) .... la spesa a Tesco, e voi dove (fare) .... la spesa?

7. Quando io (uscire) .... (andare) .... al cinema.

8. "Come (stare) .... i tuoi genitori?" "Bene, grazie."

9. Questa sera noi (rimanere) .... a casa perché (essere) .... stanchi.

10. Noi (dire) .... sempre la verità.

4 **Rispondi alle seguenti domande.** *Answer the following questions.*

1. Dove vai dopo la lezione?

....

2. A che ora venite a scuola?

....

3. In quale scuola va Piero?

....

4. Di dove siete voi?

....

5. Quando esci dove vai?

....

6. Coma sta Laura?

....

7. Quanti anni hai?

....

8. Dov'è Vittoria?

....

9. A che ora fai colazione?

....

10. Questa sera esci o rimani a casa?

....

GCSE in Italian

INTERNET

1 Leggi il seguente dialogo. *Read the following dialogue.*

Paolo: Ciao Marco, come stai?

Marco: Bene, grazie e tu?

Paolo: Anch'io sto bene. Oggi la professoressa di Storia ci ha detto che dobbiamo fare una ricerca su Internet su Giuseppe Garibaldi e non so da dove cominciare.

Marco: Puoi usare il motore di ricerca Google e collegarti a un sito di storia.

Paolo: Come si fa?

Marco: Devi digitare "google.it", scrivere, ad esempio, "Giuseppe Garibaldi" oppure "storia italiana", e poi cliccare su uno dei link che appaiono.

Paolo: Grazie. Tu usi molto Internet?

Marco: Sì, lo uso spesso. Di solito lo uso per collegarmi ai siti dei giornali, per scaricare video o musica oppure per cercare informazioni. Qualche volta, quando voglio chattare, vado sul sito di Facebook. Ogni tanto, quando voglio parlare con qualcuno, uso Skype.

Paolo: Io invece non navigo quasi mai su Internet perché preferisco andare a giocare a calcio con i miei amici oppure guardare la TV. Per me è utile solo per controllare la posta elettronica, per mandare mail agli amici e per salvare sul PC i file che mi mandano in allegato.

Marco: Secondo me, invece, Internet ha molti vantaggi: prima di tutto puoi comunicare con molte persone, poi puoi fare delle ricerche, e inoltre ti permette di sapere le notizie in tempo reale.

2 Indica le affermazioni presenti nel testo scegliendo sì o no.
Indicate the sentences which are in the text by choosing sì or no.

	Sì	No
1. Paolo non sa niente di Garibaldi.	◯	◯
2. Marco consiglia a Paolo di andare su un sito di storia.	◯	◯
3. Marco usa Internet spesso.	◯	◯
4. Marco usa Internet per mandare mail ai suoi amici.	◯	◯
5. Paolo usa Internet per comunicare con Skype.	◯	◯
6. Paolo usa Internet per salvare i file.	◯	◯
7. Secondo Marco, Internet ha molti vantaggi.	◯	◯
8. Secondo Paolo, Internet non ha nessun vantaggio.	◯	◯

Media and Arts

Cinema, TV Programs, Newspapers and Magazines, **Internet**, Cultural Events, Books

i **a. Il PC. Scrivi le parole negli spazi vuoti.** *Write the words in the blank spaces.*

tastiera ◆ cuffie ◆ chiavetta USB ◆ casse ◆ stampante ◆ schermo

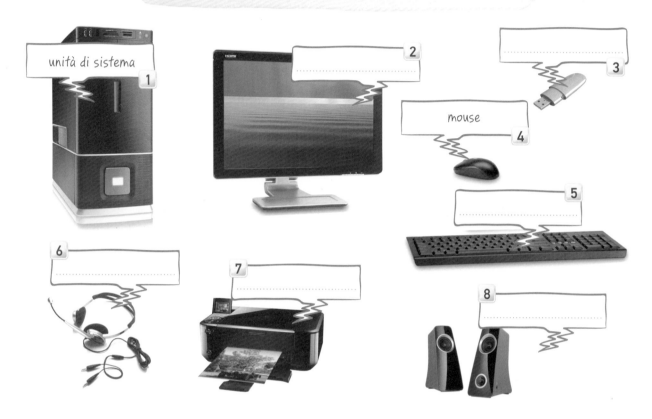

unità di sistema 1

2

3

mouse 4

5

6

7

8

b. Vocabolario *Vocabulary*

andare su un sito = *to go to a site*
allegare = *to attach*
(in) allegato = *attachment*
archivio = *file*
cancellare = *to delete*
cartella = *folder*
caricare = *to upload*
cercare = *to search*
chattare = *to chat*
cliccare = *to click*
collegamento = *connection*
collegarsi a = *to connect*
computer portatile = *laptop*
connessione = *connection*
connettersi a = *to connect*
copiare = *to copy*
digitare = *to type*

fare una ricerca = *to search*
file = *file*
icona = *icon*
indirizzo di posta elettronica = *e-mail*
incollare = *to paste*
installare = *to install*
inviare = *to send*
laptop = *laptop*
link = *link*
mail = *e-mail*
mandare = *to send*
motore di ricerca = *search engine*
navigare (su Internet) = *to surf the web*
salvare = *to save*
scaricare = *to download*
sito = *site*
spedire = *to send*

GCSE in Italian

3 **Completa le seguenti frasi con le parole dei punti a e b.**

Complete the following sentences with the words of points a and b.

1. Quando voglio .... con qualche amico, mi collego a una chat room oppure .... su Facebook.

2. "Quale .... di ricerca usi per cercare informazioni su Internet?" "Google oppure Yahoo."

3. Adesso .... una mail a Riccardo e gli metto in allegato i compiti per casa.

4. Ieri .... qualche video di musica da Internet.

5. Per collegarti al .... della scuola devi cliccare su questo link.

6. Dopo che hai scaricato il file, lo puoi .... in questa cartella.

7. Io uso il PC per .... su Internet, ascoltare la musica con le cuffie e scrivere .... ai miei amici.

8. "Accidenti! La mia .... non funziona e dunque non posso stampare i documenti." "Puoi .... i file nella memoria USB e andare a un Internet Café."

9. Oggi voglio .... Skype sul mio computer.

10. Il PC portatile è molto comodo perché ha insieme la .... e lo schermo.

c. Esprimere uno scopo, una finalità *To express a purpose*

- **per** + Infinito:

  *Io uso Internet **per cercare** informazioni.*
  *Io vado su YouTube **per guardare** i video musicali.*
  *Io mi collego a Facebook **per chattare** con i miei amici.*

4 **Rispondi alle seguenti domande esprimendo lo scopo con per + Infinito.**

Answer the following questions expressing the purpose with per + Infinitive.

1. Per cosa usi Facebook?
....

2. Perché navighi su Internet?
....

3. Perché ti colleghi a YouTube?
....

4. Perché vai su Google?
....

5. Per cosa usi il computer?
....

Edizioni Edilingua

d. Gli avverbi di tempo *The adverbs of time*

- Io controllo **sempre** la mia posta elettronica. (*always*)
- Io vado **spesso** su Facebook. (*often*)
- Io guardo video su YouTube **qualche volta**. (*sometimes*)
- **Ogni tanto** uso Skype. (*once in a while*)

Sempre, spesso, qualche volta can be put both before and after the verb:
Io **qualche volta** scarico musica da Internet. = Io scarico musica da Internet **qualche volta**.

> **Attenzione!** *Attention!*
>
> With mai (*never*) the construction of the sentence is the following:
> non + verb + mai (Io **non** chatto **mai**).

5 **Scrivi delle frasi secondo il modello. Usa gli avverbi di tempo coniugando il verbo alla I persona singolare io.** *Write some sentences as in the example. Use the first personal singular person io and talk about yourself using sempre, spesso, qualche volta, ogni tanto, mai.*

Esempio: navigare su Internet

   Io navigo su Internet qualche volta.

usare il computer

....

scrivere mail

....

andare su Facebook

....

chattare con gli amici

....

scaricare video o musica

....

collegarsi a YouTube

....

e. Dare un consiglio con il verbo *potere* *To give advice with the verb "potere"*

- **puoi** + Infinito:
   "Devo fare una ricerca su Internet su Giuseppe Garibaldi e non so da dove cominciare."
   "**Puoi usare** il motore di ricerca Google e collegarti a un sito di storia."

   "Vorrei ascoltare un po' di buona musica." "**Puoi andare** su YouTube e scegliere un video musicale."

Preparazione al
GCSE in Italian

"La connessione Internet del mio PC non funziona e io devo mandare una mail importante a Chiara."
*"**Puoi andare** a un Internet Café."*

6 **Da' un consiglio a queste persone.** *Give these people advice.*

1. "Vorrei comprare un computer nuovo."

   ....

2. "Devo fare una ricerca su Shakespeare e non so da dove cominciare."

   ....

3. "Mi piacerebbe chattare con qualcuno adesso."

   ....

4. "Vorrei imparare a usare Excel."

   ....

5. "Come posso fare per parlare con qualcuno usando Internet?"

   ....

Siti per imparare e migliorare la lingua italiana *Sites to learn and improve Italian*

http://parliamoitaliano.altervista.org/
http://www.impariamoitaliano.com/
http://www.iluss.it/sito_it/
http://www.oneworlditaliano.com/
http://www.dienneti.it/aree-disciplinari/area-linguistica/italiano-per-stranieri/

Attività di parlato (*Edexcel – Picture-based free-flowing discussion*) *Speaking task*

Suggested Questions

- Perché hai scelto questa fotografia?
- Quanto spesso ti colleghi a Internet?
- Quali siti web visiti di solito?
- Di cosa parli di solito quando chatti con i tuoi amici?
- Quanto spesso vai su YouTube?
- Usi Internet per scaricare file, programmi, musica, video etc.?
- Secondo te, Internet ha anche degli aspetti negativi? Se sì, quali?

The dialogue will last between 4 and 6 minutes.

Edizioni Edilingua

Chapter 1

Media and Arts

Cinema, TV Programs, Newspapers and Magazines, **Internet**, Cultural Events, Books

Suggerimenti *Tips*

- **Perché hai scelto questa fotografia?**
- **Ho scelto questa fotografia perché, secondo me,** rappresenta bene la relazione (*relationship*) fra i giovani e Internet.

To debate your opinions/views

I) **To express your opinion**
Per me/Secondo me, Internet ha molti vantaggi **per i seguenti motivi/per le seguenti ragioni...**

II) **To support your opinion**
In primo luogo...
Innanzitutto...
Prima di tutto perché puoi chattare con i tuoi amici.

III) **To add points and reasons** (*and then ... and also...*)
Poi ci sono moltissimi siti interessanti che puoi visitare.
...e anche puoi sapere le previsioni del tempo in anticipo.
...e poi puoi fare ricerche per la scuola.

IV) **To add a crucial element** (*furthermore/moreover*)
Inoltre...
Oltretutto...
In più, non costa molto.

V) **To conclude, where you repeat the I point with different words** (*so, therefore, thus, etc*)
Dunque...
Perciò...
Quindi...
Insomma...
Pertanto Internet è utile e ha molte cose positive.

Per me/Secondo me, Internet ha molti vantaggi per i seguenti motivi/per le seguenti ragioni. **Prima di tutto** perché puoi chattare con i tuoi amici. **Poi** ci sono moltissimi siti interessanti che puoi visitare, **e anche** puoi sapere le previsioni del tempo in anticipo e **poi** puoi fare ricerche per la scuola. **In più,** non costa molto. **Pertanto** Internet è utile e ha molte cose positive.

Attività di scrittura (*Edexcel*) *Writing task*

A friend of yours has asked you for some help to search for information on the Internet for a task he/she was assigned at school. Write an email to him/her in which you describe what you normally use the Internet for.

You could mention:

- the sites he/she could go to
- how to download files and save them
- what you normally use the Internet for
- a recommendation for an interesting game site
- positive and negative aspects of the Internet

Preparazione al
GCSE in Italian

💡 Suggerimenti *Tips* ✉

✱ **To say how to go to the sites, download the files, save them, etc.**
Per cercare le informazioni, devi andare su Google e digitare...
Per trovare le informazioni, devi andare su + nome del sito
Per scaricare un file, devi cliccare sull'icona...
Per salvare un file, devi cliccare su "Salva con nome".

✱ **To say what you normally use the Internet for**
*Di solito uso Internet **per** + Infinito (per cercare informazioni, per chattare con i miei amici, per scrivere mail etc.)*

✱ **To recommend an interesting game site**
Ti consiglio di andare sul sito...
Puoi andare sul sito...

👥 Attività di lettura (*AQA – H*) *Reading task*

Your Italian friend Nicola has sent you an e-mail. Read it.

Da ▾	
A...	
Cc...	
Oggetto:	

Caro/a ...,
come stai? Spero bene.
Ti scrivo per raccontarti che da qualche settimana nella mia scuola noi abbiamo cominciato a usare Internet. Una volta alla settimana, il mercoledì dalle 9 alle 10, andiamo in un'aula dove ci sono molti computer e il professore ci spiega come usare la Rete per cercare le informazioni utili per le nostre materie di studio. Per esempio, ci dice come usare un motore di ricerca, come selezionare le pagine web e anche come scaricare e salvare un file. A me piace molto navigare su Internet, anche quando sono a scuola, per-
ché posso imparare tante cose in modo facile e divertente. L'ultima volta a lezione abbiamo visitato il sito www.letteratura.it, dove ci sono molti testi letterari che si possono scaricare. Abbiamo scaricato e salvato sul PC alcune poesie di Dante Alighieri. Io non le ho ancora lette, ma sono sicuro che sono molto belle e interessanti.

E tu usi molto Internet? Su quali siti vai quando lo usi?

A presto,
Nicola

44

Edizioni Edilingua

*According to the text, which **four** statements are correct?*

A. In the school they use the Internet once a week.

B. The teacher explains how to upload videos.

C. The teacher explains how to install a programme.

D. During the lesson the students can learn how to download and save a file.

E. Nicola gets bored during the lesson.

F. Last lesson they went to an Italian literature site.

G. They downloaded some material.

H. He asks whether you visit literature sites.

Attività d'ascolto (*AQA – H*) *Listening task*

The Web

Listen to Davide talking about what he uses the Internet for.
Write the correct letter in the boxes.

a. always

b. often

c. sometimes

d. never

Preparazione al
GCSE in Italian

 Grammatica *Grammar*

 **Leggi le frasi e completa lo schema.** *Read the sentences and complete the chart.*

- Io devo fare una ricerca su Internet.
- Io e Francesca dobbiamo spedire una mail al direttore.
- Marco vuole scaricare un video.
- Loro vogliono chattare su Facebook.
- Puoi digitare "letteratura italiana" e vedere quali siti appaiono.
- Tu e Maria potete navigare su Internet ma prima dovete studiare.

I VERBI SERVILI *VOLERE, DOVERE, POTERE* + INFINITO		
DOVERE (obbligo) *To have to/must*	**VOLERE** (volontà/desiderio) *To want/To wish*	**POTERE** (possibilità, permesso, consiglio) *can/may*
Io	Io voglio	Io posso
Tu devi	Tu vuoi	Tu ....
Lui/Lei deve	Lui/Lei	Lui/Lei può
Noi	Noi vogliamo	Noi possiamo
Voi dovete	Voi volete	Voi ....
Loro devono	Loro	Loro possono
Io devo studiare.	*Paolo vuole uscire.*	*Noi possiamo venire.*

1 **Completa con i verbi servili** dovere, volere, potere. *Complete with the verbs dovere, volere, potere.*

1. Noi (dovere) .... studiare sempre per la lezione di Italiano.

2. Io non (potere) .... parlare tedesco.

3. "(Tu-volere) .... andare a teatro questa sera?" "Mi dispiace, non (io-potere) ....
.... perché (io-dovere) .... lavorare."

4. Marco e Claudio (volere) .... preparare la cena.

5. Io e mia moglie non (potere) .... venire a lezione oggi.

6. Maria non (volere) .... uscire questa sera. Preferisce rimare a casa.

7. Domani io (dovere) .... studiare molto.

8. Francesca non (potere) .... collegarsi a Internet da una settimana.

Edizioni Edilingua

CULTURAL EVENTS

1 **Leggi la seguente lettera.** *Read the following letter.*

Caro Francesco,

Ti scrivo per raccontarti che sabato scorso sono andata a Milano al concerto di Rihanna, la cantante barbadiana che mi piace tanto. Sono andata al concerto con la mia compagna di scuola Adriana. Ti ricordi di lei? Quando eravamo piccoli giocavamo insieme a lei. È stata una giornata molto intensa. Faceva caldo ed eravamo tutte e due molto emozionate. Prima siamo partite in treno alle dieci della mattina da Venezia e siamo arrivate a Milano a mezzogiorno e mezzo. Poi abbiamo pranzato in un fast food e dopo abbiamo preso la metropolitana per il Palasport. Quindi abbiamo fatto una coda di tre ore sotto il sole e infine siamo entrate. Poi abbiamo aspettato per altre quattro ore e infine le luci si sono spente, lei è salita sul palco e il concerto è cominciato. Lei portava un vestito bianco molto elegante e mentre lei cantava e ballava anche gli spettatori cantavano e ballavano. Il concerto è durato circa due ore e a mezzanotte siamo uscite dal Palasport. Eravamo molto stanche ma anche molto contente. Abbiamo dormito in un hotel del centro e infine siamo tornate a casa il giorno dopo verso le sette del mattino. Ci vediamo la prossima settimana alla festa di compleanno di Alberto.

Ciao
Claudia

2 **Rispondi alle seguenti domande (prima a voce e poi per iscritto).**
Answer the following questions (first speaking and then in writing).

1. Cosa ha fatto Claudia sabato scorso?

....

2. Chi è Adriana?

....

3. A che ora sono partite da Venezia e a che ora sono arrivate a Milano Claudia e Adriana?

....

4. Dove hanno pranzato?

....

5. Cosa facevano gli spettatori durante il concerto?

....

6. Quanto è durato il concerto?

....

7. Come stavano Claudia e Adriana dopo il concerto?

....

8. Quando sono tornate a Venezia?

....

Preparazione al
GCSE in Italian

 a. Vocabolario. Scrivi le parole negli spazi vuoti.
Vocabulary. Write the words in the blank spaces.

opera teatrale ◆ mostra ◆ matrimonio ◆ compleanno

concerto .... *festa di laurea* ....

applaudire = *to applaud*
ballare = *to dance*
basso = *bass guitar*
batteria = *drums*
blues = *blues*
cantante = *singer*
cantare = *to sing*
divertirsi = *to enjoy oneself*
durare = *to last*
fare la coda = *to queue*
gruppo = *group, band*
jazz = *jazz*
luci = *lights*
microfono = *microphone*
musica = *music*
musicista = *musician*
orchestra = *orchestra*
palasport = *sports arena*
palco = *stage*
pop = *pop*
pubblico = *public, audience*
riflettori = *spotlights*
rock = *rock*
spettatore = *spectator*
stadio = *stadium*
suonare = *to play*
suono = *sound*
strumenti musicali = *musical instruments*
tour = *tour*

aranciata = *orange soda*
bere = *to drink*
bibita = *drink*
compiere (gli anni) = *to have birthday*
coca cola = *coke*
candeline = *candles*
festeggiare = *to celebrate*
mangiare = *to eat*
patatine = *crisps*
pop corn = *pop corn*
regalare = *to give*
ridere = *to laugh*
regalo = *present, gift*
spremuta = *orange juice*
succo = *juice*
torta = *cake*

biologia = *biology*
cerimonia di laurea = *graduation exercises*
chimica = *chemistry*
economia = *economics*
congratularsi con = *congratulate*
fisica = *physics*
informatica = *IT, computer science*
ingegneria = *engineering*
legge = *law*
laurea = *BA degree*
laurearsi = *to graduate*
laureato/a = *graduate*
letteratura = *literature*
lingue = *languages*
medicina = *medicine*
scienze politiche = *political science*
università = *university*

Edizioni Edilingua

Media and Arts

Cinema, TV Programs, Newspapers and Magazines, Internet, **Cultural Events**, Books

affresco = *fresco*
ammirare = *to admire*
arte = *art*
artista = *artist*
galleria = *art gallery*
museo = *museum*
opera = *artwork*
orario = *time*
pittore = *painter*
pittura = *painting*
quadro = *painting*
scultore = *sculptor*
scultura = *scuplture*
visitatore = *visitor*

amici = *friends*
banchetto = *banquet*
brindare = *to toast*
brindisi = *toast*
discorso = *speech*
genitori = *parents*
invitati = *guests*
luna di miele = *honeymoon*
marito = *husband*
moglie = *wife*
parenti = *relatives*
sposo = *groom*
sposa = *bride*
viaggio di nozze = *honeymoon*

assistere a = *to attend, to watch*
atto = *act*
attore = *actor*
attrice = *actress*
commedia = *comedy*
costumi = *dress, costumes*
protagonisti = *characters*
recita = *play*
recitare = *to play*
scenografia = *set design*
teatro = *theatre*
tragedia = *tragedy*

3 Completa le seguenti frasi con le parole del punto a.

Complete the following sentences with the words of point a.

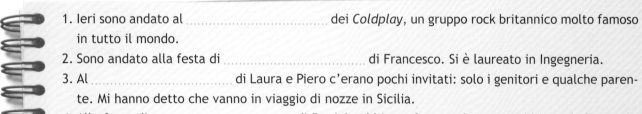

1. Ieri sono andato al .... dei *Coldplay*, un gruppo rock britannico molto famoso in tutto il mondo.

2. Sono andato alla festa di .... di Francesco. Si è laureato in Ingegneria.

3. Al .... di Laura e Piero c'erano pochi invitati: solo i genitori e qualche paren-te. Mi hanno detto che vanno in viaggio di nozze in Sicilia.

4. Alla festa di .... di Daniele abbiamo fatto molte cose: abbiamo ballato, ab-biamo guardato la TV, ... la torta, abbiamo bevuto le bibite e gli abbiamo dato i ....

5. La settimana scorsa ho assistito a un'opera .... al Teatro Nazionale. Era una .... di Shakespeare che s'intitola *Macbeth*. Lo spettacolo mi è piaciuto molto perché gli attori .... molto bene, i costumi erano quelli tipici dell'epoca e la scenografia era molto affascinante.

6. Domenica vado alla *National Gallery*, un importante .... di Londra. Vado a vedere la .... sul Canaletto, un .... veneziano che dipin-se quadri su Venezia molto belli.

b. Descrivere una cronologia/successione di fatti al passato
To describe facts in the past in chronological order

Devi usare i connettivi temporali (you have to use the time transition words):

❈ **Innanzitutto/Prima di tutto/Prima** *(first)*
*Alla festa di compleanno di Paolo **prima** abbiamo mangiato panini e patatine e abbiamo bevuto le bibite.*

❈ **Poi/Successivamente/Dopo/Più tardi/Quindi** *(then, after, later)*
***Poi** abbiamo ballato e **dopo** gli abbiamo dato i regali. **Quindi** lui ha spento le candeline e **poi** abbiamo mangiato la torta.*

❈ **Infine/Alla fine/In conclusione** *(finally)*
***Infine** abbiamo guardato un po' la TV.*

4 **Scrivi delle frasi usando la cronologia al passato come nell'esempio.**
Write sentences using the chronology in the past as in the example.

Esempio: Ieri pomeriggio I pranzare I fare i compiti I andare da Lino I guardare la TV I tornare a casa
Ieri pomeriggio prima ho pranzato, poi ho fatto i compiti, dopo sono andato da Lino, quindi abbiamo guardato la TV, infine sono tornato a casa.

1. Domenica mattina I fare colazione I navigare su Internet I pranzare

....

....

2. Sabato pomeriggio I fare i compiti I telefonare a Carla I pranzare I uscire con Carla

....

....

3. Venerdì sera I fare la doccia I andare in centro I incontrare gli amici I andare a teatro

....

....

4. Ieri mattina I fare colazione I uscire di casa I prendere l'autobus I arrivare a scuola

....

....

5. Domenica pomeriggio I pranzare I ascoltare un po' di musica I telefonare ad Andrea I andare al cinema con Andrea

....

....

6. Al matrimonio di Sergio e Francesca I assistere alla cerimonia I ascoltare il discorso degli sposi I fare un brindisi I pranzare all'aperto

....

....

Edizioni Edilingua

c. Descrivere situazioni al passato
To describe situations in the past

Indicazioni temporali del passato + Passato Prossimo
(point of time in the past + Passato Prossimo):

- **Ieri** (*yesterday*) **ho lavorato** molto.
- **L'altro ieri** (*the day before yesterday*) **ho incontrato** Marco al bar.
- Tre giorni **fa** (*three days ago*) **siamo andati** al cinema.
- Il mese **scorso** (*last month*) **avete venduto** la macchina.
- La settimana **scorsa** (*last week*) **sono andato** a teatro.
- L'anno **scorso** (*last year*) Paolo e Maria **sono venuti** a Roma.

5 **Rispondi alle seguenti domande.** *Answer the following questions.*

1. Quando sei andato/a al cinema?

....

2. Quando hai cominciato a studiare italiano?

....

3. Quando sei andato/a al museo?

....

4. Quando sei andato/a in vacanza?

....

5. Quando hai guardato la TV?

....

6. Quando hai scritto una mail?

....

Preparazione al
GCSE in Italian

d. Descrivere situazioni del passato con il Passato Prossimo e l'Imperfetto
To describe past situations with the Passato Prossimo and the Imperfetto

SI USA IL PASSATO PROSSIMO *(Passato Prossimo is used):*	SI USA L'IMPERFETTO *(Imperfetto is used):*
✱ **Per descrivere fatti in sé conclusi** *To describe completed single facts* Ieri **sono andato** a teatro.	✱ **Per descrivere azioni non ancora concluse, spesso introdotte da** mentre **o** quando *To describe past actions not concluded yet, often introduced by mentre or quando* Ieri **mentre tu ammiravi** i quadri alla mostra, **io cucinavo.**
✱ **In una cronologia** *In a chronology* Alla festa di compleanno di Andrea **prima abbiamo guardato** la TV, **poi abbiamo mangiato** la torta, **infine abbiamo ballato.**	✱ **Descrivere sensazioni, emozioni, stati psicofisici, sentimenti** *To describe physical and psychological conditions* Alla laurea di suo figlio Mara **era molto emozionata.**
✱ **Quando si quantifica la durata o il tempo** *When time and duration are quantified* Lo sposo ha fatto un discorso molto lungo, **ha parlato per circa mezz'ora.**	✱ **Caratteristiche e descrizioni di persone, oggetti e situazioni (in questo caso si usano molto le forme** c'era + singolare/c'erano + plurale**)** *Characteristics of people, objects and situations. In this case c'era + singular/c'erano + plural are often used.* Al concerto **c'erano** almeno 15.000 spettatori e dentro il Palasport **faceva molto caldo. Il palco era enorme** e il cantante **indossava** un vestito di pelle.
	✱ **Azione abituale, che si faceva regolarmente** *Past habit, action that you did on a regular basis* **Da bambino festeggiavo** il mio compleanno in giardino.

6 **Passato prossimo o Imperfetto? Scegli l'opzione corretta come nell'esempio.**
Choose the proper option as in the example.

Ciao Carlo, come stai? Spero bene.

L'altro ieri <u>sono andato</u>/andavo alla festa di compleanno del mio amico Roberto. Sono uscito/Uscivo di casa alle tre del pomeriggio e sono arrivato/arrivavo a casa sua verso le tre e mezzo. Alla festa ci sono stati/c'erano quasi tutti i nostri amici e compagni di scuola. Abbiamo avuto/Avevamo tutti voglia di divertirci senza pensare alla scuola. All'inizio abbiamo parlato/parlavamo un po' fra di noi, poi abbiamo mangiato/mangiavamo i panini e le patatine e dopo abbiamo ascoltato/ascoltavamo la musica. Roberto è stato/era molto contento perché c'è stata/c'era anche Chiara, una ragazza che a lui piace tanto. Infatti, quando lei gli ha dato/dava il regalo lui non è riuscito/riusciva a dire niente dall'emozione. Siccome è stata/era una bella giornata, abbiamo mangiato/mangiavamo la torta in giardino. Più tardi, verso le cinque e mezzo, abbiamo cantato/cantavamo qualche canzone tutti insieme. Siamo stati/Eravamo tutti felici anche perché è stato/era sabato e dunque non abbiamo dovuto/dovevamo studiare o fare i compiti. Alla fine sono tornato/tornavo a casa alle sette di sera e poi non ho mangiato/mangiavo perché non ho avuto/avevo più fame.

Ciao,
Michele

Edizioni Edilingua

Attività di parlato (*AQA – Context: Leisure - Free Time and the Media*) *Speaking task*

Task: Describing a cultural event
You are going to have a conversation with your teacher about cultural events such as birthdays, weddings, theatre plays, concerts, art exhibits, etc.

Your teacher will ask you the following:

- which cultural events you like to attend and why
- which cultural events you don't like to attend and why
- describe a cultural event you attended
- which cultural event you liked to attend when you were a child
- what cultural events are organised in your school
- !

! Remember, at this point, you will have to respond to something you have not yet prepared.

The dialogue will last between 4 and 6 minutes.

Suggerimenti *Tips*

✱ **To talk about the cultural events you like to attend**
Mi piace andare/assistere a + evento al plurale:
Mi piace andare alle mostre d'arte contemporanea.
Mi piace assistere alle opere teatrali.

✱ **To talk about the cultural events you liked to attend when you were a child**
Da/Quando ero piccolo/a (bambino/a) mi piaceva andare/assistere a + evento al plurale:
Da piccolo mi piaceva andare alle feste di compleanno dei miei amici.
Quando ero bambina mi piaceva assistere alle recite teatrali della scuola.

✱ **To talk about the cultural events organised in your school**
Nella mia scuola organizziamo/facciamo + evento al plurale:
Nella mia scuola organizziamo recite teatrali.
Nella mia scuola facciamo concerti.

Preparazione al
GCSE in Italian

✎ **Attività di scrittura** (*AQA – Context: Leisure - Free Time and the Media*) *Writing task*

Task Title: DESCRIBING A CONCERT
You decide to participate in a competition to win two tickets to see a music star concert. You have to describe a concert you attended and talk about your music preferences.

You could mention:

- who was/were the singer(s), when and where the concert took place and with whom you attended it
- what you did before, during and after the concert
- your opinion about the concert
- what kind of music you like most, mentioning singers or groups
- with whom you will go to the concert if you win the competition

💡 **Suggerimenti** *Tips* ✎ ✉

❋ **To say what kind of music you like most, mentioning singers or groups**
Mi piace *molto la musica rap.*
Mi piace (+ nome di un/una cantante) *Beyoncé.*
Mi piacciono (+ nome di un gruppo) *gli U2.*
Preferisco *il rock.*
(Vedi punto c "Descrivere i propri gusti" a pagina 23. *See also point c "To describe your own tastes" on page 23*)

❋ **To say with whom will you go to the concert if you win the competition**
Se (if) vinco la gara/la competizione, vado al concerto con/in compagnia di/insieme a...

👥 **Attività di lettura** (*AQA – F/H*) *Reading task*

You receive this e-mail from Daniela.

	Da ▾	
Invia	A...	
	Cc...	
	Oggetto:	

Caro Antonio, come stai? Spero bene.

Come sai, venerdì scorso sono andata alla festa di laurea di Patrizia. Si è laureata in Ingegneria con il massimo dei voti. È stata una bellissima giornata. C'era il sole ma non faceva troppo caldo. All'inizio abbiamo assistito alla cerimonia di laurea poi siamo andati nel cortile dell'università a congratularci con lei. Sua sorella era molto emozionata e i suoi genitori erano commossi. Dopo, verso mezzogiorno, siamo andati al ristorante tutti insieme. Al pranzo c'erano circa trenta persone fra amici, famigliari e parenti. Il pranzo è durato tre ore. Patrizia ha voluto fare un breve discorso per ringraziare tutti, in particolare sua madre e suo padre per il supporto che le hanno dato in questi anni di studio. Più tardi, verso le quattro del pomeriggio, sono tornata a casa.

Ci vediamo domani da Matteo.

Daniela

Edizioni Edilingua

Chapter 1

Cinema, TV Programs, Newspapers and Magazines, Internet, **Cultural Events**, Books

According to this e-mail are the following statements true, false or not in the text?
Write: T (true), F (false), ? (not in the text).

a. Daniela went to Patrizia's graduation ceremony last Friday. ◯

b. It was a beautiful day and it was very hot. ◯

c. Patrizia's friends were moved and excited. ◯

d. At the lunch Patrizia's boyfriend was not there. ◯

e. Patrizia made a speech to thank her parents. ◯

⑤ **Attività d'ascolto (*AQA – F/H*)** *Listening task*

Cultural events

What does Luigi think about these cultural events?
Write the correct letter in the boxes.

a. beautiful   **b.** interesting   **c.** fun   **d.** exciting   **e.** useful

Grammatica *Grammar*

Leggi le frasi e completa lo schema.
Read the sentences and complete the chart.

- Sergio ha lavato la sua macchina.
- Francesca e Giulio hanno comprato una nuova TV.
- Io sono uscito con Monica.
- Io e Franco siamo andati in centro.

GCSE in Italian

PASSATO PROSSIMO	
Io ho comprato un libro.	Io .... andato/a al ristorante.
Tu hai dormito molto.	Tu sei venuto/a da solo/a.
Lui/Lei .... venduto la casa.	Lui è entrato in sala Lei è entrata in sala.
Noi abbiamo visto la partita.	Noi .... venuti/e alle tre.
Voi avete lavorato molto.	Voi siete partiti/e presto.
Loro .... parlato con il direttore.	Loro sono arrivati/e con me.

The Passato Prossimo is formed with the Presente Indicativo of essere or avere followed by the Participio Passato (Past Participle) of the verb.

The verbs expressing a movement or a fact (*andare, arrivare, venire, tornare, nascere, diventare*, etc.), as well as all the reflexive verbs (*svegliarsi, alzarsi, addormentarsi, divertirsi*, etc.) are normally conjugated with the auxiliary essere, for which it is also necessary to agree the Participio Passato with the gender and the number of the subject (ending –o for singular masculine, –i for plural masculine, –a for singular feminine and –e for plural feminine).

PARTICIPIO PASSATO REGOLARE *Regular Past Participle*		
-are/-ATO	-ere/-UTO	-ire/-ITO
parlare/parlato	sapere/saputo	finire/finito

PARTICIPI PASSATI IRREGOLARI *Irregular Past Participles*		
accendere/acceso	fare/fatto	scendere/sceso
aprire/aperto	leggere/letto	scrivere/scritto
bere/bevuto	mettere/messo	smettere/smesso
chiedere/chiesto	offrire/offerto	spegnere/spento
chiudere/chiuso	perdere/perso	spendere/speso
correggere/corretto	promettere/promesso	togliere/tolto
correre/corso	proporre/proposto	vedere/visto
difendere/difeso	raccogliere/raccolto	venire/venuto
dire/detto	ridere/riso	vincere/vinto
essere/stato	scegliere/scelto	vivere/vissuto

Edizioni Edilingua

Cinema, TV Programs, Newspapers and Magazines, Internet, **Cultural Events**, Books

1 **Essere o avere? Scegli l'ausiliare appropriato come nell'esempio.**

Choose the proper auxiliary as in the example.

Esempio: Ieri sono/<u>ho</u> lavorato molto.

1. Tre giorni fa abbiamo/siamo parlato con Marco.
2. Ieri ho/sono guardato la televisione.
3. L'anno scorso noi abbiamo/siamo andati in vacanza a Roma.
4. La settimana scorsa Roberto ha/è studiato italiano.
5. Noi siamo/abbiamo venuti alle tre e mezzo.
6. Voi non avete/siete uscite ieri sera.

2 **Coniuga i verbi fra parentesi al Passato Prossimo.**

Conjugate the verbs in parentheses into the Passato Prossimo.

1. Ieri io (studiare) .... francese e tedesco.
2. "Tu (capire) ....?" "Sì, io (capire) ...."
3. Il fine settimana noi (cenare) .... al ristorante.
4. Monica e Antonella (uscire) .... insieme ieri sera.
5. Michele (andare) .... al cinema ieri sera.
6. Maria (entrare) .... al pub alle sette di sera.
7. Paolo e Anna (finire) .... di studiare tardi.
8. Io e Carlo (tornare) .... a casa alle nove.
9. Roberto (lavorare) .... in ufficio.
10. Perché voi non (mangiare) .... la pasta?

3 **Coniuga i verbi fra parentesi al Passato Prossimo.**

Conjugate the verbs in parentheses into the Passato Prossimo.

1. Stamattina (io-fare) .... colazione alle otto.
2. Ieri sera noi (rimanere) .... a casa e (vedere) .... un film alla tele-visione.
3. Un mese fa Antonio (venire) .... a Londra.
4. Quante e-mail (tu-scrivere) .... oggi?
5. La settimana scorsa io (leggere) .... un libro molto bello.
6. Daniele (dire) .... la verità.
7. Due ore fa io e Jack (fare) .... i compiti di italiano.
8. Voi (aprire) .... la finestra.

4 **Rispondi alle seguenti domande.** *Answer the following questions.*

1. Dove sei andato/a ieri?

....

2. Cosa avete mangiato ieri sera?

....

3. Quante e-mail hai scritto oggi?

....

4. Cosa hai visto alla televisione ieri sera?

....

5. Quali città italiane ha visitato Paul?

....

6. A che ora hai fatto colazione stamattina?

....

IMPERFETTO - VERBI REGOLARI *Regular verbs*		
LAVORARE	**DOVERE**	**SALIRE**
Io lavoravo	Io dovevo	Io salivo
Tu lavoravi	Tu dovevi	Tu salivi
Lui/Lei lavorava	Lui/Lei doveva	Lui/Lei saliva
Noi lavoravamo	Noi dovevamo	Noi salivamo
Voi lavoravate	Voi dovevate	Voi salivate
Loro lavoravano	Loro dovevano	Loro salivano

L'Imperfetto ha pochi verbi irregolari (*Imperfetto has few irregualr verbs*):

IMPERFETTO - VERBI IRREGOLARI *Irregular verbs*			
ESSERE	**DIRE**	**FARE**	**BERE**
Io ero	Io dicevo	Io facevo	Io bevevo
Tu eri	Tu dicevi	Tu facevi	Tu bevevi
Lui/Lei era	Lui/Lei diceva	Lui/Lei faceva	Lui/Lei beveva
Noi eravamo	Noi dicevamo	Noi facevamo	Noi bevevamo
Voi eravate	Voi dicevate	Voi facevate	Voi bevevate
Loro erano	Loro dicevano	Loro facevano	Loro bevevano

 Edizioni Edilingua

5 **Coniuga i verbi fra parentesi all'Imperfetto.**

Conjugate the verbs in parentheses into the Imperfetto.

Quando ero piccolo (1. giocare) .... molto a calcio. Di solito (2. essere) .... al campo subito dopo avere fatto colazione e subito dopo pranzo. I miei amici (3. dire) .... che io (4. essere) .... un "malato di calcio". I miei genitori (5. pensare) .... al mio rendimento scolastico e non (6. essere) .... contenti. Da questo punto di vista forse (7. avere) .... ragione perché nella mia classe io non (8. essere) .... certo il più bravo. Mentre i miei compagni (9. sapere) .... già fare tutte le quattro operazioni aritmetiche, io (10. potere) .... a malapena eseguire l'addizione. Il mio maestro (11. credere) .... in me e (12. dire) .... che la mia passione per il calcio (13. essere) .... passeggera. Certo non (14. sbagliarsi) .... dato che sono diventato uno scrittore di successo e oggi guardo il calcio alla televisione.

6 **Completa le seguenti frasi con l'Imperfetto o il Passato Prossimo.**

Complete the following sentences with the Imperfetto or the Passato Prossimo.

1. Stamattina Luca (andare) .... a scuola in autobus.
2. Quando era studente Luca (andare) .... a scuola tutti i giorni in autobus.
3. Ieri noi (mangiare) .... la pizza.
4. Da piccoli noi (mangiare) .... la pizza tutte le domeniche.
5. Quando ero in vacanza (uscire) .... ogni sera.
6. Sabato scorso (io-uscire) .... con Franca.
7. Mio padre da giovane (scrivere) .... con la macchina da scrivere.
8. Mio padre ieri (scrivere) .... una mail a un suo collega.

GCSE in Italian

BOOKS

1 **Leggi il seguente dialogo.** *Read the following dialogue.*

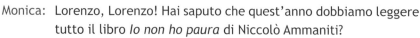

Monica: Lorenzo, Lorenzo! Hai saputo che quest'anno dobbiamo leggere tutto il libro *Io non ho paura* di Niccolò Ammaniti?

Lorenzo: Sì. Io ho già cominciato a leggerlo e lo trovo molto interessante. E sai che dobbiamo anche preparare una scheda sul libro?

Monica: Cosa? Una scheda sul libro? Con la trama, i protagonisti, il contesto, lo stile e il messaggio?

Lorenzo: Esattamente, e la dobbiamo fare prima di Natale.

Monica: Non ci posso credere! Ma tu sai già di cosa parla questo racconto?

Lorenzo: Non è un racconto, ma un romanzo. È ambientato nell'Italia del Sud alla fine degli anni Settanta e i protagonisti sono alcuni bambini che giocano insieme nella campagna. Michele, uno di questi bambini, un giorno scopre che dentro un buco profondo c'è un bambino...

Monica: Caspita! La settimana scorsa ho visto un film che parlava di situazioni simili. Ricordi i nomi degli altri protagonisti?

Lorenzo: Veramente non li ricordo tutti. Ne ricordo alcuni: Michele, i suoi genitori, Filippo...

Monica: Ho capito. Io ho visto il film tratto dalla favola.

Lorenzo: È un romanzo! Non una favola!

Monica: Va bene, è un romanzo. Lo sai che non capisco niente di letteratura. Per me tutti i generi sono uguali. Tu che sei molto bravo in questa materia, mi aiuti a fare la scheda?

Lorenzo: D'accordo, ti aiuto. E tu mi puoi prestare le tue fotocopie dell'ultima lezione di Matematica?

Monica: Mi dispiace, non posso, le ho dimenticate in classe.

2 **Scegli l'opzione corretta.** *Choose the correct option.*

1. **Lorenzo...**
   a. ha già cominciato a leggere *Io non ho paura* di Niccolò Ammaniti e lo trova molto interessante.
   b. non ha ancora cominciato a leggere *Io non ho paura* di Niccolò Ammaniti.
   c. ha già cominciato a leggere *Io non ho paura* di Niccolò Ammaniti e lo trova molto noioso.

2. **Nella scheda gli studenti devono...**
   a. fare solo un riassunto della trama.
   b. esprimere le loro idee sul contenuto.
   c. descrivere la trama, il contesto, i personaggi, lo stile e il messaggio.

3. **Gli studenti devono preparare la scheda...**
   a. per dopo Natale.
   b. per la fine dell'anno.
   c. prima di Natale.

4. I protagonisti del romanzo *Io non ho paura* sono dei bambini che...
a. fanno un film.
b. leggono le favole.
c. giocano nella campagna.

5. Monica ha visto il film tratto...
a. dal racconto.
b. dal romanzo.
c. dalla favola.

6. Lorenzo...
a. non vuole aiutare Monica a fare la scheda.
b. accetta di aiutare Monica.
c. chiede aiuto a Monica per fare la scheda.

a. Vocabolario *Vocabulary*

ambientare = *to set*	**messaggio** = *message*
ambientazione = *setting*	**opera teatrale** = *theatre play*
autore = *author*	**pagina** = *page*
biblioteca = *library*	**poesia** = *poem*
biografia = *biography*	**poeta** = *poet*
capitolo = *chapter*	**pubblicare** = *to publish*
contesto = *context*	**protagonisti** = *characters*
descrivere = *to describe*	**racconto** = *short story*
descrizione = *description*	**riassunto** = *summary*
favola = *fable*	**romanzo** = *novel*
fiaba = *fairy tale*	**saggio** = *essay*
genere = *genre*	**scrittore** = *writer (masc.)*
leggere = *to read*	**scrittrice** = *writer (fem.)*
letteratura = *literature*	**scrivere** = *to write*
libro = *book*	**stile** = *style*
libreria = *bookshop*	**tema** = *theme, topic*

b. I generi letterari. Unisci le due colonne come nell'esempio.
Literary genres. Match the two columns as in the example.

1. *La volpe e l'uva*, Esopo   a. opera teatrale

2. *Ivanhoe*, Sir Walter Scott   b. racconto

3. *Macbeth*, William Shakespeare   c. poesia

4. *Se*, Rudyard Kipling   d. romanzo

5. *Cenerentola*, Charles Perrault   e. favola

6. *Uno scandalo in Boemia*, Sir Arthur Conan Doyle   f. fiaba

Preparazione al
GCSE in Italian

3 **Completa le seguenti frasi con le parole dei punti a e b.**

Complete the following sentences with the words of points a and b.

1. *Romeo e Giulietta* è un'importante .... teatrale di William Shakespeare.

2. "Quale .... inglese ti piace?" "Virginia Woolf."

3. "Lo .... di questo scrittore è molto complicato.

4. "*Biancaneve* è una .... che abbiamo letto tutti.

5. "Conosci due .... inglesi?" "Wordsworth e Coleridge. Ho letto tutte le loro poesie."

8. .... dei romanzi di Charles Dickens sono quasi sempre bambini che vivono in un contesto povero.

7. Niccolò Ammaniti .... *Io non ho paura.*

8. Per l'esame di Inglese devo .... molti libri di letteratura.

9. L' .... di *Orgoglio e pregiudizio* di Jane Austen è l'Inghilterra del XIX secolo.

10. La poesia e il racconto sono i miei .... letterari preferiti.

Romeo e Giulietta

c. Annunciare una notizia/Esprimere sorpresa
To announce news/To express surprise, astonishment

Sai/Sapete che Marco non lavora più qui?

Caspita!/Davvero?/ Non ci posso credere!/Veramente?/ Ma non mi dire!/No!...

Hai/Avete saputo/sentito che Luke ha comprato una nuova casa?

Ma va!/ Possibile?

4 **Tu e un tuo compagno fate dei dialoghi come nel modello.**
You and your friend make up some dialogues as in the example.

Esempio: Fabio vuole scrivere un libro.

- *Hai sentito che Fabio vuole scrivere un libro?*
- *Davvero?*

1. Dobbiamo leggere tutto il racconto per la prossima settimana.
2. L'insegnante di Letteratura ha pubblicato un saggio su Shakespeare.
3. Dobbiamo analizzare la poesia che abbiamo letto a scuola.
4. C'è una nuova libreria vicino alla scuola.
5. Riccardo ha già fatto la scheda su *Io non ho paura*.
6. Non dobbiamo leggere tutte le pagine del capitolo ma solo alcune.

d. Chiedere aiuto *To ask for help*

Chiedere aiuto *To ask for help*	**Accettare di dare aiuto** *To accept to give help*	**Rifiutare di dare aiuto** *To refuse to give help*
• **Mi aiuti a** + Infinito: *Mi aiuti a fare la scheda del libro?* • **Mi dai una mano a** + Infinito: *Mi dai una mano a scrivere il riassunto del capitolo?* • **Puoi aiutarmi a** + Infinito: *Puoi aiutarmi a fare la ricerca su questo scrittore?*	• **Va bene.** • **D'accordo.** • **Ma certo.** • **Sì, non c'è problema.**	• **Mi dispiace, non posso** + giustificazione: *Mi dispiace, non posso perché devo lavorare.*

5 **Sei nelle seguenti situazioni. Chiedi aiuto a un amico/un'amica che può accettare o rifiutare.**
You are in the following situations. Ask your friend to help you. He/She can either accept or refuse.

Esempio: Devi fare la scheda del libro.

- *Mi aiuti a fare la scheda del libro?*
- *D'accordo.*

1. Devi preparare la presentazione su uno scrittore italiano.
2. Devi fare il riassunto del capitolo di un libro.
3. Devi convincere Paolo a fare la ricerca su Dante insieme a voi.
4. Devi compilare il questionario di comprensione su un racconto che hai letto.
5. Devi scrivere una poesia.
6. Devi fare la descrizione dei personaggi principali di un romanzo.

Preparazione al
GCSE in Italian

e. Descrivere un libro *To describe a book*

    a. *Oliver Twist* è + **genere**

    b. *di/scritto da (by)* + **autore**

    c. *È ambientato (it is set)* + **dove e quando** (where and when)
- dove: **in** + paese/regione/isola; **a** + città
- quando: *negli anni '70/'80/'90 (in the Seventies/Eighties/Nineties)/ nel Medioevo (in the medieval times)/nell'antichità (in the ancient times)/nel XIX secolo (in the XIX century) etc.*

    d. *I protagonisti sono... (the characters are...)*

    e. *La storia/trama parla/tratta di/è su... (the plot deals with/talks about/ is about...)*

    f. *Secondo me/Per me, è un libro triste/divertente/difficile/ interessante/lungo etc.*

Oliver Twist è un romanzo di (scritto da) Charles Dickens. È ambientato a Londra nel XIX secolo. I protagonisti sono alcuni bambini poveri. Parla della vita di Oliver, un bambino molto povero che vive situazioni molto difficili. Secondo me, è un libro interessante ma anche un po' triste.

6 **Scrivi dei brevi testi come nel modello.** *Write some brief texts as in the example.*

i **Esempio:** *Ivanhoe* ∎ romanzo ∎ Walter Scott ∎ in Inghilterra nel Medioevo ∎ Ivanhoe e altri cavalieri sassoni ∎ le battaglie dei cavalieri sassoni contro la dominazione normanna ∎ libro lungo e molto interessante

Ivanhoe è un romanzo di Walter Scott. È ambientato in Inghilterra nel Medioevo. I protagonisti sono Ivanhoe e altri cavalieri sassoni. La storia parla delle battaglie dei cavalieri sassoni contro la dominazione normanna. Secondo me, è un libro lungo e molto interessante.

1. *Romeo e Giulietta* ∎ opera teatrale ∎ Shakespeare ∎ a Verona nel XVI secolo ∎ Giulietta e Romeo, due giovani amanti di due famiglie rivali ∎ amore tra Giulietta e Romeo e della loro fine tragica ∎ libro interessante ma molto triste

....

....

....

2. *Orgoglio e pregiudizio* ∎ romanzo ∎ Jane Austen ∎ in Inghilterra alla fine del XVIII secolo ∎ Elizabeth Benneth e la sua famiglia e Darcy, un ricco gentiluomo ∎ amore tra Darcy ed Elizabeth Bennet ∎ libro difficile ma anche divertente

....

 Edizioni Edilingua

3. *La donna in nero* ❚ racconto ❚ Susan Hill ❚ negli anni '20 del XX secolo in un piccolo paese inglese ❚ Arthur Kipps, un giovane avvocato, e una misteriosa donna vestita di nero ❚ Arthur Kipps che scopre segreti inquietanti dentro la casa dove abitava una donna anziana morta da poco ❚ libro appassionante ma qualche volta fa paura

4. *Il signore delle mosche* ❚ romanzo ❚ William Golding ❚ un'isola deserta nel XX secolo ❚ un gruppo di bambini inglesi sopravvissuti a un incidente aereo ❚ come questi bambini inglesi organizzano la loro vita nell'isola deserta ❚ libro facile ma un po' violento

Attività di parlato (*Edexcel – Presentation followed by discussion*) *Speaking task (4-6 minutes talking – preparation 2-3 minutes)*

Tell a friend that you have just read a novel, a short story, a theatre play or any other literary work. Mention the title, the author, the genre, the setting, the main characters and the plot. You have to say also whether you liked it or not and why.

Probable questions you may be asked after the presentation
- In generale ti piace leggere o preferisci fare altre cose?
- Quanti libri leggi in un anno?
- C'è un libro che mi consigli di leggere?
- Secondo te, perché è importante leggere?
- Secondo te, i giovani del tuo Paese leggono molto?
- Devo fare il riassunto del capitolo di un libro. Mi dai una mano?

GCSE in Italian

☺ Suggerimenti *Tips* 🖥

✖ **Secondo te, perché è importante leggere?**
Secondo me, è importante leggere perché puoi imparare molte cose utili. Leggere è utile anche per capire il mondo e la società. Poi la lettura ti permette di stimolare la tua immaginazione e inoltre serve (*is useful to*) a capire il carattere delle persone.

✖ **Secondo te, i giovani del tuo Paese leggono molto?**
I giovani del mio Paese leggono abbastanza (*enough*)/molto/tanto (*a lot/much*).

A dire il vero (*to tell the truth/to be honest*) i giovani del mio Paese leggono poco/non leggono molto.

ℹ Attività di scrittura (*Edexcel*) *Writing task*

An Italian literary magazine has organised a competition for the best article about your favourite literary work. You might win a cash prize!!!

You could mention:

- the title, the author, the setting, the main characters and a brief plot
- why it is your favourite literary work
- a recommendation to read it
- whether you have read other books by the same author
- how you will spend the money if you win the competition

☺ Suggerimenti *Tips* ℹ ✉

✖ **Why it is your favourite literary work**
Questa è la mia opera letteraria preferita perché la storia/la trama è interessante e avvincente, i personaggi sono interessanti...

✖ **A recommendation to read it**
Consiglio a tutti di leggere questo romanzo/racconto/quest'opera teatrale perché...

✖ **Whether you have read other books by the same author**
Ho letto altri libri di + nome dell'autore/di questo autore, per esempio + nome dell'opera.
Non ho letto altri libri di + nome dell'autore/di questo autore.

Edizioni Edilingua

Cinema, TV Programs, Newspapers and Magazines, Internet, Cultural Events, **Books**

Attività di lettura (*Edexcel – H*) *Reading task*

Read this advert.

Club della lettura

Dal 1º ottobre sono aperte le iscrizioni al club della lettura per studenti tra i quattordici e i diciannove anni. A partire dal 9 ottobre ogni giovedì sera alle 18 alla biblioteca di quartiere si discute di un autore, un testo o una corrente letteraria e ognuno può esprimere la propria opinione a riguardo. L'iscrizione è del tutto gratuita. Per maggiori informazioni, guardare sul sito www.bibliotecadiquartiere.it oppure telefonare al numero 041/523467432 durante l'orario di servizio (dal lunedì al venerdì dalle 9 alle 18 e il sabato dalle 9 alle 12).

*Answer the following question by putting a cross (**X**) in the correct box.*

Example: This text is an advert for ...

A. a holiday.	**B.** a show.	**C.** a cultural activity.
		X

(i) The 1st October is ...

A. the deadline for enrolments.	**B.** the date the enrolments start.	**C.** the first meeting of the reading club.

(ii) Every Thursday evening there will be ...

A. an author talking about his literary works at the library.	**B.** a public debate about an author, a book or a literary movement at the library.	**C.** a public debate about the problems of students aged between 14 and 19 years old.

(iii) To enrol ...

A. you don't have to pay.	**B.** you have to pay 18 Euros.	**C.** you can pay an optional amount.

(iv) To get more information you can ...

A. phone the library at any time.	**B.** phone the library between 9am and 6pm Monday to Saturday.	**C.** go to the web-site of the library.

GCSE in Italian

 Attività d'ascolto (*Edexcel – F/H*) *Listening task*

Books

Listen to these people talking about their favourite literary genres.
Put a cross (✗) in each correct box.

	A. Theatre Plays	B. Novels	C. Poems	D. Fairy Tales	E. Short Stories	F. Fables
Stefania	✗					
Carlo						
Monica						
Francesco						
Marco						

Grammatica *Grammar*

Guarda le seguenti parti del dialogo iniziale e completa come nell'esempio.
Look at the following parts taken from the dialogue and complete as in the example.

Monica: Lorenzo, Lorenzo! Hai saputo che quest'anno dobbiamo leggere tutto il libro *Io non ho paura* di Niccolò Ammaniti?

Lorenzo: Sì. Io ho già cominciato a leggerlo e lo trovo molto interessante (*lo refers to* ....il libro....).
E sai che dobbiamo anche preparare una scheda sul libro?

Monica: Cosa? Una scheda sul libro? Con la trama, i protagonisti, il contesto, lo stile e il messaggio?

Lorenzo: Esattamente, e la dobbiamo fare prima di Natale (1. *la refers to* ....).

Monica: Caspita! La settimana scorsa ho visto un film che parlava di situazioni simili. Ricordi i nomi degli altri protagonisti?

Lorenzo: Veramente non li ricordo tutti (2. *li refers to* ....). Ne ricordo alcuni: Michele, i suoi genitori, Filippo... (3. *ne refers to* ....)

Monica: Va bene è un romanzo. Lo sai che non capisco niente di letteratura. Per me tutti i generi sono uguali. Tu che sei molto bravo in questa materia, mi aiuti a fare la scheda (4. *mi refers to* ....)?

Lorenzo: D'accordo, ti aiuto (5. *ti refers to* ....). E tu mi puoi prestare le tue fotocopie dell'ultima lezione di Matematica?

Monica: Mi dispiace, non posso, le ho dimenticate in classe (6. *le refers to* ....).

Edizioni Edilingua

Media and Arts

Cinema, TV Programs, Newspapers and Magazines, Internet, Cultural Events, **Books**

PRONOMI DIRETTI
Direct object pronouns

I pronomi diretti sostituiscono un complemento diretto. Il complemento diretto risponde alla domanda chi?/che cosa?
The direct object pronouns replace direct object complements. The direct object complements answer the questions whom?/what?

"Conosci Paolo?" "Sì, conosco Paolo."
Whom do I know? Paolo. "Paolo" è il complemento diretto. *"Paolo" is the direct object complement.*
Sì, **lo** conosco. Lo sostituisce "Paolo". *Lo replaces "Paolo".*

"Scrivi la mail?" "Sì, scrivo la mail."
What do I write? The e-mail. "La mail" è il complemento diretto. *"La mail" is the direct object complement.*
Sì, **la** scrivo. La sostituisce "la mail". *La replaces "la mail".*

Schema generale dei PRONOMI DIRETTI

SINGOLARE	PLURALE
mi *me*	ci *us*
ti *you (informal)*	vi *you (informal)*
La *you (formal masc. and fem.)*	
lo *him, it*	li *them*
la *her, it*	le *them (fem.)*

I pronomi diretti si mettono prima del verbo. *Direct object pronouns are placed before the verb.*
Se trovo i libri, **li** compro. *If I find the books, I will buy them.*
"Quando fai le fotocopie?" "**Le** faccio domani." *(I will do them tomorrow.)*

Nelle frasi negative non si mette prima del pronome diretto.
In negative sentences, non is placed before the direct object pronoun.
Non **la** mangio. *I don't eat it.*
Non **ci** conoscono. *They don't know us.*

> **Attenzione!** *Attention!*
>
> "Conosci Paolo e Maria?" "Sì, **li** conosco."
> Come vedi, quando ci sono complementi diretti maschili e femminili nella stessa frase, si usa il pronome diretto li. *As you can see, when there are masculine and feminine direct object complements in the same sentences, the masculine plural direct pronoun li is used.*

IL PRONOME PARTITIVO *NE*

Il pronome partitivo ne si deve usare con le quantità. *The pronoun ne is used with quantities.*

- Quante bottiglie di vino compri?"
- Compro due bottiglie di vino.
  - **Ne** compro due."

GCSE in Italian

I PRONOMI DIRETTI E IL PARTITIVO *NE* CON I VERBI SERVILI *VOLERE, DOVERE, POTERE* + INFINITO

Ci sono due possibilità (*there are two possibilities*):

a. "**Mi** puoi aiutare?" "Sì, **ti** posso aiutare."
"Questo è un libro molto interessante. **Lo** vuoi leggere?" "Sì, **lo** voglio leggere."
"Quanti capitoli dobbiamo leggere?" "**Ne** dobbiamo leggere tre."

b. "Puoi aiutar**mi**?" "Sì, posso aiutar**ti**."
"Questo è un libro molto interessante. Vuoi legger**lo**?" "Sì, voglio legger**lo**."
"Quanti capitoli dobbiamo leggere?" "Dobbiamo legger**ne** tre."

I PRONOMI DIRETTI E IL PARTITIVO *NE* AL PASSATO PROSSIMO
The direct pronouns and "ne" in the Passato Prossimo

- Quando hai conosciuto <u>Carlo</u>?
- **L'**ho conosciu**to** l'anno scorso.

- Dove hai comprato <u>questi orecchini</u>?
- **Li** ho comprat**i** da Bulgari.

- Quanti <u>caffè</u> hai preso oggi?
- **Non ne** ho preso nessun**o**.
- **Ne** ho preso un**o**.
- **Ne** ho pres**i** **tre**.
- **Ne** ho pres**i** poch**i**.
- **Ne** ho pres**i** tant**i**.

- Quando hai conosciuto <u>Maria</u>?
- **L'**ho conosciu**ta** ieri.

- Dove hai comprato <u>quelle scarpe</u>?
- **Le** ho comprat**e** da Prada.

- Quante <u>birre</u> hai bevuto ieri sera?
- **Non ne** ho bevut**a** nessun**a**.
- **Ne** ho bevut**a** un**a**.
- **Ne** ho bevut**e** **tre**.
- **Ne** ho bevut**e** poch**e**.
- **Ne** ho bevut**e** tant**e**/mol**te**.

Al Passato Prossimo i pronomi diretti lo, la, li, le e il partitivo ne vogliono la concordanza con il genere e il numero dell'oggetto (non del soggetto!) nella formazione del Participio Passato. Con i pronomi mi, ti, ci e vi la concordanza non è obbligatoria. Ricorda che lo e la possono perdere la vocale e diventare l'.
In the Passato Prossimo the Past Participles agree with the gender and number of the object (not the subject!) the direct pronouns (lo, la, li, le) are referred to. With mi, ti, ci, vi the agreement is not required. Remember that the pronouns lo and la can lose their vowels and become l'.

1 **Inserisci i pronomi diretti o il partitivo ne.** *Insert the direct pronouns or ne.*

1. Ho cucinato la pizza e ora .... mangio.
2. "Quanti fratelli hai?" "......... ho tre, tutti più grandi di me."
3. "Puoi accompagnare a scuola Viviana?" "Mi dispiace, non posso accompagnar......... perché non ho tempo."
4. "Quando ci chiamate?" "......... chiamiamo questa sera quando arriviamo a casa."
5. Emanuele, se vuoi, ... posso aiutare a pulire la casa.

6. "Conoscete Fabio e Gennaro?" "Sì, ... conosciamo, sono due ragazzi molto simpatici."

7. "Quanti libri legge Alessandra in un mese?" "........ legge almeno tre."

8. "Quando vedi Carlo?" "........ vedo domani al lavoro."

9. "Quante macchine avete?" "........ abbiamo due."

10. "Dove comprate le melanzane?" "........ compriamo al mercato della frutta."

2 **Inserisci i pronomi diretti o il partitivo ne. Attenzione anche alla concordanza del Participio Passato.**

Insert the direct pronouns or ne. Focus also on the agreement of the Past Participle.

1. "Quanti caffè hai bevuto ieri?" "........ ho bevut.... tre."

2. "Avete portato il vino? " Sì, ... abbiamo portat.... ."

3. "Maria ha letto questo libro?" "No, non .... ha ancora lett.... ."

4. "Quando vi hanno chiamato?" "........ hanno chiamat.... ieri sera."

5. "Perché alla festa non mi hai salutato?" "Non .... ho salutat.... perché non .... ho vist.... ."

6. "Quando hai conosciuto Anna?" "........ ho conosciut.... dieci anni fa."

7. "Quante pagine hai fotocopiato?" "........ ho fotocopiat.... circa cento."

8. "Dove avete incontrato Paolo?" "........ abbiamo incontrat.... allo stadio."

9. "Quante birre hai bevuto?" "Non .... ho bevut.... nessuna."

10. "Quando hanno comprato la nuova casa?" "........ hanno comprat.... l'anno scorso."

3 **Rispondi alle seguenti domande usando i pronomi diretti come nell'esempio.**

Answer the following questions using the direct pronouns as in the example.

Esempio: • Hai guardato la TV ieri sera?

   • *Sì, l'ho guardata./No, non l'ho guardata.*

1. • Hai visto Maria a scuola?

   • ....

2. • Tu mangi la carne?

   • ....

3. • Conoscete Giuseppe?

   • ....

4. • Hai visto la partita lo scorso fine settimana?

   • ....

5. • Hai visitato Padova?

   • ....

6. • Hai letto il capitolo?

   • ....

Sports, Free Time, Food and Drink, Lifestyle, Fashion

Goals: in this chapter you will learn...

- **how to talk about sports and competitions**
- **how to talk about what you and people do in free time**
- **how to talk about food and drinks**
- **how to talk about lifestyle (health, medicines, habits, etc.)**
- **how to talk about fashion and clothes**

SPORTS

1 **Leggi il seguente dialogo.** *Read the following dialogue.*

Nicola: Hai partecipato anche tu alle competizioni sportive a scuola?

Monica: Certo, ho partecipato alle gare di atletica. E tu hai fatto il torneo di calcio, giusto?

Nicola: Esatto, con la squadra della mia classe. Siamo arrivati secondi. Purtroppo abbiamo perso in finale. E tu hai vinto qualche gara?

Monica: Sì, sono arrivata prima nei 100 e nei 200 metri.

Nicola: Davvero? Complimenti, Monica! Bravissima!

Monica: Grazie, troppo gentile.

Nicola: Ma quante ore ti alleni al giorno?

Monica: Almeno due.

Nicola: E dove trovi il tempo per la scuola, i compiti e tutto il resto? Devi essere molto occupata durante il giorno, vero?

Monica: Beh, sì. Mi sveglio alle 7, mi lavo, mi vesto e poi faccio colazione. Dalle 8 all'una e venti sono a scuola. Torno a casa verso le 2, pranzo, mi riposo mezz'ora davanti alla TV e poi, verso le 3 faccio i compiti. Alle cinque e mezzo mi metto la tuta e vado al campo sportivo a fare l'allenamento e alle 8 torno a casa. Ceno verso le otto e un quarto, guardo un po' la TV e poi controllo i compiti che ho fatto nel pomeriggio. Alla fine mi sento molto stanca e mi addormento verso le dieci e mezza.

Nicola: Anch'io mi addormento verso quell'ora, però prima guardo qualche partita di calcio alla TV. Mia madre si arrabbia quando io e mio padre urliamo e ci abbracciamo se la nostra squadra fa gol. Dice che ci esaltiamo troppo.

Monica: Io invece con il calcio mi annoio molto, infatti non tifo per nessuna squadra. Mi diverto molto di più a seguire altri sport come per esempio il tennis, la pallavolo o il pattinaggio.

Edizioni Edilingua

Sports and Free Time

Sports, Free Time, Food and Drink, Lifestyle, Fashion

2 **Rispondi alle seguenti domande (prima a voce e poi per iscritto).**
Answer the following questions (first speaking and then in writing).

1. A quali competizioni sportive ha partecipato Monica e con quale risultato?

....

2. Quale torneo ha fatto Nicola e con quale risultato?

....

3. Quante ore si allena Monica al giorno?

....

4. Cosa fa Monica dopo l'allenamento?

....

....

5. A che ora si addormenta Nicola?

....

6. Quali sport preferisce Monica?

....

a. Vocabolario *Vocabulary*

aerobica = *aerobics*	**centrocampo** = *centre field/midfield*
allenamento = *training*	**competizione** = *competition, contest*
allenarsi = *to train*	**contro** = *against/versus*
allenatore = *manager/coach*	**correre** = *to run*
andare in bicicletta = *to ride a bike*	**corsa** = *run, sprint, race*
andare a cavallo = *to ride a horse*	**cricket** = *cricket*
arbitro = *referee*	**difesa** = *defense*
atleta = *athlete*	**difensore** = *defender*
attaccante = *forward, striker*	**durata** = *running time*
attacco = *forward*	**fallo** = *fault*
battere = *to beat*	**fantino** = *jockey*
baseball = *baseball*	**fare ginnastica** = *to exercise*
calcetto = *five-a-side football, futsal*	**fare gol** = *to score*
calciatore = *footballer*	**fare jogging** = *to jog*
calcio d'angolo = *corner kick*	**fare sport** = *to do/play sport*
calcio di punizione = *free kick*	**fare (battere) un record** = *to break the record*
campionato = *championship*	**finale** = *final*
campione = *champion (masc.)*	**Formula Uno** = *Formula One*
campionessa = *champion (fem.)*	**gara** = *competition, challenge, race*
campo di calcio = *footbal pitch*	**ginnastica** = *fitness, gymnastics*
campo di pallacanestro = *basketball court*	**giocare** = *to play*
campo di tennis = *tennis court*	**giocatore** = *player*
campo di pallavolo = *volleyball court*	**gol** = *goal*
centrocampista = *midfielder*	**golf** = *golf*

Preparazione al
GCSE in Italian

Gran Premio = *Grand Prix*
guardalinee = *linesman*
hockey = *hockey*
(essere) in forma = *in shape*
jogging = *jogging*
motociclismo = *motorcycle sport*
nuotare = *to swim*
palestra = *gym*
palla = *ball (for football, tennis, etc.)*
pallanuoto = *water polo*
pallone = *ball (for football)*
pareggiare = *to tie, to equalise*
partita = *match/game*
pattini = *skates*
perdere = *to lose*
ping pong = *ping pong*
piscina = *swimming pool*
portiere = *goalkeeper*
pugilato = *boxing*
pugile = *boxer*
racchetta = *racket*

record = *record*
regola = *rule*
rigore = *penalty*
segnare = *to score*
scherma = *fencing*
sci = *ski*
sciare = *to ski*
sciatore = *skier*
spogliatoio = *changing room*
sport = *sport*
squadra = *team*
stadio = *stadium*
tennista = *tennis player*
tifare per = *to support*
tifoso/a = *fan*
torneo = *tournament*
tuta = *tracksuit*
vela = *sailing*
vincere = *to win*
vincitore = *winner*

ℹ **b. Gli sport. Scrivi le seguenti parole sotto le immagini come negli esempi.**
Sports. Write the following words under the images as in the examples.

automobilismo ◆ rugby ◆ tennis ◆ atletica ◆ pallacanestro ◆ pattinaggio ◆ ciclismo ◆ equitazione

1

.... *calcio* ....

2

3

.... *pallavolo* ....

4

5

6

Sports and Free Time

Chapter 2

Sports, Free Time, Food and Drink, Lifestyle, Fashion

nuoto

canottaggio

✎ **c. Le Olimpiadi e le discipline dell'atletica. Inserisci la lettera come nell'esempio.**
The Olympic games and athletics events. Insert the letter as in the example.

a. salto in lungo   **b.** salto con l'asta   **c.** corsa a ostacoli

d. lancio del giavellotto   **e.** salto in alto   **f.** 100 metri

g. lancio del peso   **h.** lancio del disco

medaglia
d'oro

medaglia
d'argento

medaglia
di bronzo

1.
a

2.

3.

4.

5.

6.

7.

8.

Preparazione al
GCSE in Italian

Attenzione! *Attention!*

In una gara/competizione puoi *arrivare* + numero ordinale (in a race/competition you can *arrive* + ordinal number): *Fabrizio è arrivato* **primo** *nel lancio del peso.*

d. Numeri ordinali *Ordinal numbers*

I	primo/a	VIII	ottavo/a
II	secondo/a	IX	nono/a
III	terzo/a	X	decimo/a
IV	quarto/a	XI	undicesimo/a
V	quinto/a	XII	dodicesimo/a
VI	sesto/a	XIII	tredicesimo/a
VII	settimo/a	XIV	quattordicesimo/a

3 **Completa le seguenti frasi con le parole dei punti a, b e c.**
Complete the following sentences with the words of point a, b and c.

1. "Oggi pomeriggio vado in .... a fare ginnastica. E tu?"
   "Io invece vado in .... a nuotare."
2. Ieri alla TV ho visto una .... di Formula Uno: la Ferrari ha vinto!
3. L'atleta italiano ieri è arrivato terzo nel salto in alto e dunque ha vinto la .... di bronzo.
4. Io e Patrick siamo .... dell'Arsenal. Andiamo allo stadio a vedere la .... ogni sabato.
5. I giocatori di .... sono tutti molto alti.
6. Nella sua carriera Micheal Phelps ha vinto molte medaglie d'oro alle
   ....
7. L'........................... è lo sport preferito di mio padre. Ogni fine settimana lui guarda il Gran Premio alla televisione.
8. .... a cavallo fa bene alla schiena e andare in ....
   fa bene alla gambe.
9. Purtroppo sabato scorso la mia squadra .... contro il Manchester City.
10. Domenica prossima Silvia va in montagna a .... con la sua famiglia.
11. David Beckham è stato un grande .... inglese. Ha giocato anche in Italia ma non mi ricordo in quale ....
12. Questo calciatore .... molti gol nella sua lunga carriera.

Edizioni Edilingua

Sports and Free Time

Sports, Free Time, Food and Drink, Lifestyle, Fashion

4 **Rispondi alle seguenti domande.** *Answer the following questions.*

1. Quale/i sport pratichi?

....

2. Quando e dove di solito pratichi sport?

....

3. Quale/i sport ti piace seguire alla TV?

....

4. Quale/i sport non ti piace/piacciono?

....

5. Per quale squadra di calcio tifi?

....

6. Chi è il tuo campione dello sport preferito?

....

e. ...,vero/giusto?

Si dicono dopo la frase per avere conferma, come la "question tag" in inglese.
These are said after a statement to ask for confirmation, as with the question tag in English.

- *Tu giochi a golf il fine settimana, **giusto?***
  You play golf at the week-end, don't you?

- *Monica ha vinto le gare dei 100 e dei 200 metri, **vero?***
  Monica won the 100 and 200 metres, didn't she?

5 **Tu e un tuo compagno fate dei mini-dialoghi come nel modello.**
You and your friend make up some short dialogues as in the example.

Esempio: Tu I giocare a tennis il fine settimana / Tu I andare in bicicletta ogni giorno
- *Tu giochi a tennis il fine settimana, vero?*
- *Sì, e tu vai in bicicletta ogni giorno, giusto?*

1. Paolo I andare in palestra con te / Marcella I fare pattinaggio con Daniela

2. Voi I tifare per il Manchester United / Voi I essere tifosi del Chelsea

3. Tu I arrivare terzo al torneo di scherma / Tu I arrivare primo nella gara dei 200 metri

4. Lucia e Sara I nuotare almeno tre ore al giorno / Alessio e Marco I allenarsi in palestra costantemente

5. Tu I giocare come attaccante / Tu I essere portiere

6. Valerio I andare a nuotare in piscina / Daniele I andare a cavallo in campagna

Preparazione al
GCSE in Italian

f. Fare i complimenti/Congratularsi e ringraziare *To compliment/To congratulate and to thank*

FARE I COMPLIMENTI/CONGRATULARSI	RINGRAZIARE
Bravo/a!	*Grazie!*
Bravissimo/a!	*Ti ringrazio!*
Complimenti!	*Grazie, troppo gentile.*
Congratulazioni!	
Ti faccio i miei complimenti!/Ti faccio le mie congratulazioni!	

Monica: Sì, sono arrivata prima nei 100 e nei 200 metri.
Nicola: Davvero? Complimenti, Monica! Bravissima!
Monica: Grazie, troppo gentile.

6 **Scrivi dei brevi dialoghi usando le espressioni del punto f secondo il modello.**
Write some short dialogues using the expressions of point f as in the example.

Esempio: vincere il torneo di tennis
- *Ho vinto il torneo di tennis.*
- *Bravo/a!*
- *Grazie.*

1. arrivare primo/a nella gara di nuoto

....

....

2. segnare due gol nella partita di calcio

....

....

3. fare un record nella gara dei 100 metri nella mia scuola

....

....

4. vincere la partita di pallavolo

....

....

5. correre per più di un'ora

....

....

6. arrivare in finale al torneo di ping pong

....

....

Edizioni Edilingua

Sports and Free Time

Sports, Free Time, Food and Drink, Lifestyle, Fashion

i **Attività di scrittura (*Edexcel*)** *Writing task*

You are a successful athlete who has been asked to describe your life by an Italian magazine.

You could mention:

- what you normally do from the morning till the evening/night
- what sport you play and how many hours you train and at what time
- which competition you won
- what your parents and friends say about you
- what you do apart from training in your free time

 Suggerimenti *Tips*

✿ **What you normally do from the morning till the evening/night**
(*Use verbi riflessivi - see also grammar chart on pages 82 and 83*)
Dunque, **mi sveglio** alle 7, **mi lavo** e poi **mi vesto**. Dopo faccio colazione ed esco per andare ad allenarmi in palestra. **Mi alleno** dalle ... alle ... Infine **mi addormento** alle...

✿ **Which competition you won**
Ho vinto il torneo di.../la medaglia d'oro a.../**Sono arrivato** primo in...

✿ **What you do apart from training in your free time**
Oltre ad allenarmi/Quando non mi alleno, nel mio tempo libero ascolto la musica, vado al cinema etc.

🗨 **Attività di parlato (*Edexcel – Open interaction*)** *Speaking task*
(*4-6 minutes talking – preparation 2-3 minutes*)

Lions Sport Centre

Monday to Friday: (9am-6pm) **Saturday:** (9am-1pm)	Child – £40 *per month* Adult – £45 *per month*

Monday to Friday: (9am-8pm) **Saturday:** (9am-6pm)	Child – £40 *per month* Adult – £45 *per month*

Monday to Friday: (9am-6pm) **Saturday:** (9am-1pm)	Child – £2.5 *per hour* Adult – £3.5 *per hour*

Monday to Friday: (9am-8pm) **Saturday:** (9am-6pm)	Child – £10 *per hour per team* Adult – £15 *per hour per team*

Tel. 02875643 456
Reception open 9am-8pm
www.lionsportcentre.com
lionsportcentre@yahoo.com

GCSE in Italian

Situation

You would like to invite an Italian friend to the local sport centre. He/She will start the conversation.

Task

He/She may ask you:

- for information about facilities and the sports that can be played
- for information about timetable and prices
- which day you normally go to the sport centre and which sport you do
- how to get further information

Be prepared to ask questions during the conversation.

💡 Suggerimenti *Tips* 💬

✱ To give information about facilities and the sports that can be played
Nel centro sportivo **c'è** la palestra, **c'è** il campo da calcetto, **c'è** il campo da tennis etc.
Il centro sportivo **ha** la palestra, il campo da calcetto, il campo da tennis etc.

✱ To say which sport you do
Io **pratico/faccio** tennis, **gioco a** calcetto, **pratico/faccio** nuoto.

Attenzione! *Attention!*

Si dice *(you have to say)* praticare/fare uno sport:
Io pratico/faccio (il) nuoto/(il) rugby/(il) ciclismo etc.
Per gli sport in cui c'è una palla si può anche dire *(for ball games you can also say)* giocare a + **nome dello sport** *(name of the sport)*:
giocare a calcio/giocare a tennis/giocare a pallacanestro etc.

👥 Attività di lettura (*Edexcel – H*) *Reading task*

Read the following message.

Salve a tutti,
mi chiamo Robert, sono un ragazzo inglese di Manchester, ho 16 anni e mi piace molto lo sport, in particolare il calcio. Sono tifoso del Manchester United e ogni sabato vado allo stadio a vedere la partita con i miei amici. Durante la settimana, il lunedì e il mercoledì pomeriggio dalle 4 alle 5, gioco a calcio al campo sportivo vicino a casa. Io gioco come attaccante e segno molti gol. Sono davvero molto bravo. La domenica mattina invece vado un'ora in piscina dalle 10 alle 11. Non mi piace molto nuotare perché mi annoio però mia madre dice che questo sport fa bene al corpo.
Il mio migliore amico si chiama Marco e lui fa equitazione, uno sport molto bello e interessante che lui pratica la domenica in campagna.
Cerco amici italiani con la mia stessa passione per il calcio per scambiare informazioni e opinioni su questo bellissimo sport.

Robert

 Edizioni Edilingua

Sports and Free Time

Sports, Free Time, Food and Drink, Lifestyle, Fashion

Answer these questions in English.

a. Who is Robert and what sport does he like?

.... (2)

b. What does he do on Saturday?

.... (1)

c. Which days of the week does he play football and where?

.... (2)

d. What other sport does he play?

.... (1)

e. Who is Robert's best friend and what sport does he play?

.... (2)

Attività d'ascolto (*Edexcel – F/H*) Listening task

Tennis

*Listen to the conversation. Put crosses (✗) next to the **four** correct statements.*

✗	Sonia plays tennis on Tuesday and Thursday afternoon.
A.	Michele trains from Monday to Friday.
B.	Saturday afternoon Michele plays in the match.
C.	Sunday morning Michele gets up late.
D.	Sunday afternoon Michele watches TV.
E.	At the weekend Sonia goes out with her parents.
F.	Michele also likes tennis and swimming.
G.	Francesca also likes skating.
H.	Francesca doesn't like swimming.

Preparazione al
GCSE in Italian

 Grammatica *Grammar*

Guarda queste parti del dialogo iniziale e completa lo schema dei verbi riflessivi.
Look at these parts taken from the opening dialogue and complete the chart.

Monica: Mi sveglio alle 7, mi lavo, mi vesto e poi faccio colazione. Dalle 8 all'una e venti sono a scuola. Torno a casa verso le 2, pranzo, mi riposo mezz'ora davanti alla TV e poi, verso le 3 faccio i compiti. Alle cinque e mezzo mi metto la tuta e vado al campo sportivo a fare l'allenamento e alle 8 torno a casa. [...] Alla fine mi sento molto stanca e mi addormento verso le dieci e mezza.

Nicola: Anch'io mi addormento verso quell'ora, però prima guardo qualche partita di calcio alla TV. Mia madre si arrabbia quando io e mio padre urliamo e ci abbracciamo se la nostra squadra fa gol. Dice che ci esaltiamo troppo.

Monica: Io invece con il calcio mi annoio molto, infatti non tifo per nessuna squadra. Mi diverto [...] a seguire altri sport.

VERBI RIFLESSIVI

I verbi riflessivi comprendono anche un pronome riflessivo prima del verbo. Normalmente si usano per esprimere azioni quotidiane (alzarsi, svegliarsi, addormentarsi, lavarsi, prepararsi, vestirsi ecc.).
The reflexive verbs also include a reflexive pronoun which precedes the verb. They are normally used to express daily routines (to get up, to wake up, to go to sleep/to fall asleep, to wash oneself, to prepare, to get dressed, etc.).

SVEGLIARSI *To wake up*	METTERSI *To put on*	VESTIRSI *To get dressed*
Io	Io	Io ....
Tu ti svegli	Tu ti metti	Tu ti vesti
Lui/Lei si sveglia	Lui/Lei si mette	Lui/Lei si veste
Noi ci svegliamo	Noi ci mettiamo	Noi ci vestiamo
Voi vi svegliate	Voi vi mettete	Voi vi vestite
Loro si svegliano	Loro si mettono	Loro si vestono

ALZARSI *To get up*	ADDORMENTARSI *To go to sleep/To fall asleep*	SENTIRSI *To feel*
Io	Io	Io ....
Tu ti alzi	Tu ti addormenti	Tu ti senti
Lui/Lei si alza	Lui/Lei si addormenta	Lui/Lei si sente
Noi ci alziamo	Noi ci addormentiamo	Noi ci sentiamo
Voi vi alzate	Voi vi addormentate	Voi vi sentite
Loro si alzano	Loro si addormentano	Loro si sentono

Edizioni Edilingua

Sports and Free Time

Sports, Free Time, Food and Drink, Lifestyle, Fashion

LAVARSI *To wash oneself*	DIVERTIRSI *To enjoy oneself*	ANNOIARSI *To get bored*
Io	Io	Io ....
Tu ti lavi	Tu ti diverti	Tu ti annoi
Lui/Lei si lava	Lui/Lei si diverte	Lui/Lei si annoia
Noi ci laviamo	Noi ci divertiamo	Noi ci annoiamo
Voi vi lavate	Voi vi divertite	Voi vi annoiate
Loro si lavano	Loro si divertono	Loro si annoiano

Io **mi sveglio** alle 7 e **mi alzo** alle sette e mezza. Poi **mi preparo**: mi vesto, mi lavo.
Io **mi addormento** alle 11.

POSIZIONE DEL PRONOME RIFLESSIVO
Position of the reflexive pronoun

Normalmente il pronome riflessivo viene prima del verbo (*the reflexive pronoun is normally placed before the verb*):

Io **mi** alzo.

Tu **ti** svegli.

Lui/Lei **si** diverte.

Ma (*but*) con i verbi servili dovere, volere e potere:

Io **mi** devo svegliare presto domani. = Io devo svegliar**mi** presto domani.

Paolo **si** vuole vestire elegante. = Paolo vuole vestir**si** elegante.

Noi **ci** possiamo vestire casual. = Noi possiamo vestir**ci** casual.

ALTRI IMPORTANTI VERBI RIFLESSIVI ITALIANI
Other important Italian reflexive verbs

abbronzarsi = *to tan*

allenarsi = *to train*

arrangiarsi = *to manage, to get by*

arrabbiarsi = *to get angry/to get annoyed*

avvicinarsi = *to come near, to approach*

cambiarsi = *to change one's clothes*

chiamarsi = *to be called*

comportarsi = *to behave*

fermarsi = *to stop*

incontrarsi con = *to meet with*

preoccuparsi = *to worry*

riposarsi = *to rest*

sbrigarsi = *to hurry*

scusarsi = *to excuse oneself, to apologize*

trovarsi = *to be located*

tuffarsi = *to dive*

Preparazione al

GCSE in Italian

1 **Completa con i verbi riflessivi.** *Complete with the reflexive verbs.*

1. Io (allenarsi) .... in palestra il fine settimana.
2. "Tu (svegliarsi) .... presto la domenica?"

   "No, la domenica io (svegliarsi) .... sempre molto tardi."
3. Noi (alzarsi) .... alle 7 ogni giorno.
4. Maria (addormentarsi) .... generalmente alle 10 di sera.
5. Io (lavarsi) .... con acqua calda.
6. "Tu (divertirsi) .... allo stadio?"

   "No, preferisco andare al cinema."
7. Noi (riposarsi) .... solo il fine settimana.
8. Mio figlio (chiamarsi) .... Ian.
9. Io (prepararsi) .... in 25 minuti.
10. Io (vestirsi) .... casual quando vado al lavoro.

2 **Rispondi alle seguenti domande.** *Answer the following questions.*

1. A che ora ti svegli la mattina?

   ....

2. Quando ti diverti?

   ....

3. A che ora si alza Roberto?

   ....

4. Come si chiama il tuo migliore amico?

   ....

5. A che ora ti addormenti?

   ....

6. Come ti vesti per andare a scuola?

   ....

Edizioni Edilingua

Sports, Free Time, Food and Drink, Lifestyle, Fashion

I VERBI RIFLESSIVI AL PASSATO PROSSIMO

I verbi riflessivi al Passato Prossimo si coniugano con l'ausiliare essere e dunque c'è la concordanza del Participio Passato con il genere e il numero del soggetto.

The reflexive verbs in the Passato Prossimo are conjugated with the auxiliary essere, therefore the Past Participle agrees with the gender and the number of the subject.

> Io mi *sono* svegliato/a
> Tu ti *sei* alzato/a
> Lui si *è* addormentato
> Lei si *è* addormentata
> Noi ci *siamo* lavati/e
> Voi vi *siete* vestiti/e
> Loro si *sono* preparati/e

3 **Inserisci i pronomi riflessivi e le desinenze nel Participio Passato.**
Insert the reflexive pronouns and the proper ending in the Past Participle.

1. Ieri mattina Carlo .... è svegliat.... alle 7 e poco dopo .... è fatt.... la doccia.
2. Io .... sono divertit.... molto quando sono andata in Italia.
3. Francesca .... è annoiat.... molto durante la lezione di Matematica.
4. Gli studenti .... sono arrabbiat.... con l'insegnante.
5. "Sandro, ... sei lavat.... i denti ieri sera?" "Certo, mamma."
6. Io e mio fratello .... siamo alzat.... alle 7 della mattina e poi .... siamo vestit.... .
7. Voi .... siete comportat.... in modo molto educato.
8. Fabiana .... è addormentat.... molto tardi ieri sera.

4 **Traduci in italiano le seguenti frasi.** *Translate into Italian the following sentences.*

1. I usually wake up at six, but yesterday morning I woke up at seven.

....

2. Susanna got up early yesterday.

....

3. Last night we went to sleep late.

....

4. I got angry with Paul last night.

....

5. We enjoyed ourselves last week at the theatre.

....

6. I got bored during the football match.

....

Preparazione al
GCSE in Italian

FREE TIME

1 **Leggi la seguente lettera.** *Read the following letter.*

Cara Jenny,
come stai? Spero bene. Rispondo alla tua lettera in cui mi chiedi cosa fanno di solito i giovani del mio Paese nel tempo libero. Normalmente il fine settimana, il sabato sera o la domenica pomeriggio molti vanno in discoteca oppure al cinema. Alcuni organizzano feste, vanno a concerti o al ristorante. Tra tutte queste cose io preferisco andare a ballare in discoteca con le mie amiche e andare al ristorante con la mia famiglia.
Mi diverto anche quando passeggio per il parco con il mio cane Larry o quando suono la chitarra. La musica è il mio passatempo preferito. La prossima settimana comincio un corso di canto perché mi piacerebbe entrare nel coro dell'orchestra della scuola. Magari un giorno canterò al Teatro La Scala di Milano!
Pobabilmente sabato sera uscirò con la mia amica Monica. Forse andremo a teatro oppure io andrò a trovarla a casa sua per chiacchierare o guardare la TV.
E tu che cosa fai nel tuo tempo libero? Con chi esci di solito e dove vai? Qual è il tuo passatempo preferito? E quando pensi di venire a trovarmi? Mamma mia, quante domande!

Un abbraccio,
Sara

2 **Vero/Falso? Indica se le affermazioni sono vere o false.**
True/False? Indicate whether the following statements are true or false.

	Vero	Falso
1. Sara dice che i giovani del suo Paese il fine settimana vanno al cinema o in discoteca.	○	○
2. Lei preferisce andare al ristorante con le sue amiche il fine settimana.	○	○
3. Le piace anche suonare la chitarra o passeggiare con il suo cane.	○	○
4. La prossima settimana canterà al Teatro La Scala di Milano.	○	○
5. Sabato sera andrà al ristorante con la sua amica Monica.	○	○
6. Alla fine Sara chiede a Jenny qual è il suo passatempo preferito.	○	○

Edizioni Edilingua

Sports, **Free Time**, Food and Drink, Lifestyle, Fashion

a. Vocabolario *Vocabulary*

amico/a = *friend*
andare a trovare un amico = *to visit a friend*
ballare = *to dance*
birreria = *pub*
centro commerciale = *mall*
chiacchierare = *to chat*
corso = *course*
divertirsi = *to have fun/to enjoy oneself*
fare un corso = *to take a course*
fare un picnic = *to picnic*
festa = *party*
fine settimana = *week end*

giocare = *to play (a game)*
giocare a scacchi = *to play chess*
giocare a carte = *to play cards*
gioco di società = *board game*
lettura = *reading*
passatempo = *hobby, diversion*
pizzeria = *pizzeria*
tempo libero = *free time*
trovarsi = *to meet/to get together*
uscire = *to go out*
videogioco = *video game*

LE PARTI DEL GIORNO *PARTS OF THE DAY*
la mattina (dalle 05:00 alle 12:00)
il pomeriggio (dalle 12:00 alle 17:00/18:00)
la sera (dalle 17:00/18:00 alle 23:00)
la notte (dalle 23:00 alle 05:00)

I GIORNI DELLA SETTIMANA
DAYS OF THE WEEK
lunedì • martedì • mercoledì • giovedì
venerdì • sabato • domenica

b. I passatempi. Scrivi le espressioni sotto le immagini corrispondenti come negli esempi.
Hobbies. Write the expressions under the corresponding images as in the examples.

andare al bar • leggere • andare in discoteca • giocare con i videogiochi
fare una passeggiata • andare al ristorante • fare una festa • andare a teatro
andare a pesca • andare al cinema • fare acquisti/compere/spese • guardare la TV

1 — *ascoltare musica*
2
3
4

5
6
7
8 — *fare sport*

Preparazione al
GCSE in Italian

suonare (uno strumento) ....

navigare su Internet
....

3 Completa le seguenti frasi con le parole dei punti a e b.

Complete the following sentences with the words of points a and b.

1. Generalmente io .... sport in palestra.
2. Il fine .... noi andiamo in discoteca oppure facciamo una ....
   .... in centro.
3. Nel tempo libero Rita preferisce andare al centro commerciale a fare ....
4. Ieri pomeriggio io e i miei amici abbiamo fatto una .... a casa mia per
   celebrare l'inizio delle vacanze.
5. Non mi piace molto giocare con i ...., preferisco andare con gli amici al
   bar.
6. A Michele piace molto .... musica, in particolare il rock.
7. "Tu .... qualche strumento?" "Sì, il violino."
8. Oggi resto a casa e .... un libro. Domani sera invece andrò in discoteca a
   .... con i miei amici.
9. "Ti piace .... su Internet?" Sì, mi piace molto."
10. Di solito la domenica vado a pranzare al .... con la mia famiglia.
11. Federica si annoia molto quando .... la TV. Infatti lei preferisce uscire
    con gli amici.
12. Il giorno dopo non si lavora, così il .... sera noi andiamo in pizzeria oppu-
    re in birreria.

Edizioni Edilingua

c. Parlare di progetti futuri *To talk about future plans*

1. Puoi usare il Presente Indicativo o il Futuro Semplice *(you can use the Presente Indicativo or the Futuro Semplice)*:

   • Il prossimo fine settimana **gioco/giocherò** a carte con i miei amici.

FUTURO SEMPLICE – VERBI REGOLARI* *Future - Regular verbs*		
PARL<u>ARE</u>	**PREND<u>ERE</u>**	**PART<u>IRE</u>**
Io parlerò	Io prenderò	Io partirò

FUTURO SEMPLICE – VERBI IRREGOLARI* *Future - Irregular verbs*				
ESSERE	**AVERE**	**STARE**	**ANDARE**	**FARE**
Io sarò	Io avrò	Io starò	Io andrò	Io farò
DOVERE	**POTERE**	**VENIRE**	**RIMANERE**	**VEDERE**
Io dovrò	Io potrò	Io verrò	Io rimarrò	Io vedrò

*Vedi lo schema generale del Futuro Semplice alle pagine 95 e 96.
(See the general chart of the Futuro Semplice on pages 95 and 96)

2. Parlare di progetti futuri con i verbi di opinione pensare/credere/immaginare etc.
   To talk about future plans with verbs expressing opinions as pensare/credere/immaginare, etc.

   a. pensare/credere/immaginare + che + Futuro Semplice:
   Penso che andrò a vivere in Italia.

   b. pensare/credere/immaginare + di + Infinito:
   Penso di andare a vivere in Italia.

3. Esprimere l'intenzione o il desiderio di fare qualcosa (vedi anche capitoli I e IV alle pagine 25 e 205)
   To express the intention or the desire to do something (see also chapters I and IV on pages 25 and 205)

   • Vorrei/Mi piacerebbe/Ho voglia di + Infinito *(I would like/I feel like to + Infinitive)*:
   Domani vorrei uscire con i miei amici.

d. Espressioni temporali del futuro *Expressions to indicate future time*

domani = *tomorrow*
dopodomani = *the day after tomorrow*
fra/tra + indicazione temporale (fra una settimana, tra un anno, fra un mese etc.) = *in + time (in a week, in one year, in a month, etc.)*
la prossima settimana = *next week*
il mese prossimo = *next month*
l'anno prossimo = *next year*

GCSE in Italian

4 Tu e un tuo compagno fate dei mini-dialoghi usando le espressioni dei punti c e d come nel modello.

You and your friend make up some short dialogues using the expressions of points c and d as in the example.

Esempio: il prossimo fine settimana **I** guardare la TV **I** andare al cinema

- *Cosa fai/farai/pensi di fare il prossimo fine settimana?*
- *Guardo/Guarderò/Penso di guardare/Vorrei guardare la TV. E tu?*
- *Vado/Andrò/Penso di andare/Vorrei andare al cinema.*

1. la settimana prossima **I** fare sport in palestra **I** andare al bar con i miei amici

2. domani pomeriggio **I** andare in piscina **I** leggere un po'

3. fra due settimane **I** fare una festa a casa mia **I** fare una passeggiata al parco

4. sabato sera **I** andare in discoteca **I** giocare con i videogiochi con Paolo

5. dopodomani **I** andare al ristorante con la mia famiglia **I** fare acquisti al nuovo centro commerciale

6. stasera **I** ascoltare musica **I** suonare il pianoforte

e. Gli interrogativi: *Chi? Come? Quando? Perché? Dove? (Che) Cosa? Qual(e)/i? Quanto/a/e/i?*
Interrogative pronouns, adjectives and adverbs: Who? How? When? Why? Where? What? Which? How much? How many?

Chi...? si riferisce alle <u>persone</u>
Who...? refers to people

- *Con <u>chi</u> esci di solito?*
- *Di solito esco con Marco.*

Come...? si riferisce al <u>modo</u>
How...? refers to what way/manner

- *<u>Come</u> stai?*
- *Sto bene, grazie.*

Quando...? si riferisce al <u>tempo</u>
When...? refers to time

- *<u>Quando</u> vai in discoteca?*
- *Vado in discoteca il sabato sera.*

Perché...? si riferisce alla <u>causa</u>
Why...? refers to the cause

- *<u>Perché</u> non guardi la TV con noi?*
- *Perché preferisco leggere.*

Dove...? si riferisce al <u>luogo</u>
Where...? refers to place

- *<u>Dove</u> vai quando esci?*
- *Quando esco vado al cinema.*

(Che) Cosa...? si riferisce alle <u>cose</u> o alle <u>azioni</u>
What...? refers to things and actions

- *<u>Che cosa</u> fai domani sera?*
- *Domani sera penso di andare al ristorante.*
- *<u>Cosa</u> mangi a colazione?*
- *A colazione mangio pane e marmellata.*

Qual(e)/i...? si riferisce a <u>cose o persone specifiche</u>
Which...? refers to specified things or people

- *<u>Qual</u> è il tuo passatempo preferito?*
- *Fare sport è il mio passatempo preferito.*
- *<u>Quali</u> cantanti italiani conosci?*
- *Conosco Laura Pausini e Andrea Bocelli.*

Quanto/a/i/e...? si riferisce a <u>quantità</u>
How much...?
How many...? refers to quantities

- *<u>Quanti</u> libri leggi in un mese?*
- *Leggo almeno tre libri al mese.*
- *<u>Quante</u> volte alla settimana vai al corso di pianoforte?*
- *Due volte.*

Edizioni Edilingua

Sports and Free Time

Sports, **Free Time**, Food and Drink, Lifestyle, Fashion

5 **Completa con gli interrogativi.** *Complete with the interrogative words.*

1. ".. fai una passeggiata?" "La domenica mattina."
2. ".. fai sport?" "Faccio sport nella palestra vicino a casa mia."
3. ".. non prendi la birra?" "Perché non mi piace."
4. ".. vai in discoteca?" "Vado in discoteca in macchina."
5. ".. musica ascolti?" "Ascolto il rap."
6. ".. ore al giorno navighi su Internet?" "Circa due."
7. ".. fai domenica prossima?" "Andrò alla festa di Nicola."
8. ".. è la tua cantante preferita?" "Beyoncé."
9. ".. hai fatto ieri?" "Sono andato a trovare Enrico."
10. ".. strumento suoni?" "Suono la chitarra."

6 **Scrivi le domande usando gli interrogativi.** *Write the questions using the interrogative words.*

1. • ....?
   • Il fine settimana vado al cinema oppure faccio una passeggiata.

2. • ....?
   • Paolo e Maria stanno bene.

3. • ....?
   • Vado a teatro il sabato sera.

4. • ....?
   • Il mio passatempo preferito è giocare a scacchi.

5. • ....
   ....?
   • A Milano i giovani il fine settimana vanno in discoteca oppure al cinema.

6. • ....
   ....?
   • Faccio sport perché mi piace.

Preparazione al
GCSE in Italian

 Attività di parlato (*AQA – Context: Leisure - Free Time Activities*) *Speaking task*

Task: Young people's free time
An Italian journalist is conducting a sociological survey about young people's free time. Your teacher will play the role of the Italian journalist.

Your teacher will ask you the following:
- what you normally do in your free time
- what you think you will do next week-end
- what you have done in your free time recently
- the advantages of free time
- if you think that young people have enough free time to spend with their peers
- !

! Remember, at this point, you will have to respond to something you have not yet prepared.

The dialogue will last between 4 and 6 minutes.

Suggerimenti *Tips*

✳ **To say what you think you will do next weekend**
Penso di andare/che andrò al cinema/in discoteca/a fare una passeggiata etc.
Forse/Probabilmente/Magari (maybe/perhaps) vado/andrò al cinema/in discoteca/a fare una passeggiata etc.

✳ **To talk about the advantages of free time**
Secondo me, il tempo libero è molto importante perché ho bisogno di riposare un po' dopo tanto studio.
Uno degli aspetti positivi del tempo libero, per esempio, è che posso discutere con i miei amici di tante cose.
Durante il tempo libero posso fare molte cose interessanti, per esempio posso conoscere nuovi amici, posso fare un corso e imparare cose nuove, posso stare con la mia famiglia etc.

✳ **To say if you think that young people have enough free time to spend with their peers**
Secondo me, i giovani (non) hanno abbastanza/sufficiente tempo libero.
Per me i giovani hanno poco/abbastanza/molto/troppo tempo libero.

Edizioni Edilingua

Sports and Free Time

Sports, **Free Time**, Food and Drink, Lifestyle, Fashion

Chapter 2

Attività di scrittura (*AQA – Cross Context*) Writing task

Task Title: FREE TIME AND FRIENDS
An Italian friend has asked you to write about how you spend your free time and your relationship with your friends.

You could include:

- what you do in your free time alone
- what you do in your free time with your friends
- the importance of friendship
- your favourite hobby/hobbies
- whether you are currently attending a course and talk about it
- what kind of leisure activities you have done lately
- what you think you will do next weekend

Suggerimenti *Tips*

✤ **To say what you do in your free time alone**
Quando sono solo nel mio tempo libero/Quando passo il mio tempo libero da solo ascolto musica, guardo la TV, leggo etc.

✤ **To say what you do in your free time with your friends**
Quando invece passo il tempo libero con i miei amici di solito esco e vado al cinema, vado in discoteca, faccio una festa etc.

✤ **The importance of friendship**
Gli amici sono molto importanti perché ti possono aiutare nei momenti difficili/con loro ti diverti/ci aiutano a crescere/con loro possiamo fare progetti etc.

✤ **Your favourite hobby/hobbies**
Il mio passatempo preferito è fare sport.
I miei passatempi preferiti sono lo sport, gli scacchi, la musica etc.

✤ **Whether you are currently attending a course and talk about it**
Al momento/Attualmente/Adesso seguo/faccio/frequento un corso di teatro/italiano/violino/yoga etc.

Preparazione al GCSE in Italian

93

Preparazione al
GCSE in Italian

👥 **Attività di lettura (AQA – H)** *Reading task*

Domenica prossima vado al parco con i miei amici. Faremo un picnic sul prato e poi faremo una passeggiata. Spero che ci divertiremo.

MARCO

Io invece rimango a casa. La mattina ascolterò un po' di musica, il pomeriggio leggerò un libro e la sera vorrei guardare un film alla TV.

FRANCESCA

La mia amica Sara mi ha invitato a casa sua per festeggiare il suo compleanno. Ci saranno molte persone. Durante la festa balleremo, mangeremo la torta, faremo qualche gioco... Insomma, ci divertiremo un sacco.

ALESSANDRO

Domenica scorsa sono andata in discoteca e dunque vorrei cambiare. Io e Fabio andiamo al cinema, però prima andiamo al bar a prendere un caffè e chiacchierare un po'.

SARA

What are these boys and girls doing next Sunday?

Write M (Marco), F (Francesca), A (Alessandro), S (Sara) in the boxes.

Who ...

a. is celebrating the birthday of a friend? ☐

b. is spending the day in the open air? ☐

c. is dancing? ☐

d. is staying at home? ☐

e. is having a coffee and chatting? ☐

f. would like to watch TV? ☐

g. is going for a walk? ☐

h. is going to the cinema? ☐

🎧 **Attività d'ascolto (AQA – H)** *Listening task*

Free time

What are these people's opinions? Write in the box: P (positive), N (negative), P + N (positive and negative).

Edizioni Edilingua

Sports and Free Time

Sports, **Free Time**, Food and Drink, Lifestyle, Fashion

Grammatica *Grammar*

- Magari un giorno canterò al Teatro La Scala di Milano.
- Probabilmente sabato sera uscirò con la mia amica Monica. Forse andremo a teatro oppure io andrò a casa sua.

FUTURO SEMPLICE
Future

Il Futuro Semplice si utilizza per esprimere (*the Futuro Semplice is used to express*):

a. una promessa (*a promise*):

Mamma, ti prometto che **studierò** tanto quest'anno.

b. una previsione (*a prediction*):

Secondo me, l'Inter **vincerà** il campionato.

c. un obiettivo, una finalità, uno scopo (*a plan, a purpose*):

Il prossimo anno **andrò** in vacanza in Italia.

d. un'ipotesi (*a hypothesis*):

"Quanti anni ha Mario?" "Non lo so, **avrà** 30 anni."

FUTURO SEMPLICE - VERBI REGOLARI		
Future - Regular verbs		
PARLARE	**PRENDERE**	**PARTIRE**
Io parlerò	Io prenderò	Io partirò
Tu parlerai	Tu prenderai	Tu partirai
Lui/Lei parlerà	Lui/Lei prenderà	Lui/Lei partirà
Noi parleremo	Noi prenderemo	Noi partiremo
Voi parlerete	Voi prenderete	Voi partirete
Loro parleranno	Loro prenderanno	Loro partiranno

Il Futuro Semplice ha molti verbi irregolari (*Future has many irregular verbs*):

FUTURO SEMPLICE - VERBI IRREGOLARI				
Future - Irregular verbs				
ESSERE	**AVERE**	**STARE**	**ANDARE**	**FARE**
Io sarò	Io avrò	Io starò	Io andrò	Io farò
Tu sarai	Tu avrai	Tu starai	Tu andrai	Tu farai
Lui/Lei sarà	Lui/Lei avrà	Lui/Lei starà	Lui/Lei andrà	Lui/Lei farà
Noi saremo	Noi avremo	Noi staremo	Noi andremo	Noi faremo
Voi sarete	Voi avrete	Voi starete	Voi andrete	Voi farete
Loro saranno	Loro avranno	Loro staranno	Loro andranno	Loro faranno

Preparazione al
GCSE in Italian

ALTRI VERBI IRREGOLARI *Other irregular verbs*				
DOVERE	**POTERE**	**SAPERE**	**VEDERE**	**VIVERE**
Io dovrò	Io potrò	Io saprò	Io vedrò	Io vivrò
VOLERE	**RIMANERE**	**BERE**	**VENIRE**	**DARE**
Io vorrò	Io rimarrò	Io berrò	Io verrò	Io darò

1 **Completa con il Futuro Semplice.** *Complete with the Future.*

1. Io (andare) .... a casa di Pietro domani.

2. "Tu (studiare) .... Chimica all'università?" "No, io (studiare) ....
.... Lingue straniere."

3. Noi (venire) .... alla tua festa di compleanno.

4. "Debora (scrivere) .... al direttore?" "Non lo so, forse."

5. Io (dormire) .... in albergo quando (essere) .... in
Italia.

6. Marco (prendere) .... l'aereo per andare a Londra.

7. Io e Francesco (dovere) .... lavorare molto la prossima settimana.

8. "Voi (fare) .... colazione a casa domani mattina?" "No, noi (fare) ....
.... colazione al bar."

9. Io (uscire) .... con i miei amici il fine settimana.

10. Tu (essere) .... un grande avvocato.

2 **Rispondi alle seguenti domande usando il Futuro.** *Answer the following questions using the Future.*

1. Cosa farai il prossimo fine settimana?
....

2. Dove andrai domani?
....

3. Cosa studierà Daniele all'università?
....

4. Quando andrai in discoteca?
....

5. Quale squadra vincerà il campionato quest'anno?
....

6. Cosa farete la prossima settimana?

Edizioni Edilingua

FOOD AND DRINK

1 **Leggi il seguente dialogo.** *Read the following dialogue.*

Roberto: Senta, scusi, può portarci il menù, per favore?

Cameriere: Certo, ecco.

Samanta: Grazie. Mmh, quanti buoni piatti!

Roberto: Ieri quando ti ho telefonato ti ho detto che questo era un buon ristorante.

Samanta: Comunque mi sembra un po' caro.

Roberto: Non importa. Io ti offro la cena.

Samanta: Grazie, sei molto gentile. Però non so cosa prendere. Tu cosa mi consigli?

Roberto: Come antipasto la bruschetta e come primo le penne all'arrabbiata.

Samanta: Veramente non mi piacciono le penne all'arrabbiata, sono troppo piccanti. E come secondo?

Roberto: Non lo so, preferisci la carne o il pesce?

Samanta: Preferisco il pesce. Comunque, non prendo né l'antipasto né il primo. Penso che prenderò la spigola alla griglia e come contorno le zucchine. E tu?

Roberto: Io prendo gli gnocchi al pesto come primo e una cotoletta alla milanese come secondo. *(Al cameriere)* Senta, scusi, possiamo ordinare?

Cameriere: Sì, eccomi.

Roberto: Dunque, per la signora spigola alla griglia e zucchine. Io invece vorrei gli gnocchi al pesto e per secondo una cotoletta alla milanese.

Cameriere: Bene. E da bere?

Samanta: Per me mezzo litro di vino bianco, per favore.

Cameriere: E per lei, signore?

Roberto: Per me mezzo litro di vino rosso.

durante la cena

Roberto: Tu preferisci il vino bianco o il vino rosso?

Samanta: Mi piacciono tutti e due. Posso provare un po' del tuo vino rosso?

Roberto: Certo. *(Al cameriere)* Senta, scusi, ci può portare un altro bicchiere, per favore?

Cameriere: Sì, subito.

a fine cena

Cameriere: Volete ordinare un dolce, la frutta o un gelato?

Roberto: Per me solo un caffè. E tu, Samanta, vuoi qualcos'altro?

Samanta: Sì, vorrei un tiramisù.

Roberto: Bene, un tiramisù, un caffè e il conto, per favore.

Preparazione al
GCSE in Italian

2 **Indica le affermazioni presenti nel testo scegliendo sì o no.**

Indicate the sentences which are in the text by choosing sì or no.

	Sì	No
1. Secondo Samanta, il ristorante è un po' caro.	◯	◯
2. Per Roberto il ristorante è economico.	◯	◯
3. Roberto consiglia a Samanta alcuni piatti.	◯	◯
4. Samanta consiglia a Roberto alcuni piatti.	◯	◯
5. Roberto ordina al cameriere di portare altro vino.	◯	◯
6. Roberto non è soddisfatto della cena.	◯	◯
7. Samanta prende un dolce.	◯	◯
8. Alla fine Roberto chiede il conto.	◯	◯

a. Vocabolario *Vocabulary*

acqua = *water*
aperitivo = *aperitif, cocktail*
al forno = *baked*
alla griglia = *grilled*
basilico = *basil*
bere = *to drink*
bicchiere = *glass*
brodo = *broth*
cameriere = *waiter*
cereali = *cereals*
cioccolata = *chocolate*
coltello = *knife*
cucchiaio = *spoon*
cucchiaino = *tea spoon*
cucina = *cuisine/kitchen*
cucinare = *to cook*
fagioli = *beans*
fetta = *slice*
forchetta = *fork*
formaggio = *cheese*
friggere = *to fry*
fritto/a/i/e = *fried*
funghi = *mushrooms*
ingredienti = *ingredients*
ketchup = *ketchup*
maionese = *mayonnaise*
mangiare = *to eat*

marmellata = *jam, marmalade*
menù = *menu*
miele = *honey*
mozzarella = *mozzarella*
pane = *bread*
panino = *sandwich*
parmigiano = *parmesan*
patatine fritte = *chips/crisps*
pepe = *pepper*
pesto = *pesto sauce*
pizza = *pizza*
piatto = *dish, course/plate*
portata = *dish, course*
prendere = *to take, to have*
ricetta = *recipe*
riso = *rice*
ristorante = *restaurant*
sale = *salt*
salsa = *sauce*
salvietta = *napkin*
sugo = *sauce*
tavolo = *table*
tovaglia = *tablecloth*
tovagliolo = *napkin*
uovo = *egg*
yogurt = *yoghurt*
zucchero = *sugar*

Edizioni Edilingua

i **b. I cibi. Scrivi le parole della seguente lista negli spazi vuoti come nell'esempio.**
Food. Write the words from the following list in the blank spaces as in the example.

pomodori • caffè • salmone • arrosto • pollo • tiramisù • banana • cornetto
prosciutto • limone • carote • insalata mista • spremuta d'arancia

Pasta = pasta
lasagne = lasagne
gnocchi = gnocchi
ravioli = ravioli
tagliatelle = tagliatelle
tortellini = tortellini

.... spaghetti ....

Carne = meat
affettati = sliced salami/ham/bacon, etc
agnello = lamb
bistecca = steak
braciola = chop
carpaccio = carpaccio
carne macinata = minced meat
coniglio = rabbit
cotoletta = cutlet
hamburger = hamburger
maiale = pork
manzo = beef
pancetta = bacon
salame = salami
salsiccia = sausage
vitello = veal

Verdure = vegetables
aglio = garlic
broccoli = broccoli
carciofi = artichokes
cavolo = cabbage
cetrioli = cucumbers
cipolla = onion
insalata verde = green salad
lattuga = lettuce
melanzane = aubergines
patate = potatoes
peperoni = peppers
radicchio = chicory
sedano = celery
spinaci = spinach
zucchine = courgettes

Preparazione al
GCSE in Italian

Dolci = desserts, cakes
biscotti = biscuits, cookies
gelato = ice cream
macedonia = fruit salad
panna cotta = panna cotta
profiterole = profiterole
torta = cake
torta al cioccolato = chocolate cake
torta di mele = apple pie
zabaione = zabaglione
zuppa inglese = trifle

Frutta = fruit
albicocca = apricot
ananas = pinepple
arancia = orange
ciliegia = cherry
fragola = strawberry
mela = apple
melone = melon
pera = pear
pesca = peach
pompelmo = grapefruit
uva = grapes

Pesce e frutti di mare = fish and seafood
aragosta = lobster
calamari = squid
sogliola = sole
spigola = bass
tonno = tuna
trota = trout

Bevande fredde = cold drinks
acqua naturale = still water
acqua frizzante/gassata = sparkling water
aranciata = orange soda
coca cola = coke
limonata = lemonade
succo di frutta = fruit juice

Bevande calde = hot drinks
cappuccino = cappuccino
cioccolata calda = hot chocolate
tè = tea

Bevande alcoliche = alcoholic drinks
birra = beer
liquore = spirit
vino bianco = white wine
vino rosso = red wine

Edizioni Edilingua

c. Ordinare al bar o al ristorante *To order in a bar or in a restaurant*

- Senta, scusi, può portarmi/ci il menù, per favore?
- Senta, scusi, posso/possiamo ordinare?

- Come **antipasto** (vorrei/prendo/per me) + piatto dell'antipasto:
  Come antipasto (prendo) una bruschetta.

- Come **primo** (vorrei/prendo/per me) + piatto a base di pasta o riso:
  Come primo (vorrei) tortellini in brodo.

- Come **secondo** (vorrei/prendo/per me) + piatto a base di carne o pesce:
  Come secondo (per me) una cotoletta alla milanese.

- Come **contorno** (insieme al secondo) (vorrei/prendo/per me) +
  piatto del contorno:
  Come contorno (prendo) le zucchine.

- **Da bere** (vorrei/prendo/per me) + bevanda/bibita:
  Da bere (vorrei) mezzo litro di vino rosso.

Alla fine (at the end):

- Scusi, può portarmi/ci il conto (*the bill*), per favore?

d. Le portate/I piatti *The courses/dishes*

antipasto = *antipasto, starter, appetizer*
primo (pasta o riso) = *first course (pasta or rice)*
secondo (carne o pesce) = *main course (meat or fish)*
contorno (con il secondo) = *side dish (with the main course)*
dolce = *dessert*

3 Tu e un tuo compagno fate dei mini-dialoghi fra un cliente e un cameriere usando le espressioni del punto c come nell'esempio. Potete scegliere i piatti del menù del ristorante "Da Mario".
You and your friend make up some short dialogues between a customer and a waiter using the expressions of point c as in the example. You can choose the dishes of Ristorante "Da Mario".

Cliente: Senta, scusi, posso ordinare?
Cameriere: Certo, mi dica.
Cliente: Dunque, come antipasto vorrei un'insalata verde.
Cameriere: Va bene.
Cliente: Come primo prendo le tagliatelle alla bolognese.
Cameriere: E come secondo?
Cliente: Come secondo bistecca ai ferri con contorno di zucchine al forno.
Cameriere: E da bere?
Cliente: Una bottiglia di acqua minerale, grazie.

RISTORANTE "Da Mario"

Antipasti

Bruschetta	€ 6,00
Insalata verde	€ 5,00
Prosciutto e Melone	€ 9,00
Caprese	€ 7,00
Affettati misti	€ 8,00

Primi piatti

Spaghetti al pomodoro	€ 7,00
Tagliatelle alla bolognese	€ 8,00
Risotto ai funghi	€ 9,00
Lasagne della casa	€ 9,00
Penne all'arrabbiata	€ 8,00
Tortellini in brodo	€ 8,00
Gnocchi al pesto	€ 9,00
Pasta alla carbonara	€ 8,00

Bibite

Acqua naturale/frizzante ½ litro	€ 1,00
Acqua naturale/frizzante 1 litro	€ 2,00
Aranciata	€ 1,50
Coca cola	€ 1,50
Limonata	€ 1,50

Secondi piatti

Carne

Cotoletta alla milanese	€ 10,00
Bistecca ai ferri	€ 9,50
Braciola di maiale	€ 9,00
Carpaccio	€ 11,00
Arrosto di vitello	€ 10,50
Agnello in umido	€ 12,00
Pollo arrosto	€ 9,50
Coniglio alla cacciatora	€ 12,00

Pesce

Fritto misto	€ 11,00
Spigola alla griglia	€ 13,00
Calamari fritti	€ 12,00
Aragosta mediterranea	€ 15,00
Trota al forno	€ 10,00
Sogliola alla griglia	€ 11,00

Bevande alcoliche

Birre

Peroni	€ 4,50
Moretti	€ 4,50

Vini

Vino bianco 1/2 litro	€ 9,00
Vino rosso 1/2 litro	€ 9,00
Vino bianco 1 litro	€ 15,00
Vino rosso 1 litro	€ 15,00

Contorni

Patatine fritte	€ 4,00
Cavoli	€ 4,50
Melanzane fritte	€ 5,00
Zucchine al forno	€ 5,00
Insalata mista	€ 5,00

Frutta e dolci

Ananas	€ 3,00
Frutta fresca	€ 3,00
Macedonia di frutta	€ 3,50
Torta di mele	€ 3,50
Tiramisù	€ 3,50
Panna cotta	€ 3,50
Gelato	€ 3,00

Caffè e liquori

Caffè	€ 1,50
Cappuccino	€ 2,00
Limoncello	€ 2,50
Grappa	€ 2,50

Edizioni Edilingua

Sports and Free time

Sports, Free Time, **Food and Drink**, Lifestyle, Fashion

e. I pasti del giorno *The meals of the day*

colazione = *breakfast*
fare colazione = *to have breakfast*
fare uno spuntino = *to snack (in the morning)*
pranzo = *lunch*
pranzare = *to have lunch*
fare merenda = *to snack (in the afternoon)*
cena = *dinner*
cenare = *to have dinner*

---

4 **Completa le seguenti frasi con le parole dei punti a, b, c, d ed e.**

Complete the following sentences with the words of points a, b, c, d and e.

1. Di solito io faccio .... alle 7 di mattina, all'una pranzo, verso le 4 del pomeriggio .... merenda e poi ceno alle 8:30 di sera.

2. Questa sera vado a mangiare al .... con i miei amici.

3. Stefano non mangia .... perché è vegetariano.

4. "Preferisci il vino bianco o il vino ....?"
   "Nessuno dei due. Io non .... bevande alcoliche."

5. Il tiramisù è il mio .... preferito.

6. "Io prendo un .... di acqua frizzante. E tu cosa vuoi da bere?"
   "Un .... di frutta."

7. "Cosa prendi di solito a colazione?" "Bevo un .... con due cucchiaini di .... e mangio un cornetto."

8. In questa insalata mista ci sono vari tipi di ....: pomodori, cetrioli, cipolle e ovviamente la ....

9. In Inghilterra si beve molto .... al latte o al limone.

10. Mi piace molto mangiare un hamburger con le .... fritte.

Preparazione al
GCSE in Italian

5 Scrivi delle frasi usando le parole di ogni lista come nell'esempio.

Write some sentences using the words from each list as in the example.

Esempio: Ieri ▮ a colazione ▮ io ▮ cappuccino ▮ cornetto

Ieri a colazione ho preso un cappuccino e un cornetto.

1. Domani sera ▮ io e Franca ▮ al ristorante

....

2. Ieri ▮ a pranzo ▮ io ▮ spaghetti al pomodoro

....

3. Monica ▮ di solito ▮ il pomeriggio ▮ una mela o una pesca

....

4. Da piccolo ▮ io ▮ molta frutta e verdura

....

5. Il prossimo fine settimana ▮ io ▮ arrosto di vitello ▮ per i miei amici

....

6. Francesca e Dario ▮ sempre ▮ vino bianco ▮ con il pesce

....

f. Aggettivi per descrivere il cibo *Adjectives to describe food*

- *Il limone è* **aspro** *(sour).*
- *La pizza è* **buona** *(good),* **saporita** *(savoury, flavourful) e* **calda** *(hot).*
- *Le patatine fritte sono* **grasse** *(fatty) e* **pesanti** *(heavy).*
- *Il tiramisù è* **dolce** *(sweet) e* **buono**.
- *L'insalata è* **fresca** *(fresh),* **sana** *(healthy),* **saporita**, **buona**, **leggera** *(light) e* **magra** *(low-fat).*
- *Le penne all'arrabbiata sono* **calde**, **piccanti** *(spicy) e un po'* **pesanti**.
- *Il caffè senza zucchero è* **amaro** *(bitter).*

6 Descrivi i seguenti cibi. *Describe the following food.*

1. gli spaghetti al pomodoro

....

2. l'arrosto di vitello

....

3. l'English Breakfast

....

4. le lasagne

....

5. l'insalata mista

....

6. la cioccolata calda

....

Sports and Free Time

Sports, Free Time, Food and Drink, Lifestyle, Fashion

 **Attività di parlato** (*Edexcel – Presentation followed by discussion*) *Speaking task*
(*4-6 minutes talking – preparation 2-3 minutes*)

Say what you normally eat during the day (breakfast, lunch, snack, dinner).

Probable questions you may be asked after the presentation

- Cosa hai mangiato ieri?
- Preferisci la carne o il pesce?
- Qual è il tuo cibo preferito?
- C'è qualche cibo che eviti di mangiare? Se sì, perché?
- Quando vai al ristorante e con chi?
- Quali piatti della cucina italiana conosci? Ce n'è qualcuno che ti piace?

Suggerimenti *Tips*

✱ **Cosa hai mangiato ieri?**

Dunque, **a colazione** ho mangiato..., poi **a pranzo**..., **a merenda**..., **a cena**...

✱ **Preferisci la carne o il pesce?**

Mi piacciono tutti e due. *I like them both.* / Mi piace **sia** la carne **che** il pesce. *I like both ... and...*
Nessuno dei due. *None.*/**Non** mi piace **né** la carne **né** il pesce. *I like neither ... nor...*

✱ **C'è qualche cibo che eviti di mangiare? Se sì, perché?**

Evito di mangiare/Non mangio le patatine fritte perché sono **troppo grasse e pesanti**.

Attività di scrittura (*Edexcel*) *Writing task*

Write an article for an Italian magazine in which you describe the food customs of your country.

You could mention:

- at what time people have breakfast, lunch and dinner and what they normally eat
- some important typical dishes
- your opinion about the cuisine of your country
- your eating habits
- whether you have gone to the restaurant recently and what you've had

Preparazione al
GCSE in Italian

 Suggerimenti *Tips* ✉

✱ **Some important typical dishes**
I piatti più importanti/principali della cucina del mio Paese sono Fish and Chips, l'Engli-sh Breakfast etc. *L'English Breakfast è un piatto con + ingredienti* (uova, pancetta etc.). *È + descrizione del piatto* (buono, caldo, un po' pesante e grasso etc.).

✱ **Your opinion about the cuisine of your country**
Secondo me/Per me, la cucina del mio Paese (non) è molto varia/buona/sana etc.
Nella cucina del mio Paese (non) ci sono molti piatti di carne/pesce/verdure etc.

✱ **Whether you have gone to the restaurant recently and what you've had**
Ultimamente/Recentemente sono andato al ristorante (con chi? Quando? Dove?) e ho man-giato ... Da bere ho preso ... etc.

👥 Attività di lettura (*Edexcel – H*) *Reading task*

Food habits

Salve, mi chiamo Anna, sono una ragazza italiana di Vi-cenza. Vorrei parlarvi delle mie abitudini alimentari. Di solito a colazione prendo un caffè e un cornetto nel bar vicino alla mia scuola. A pranzo normalmente la mia mamma mi prepara sempre un bel piatto di spaghet-ti al pomodoro oppure risotto ai funghi. Non man-gio carne perché ho deciso di essere vegetariana. A cena mi tengo leggera, un'insalata o al massimo un piatto di verdure come melanzane fritte. Possiamo dire che tutto sommato la mia dieta è abbastanza equilibrata anche se qualche volta esagero con i dolci. Mi piace cambiare e provare nuovi piatti quando ho la possibilità.

Complete the sentences choosing the correct words from the list.

cakes ◆ coffee ◆ cappuccino ◆ light ◆ meat ◆ heavy ◆ lunch
vegetable ◆ eating ◆ sweet ◆ tomato ◆ salted

Example: Anna is writing about her ...eating... habits.

1. For breakfast she eats .... food.
2. At .... she eats spaghetti or rice.
3. She does not eat ....
4. At dinner she eats .... food.

Edizioni Edilingua

🎧 Attività d'ascolto (*Edexcel – H*) *Listening task*

At the restaurant

Listen to Davide talking about a night spent at the restaurant. Put a cross (X) in each correct box.

Example: Last night Davide went to the restaurant ...

  X   A. with his friends.

       B. with his girlfriend.

       C. alone.

(i) Davide had ...

       A. an appetizer and a main course.

       B. a first course and white wine.

       C. a first and a main course.

(ii) Paolo had ...

       A. rice and white wine.

       B. a first course and sparkling water.

       C. a main course and red wine.

(iii) Francesca had ...

       A. a cutlet, vegetables and white wine.

       B. a first course and vegetables.

       C. a cutlet and vegetables.

(iv) Luisa did not have ...

       A. the first course.

       B. the main course.

       C. the appetizer.

📖 **Grammatica** *Grammar*

👤 **Leggi le frasi e completa lo schema.** *Read the sentences and complete the scheme.*

✏️ Roberto: Senta, scusi, può portarci il menù, per favore?

Roberto: Ieri quando ti ho telefonato ti ho detto che questo era un buon ristorante.
Samanta: Comunque mi sembra un po' caro.
Roberto: Non importa. Io ti offro la cena.
Samanta: Grazie, sei molto gentile. Però non so cosa prendere. Tu cosa mi consigli?

Roberto: Certo. (*Al cameriere*) Senta, scusi, ci può portare un altro bicchiere, per favore?

PRONOMI INDIRETTI	
Indirect pronouns	
SINGOLARE	**PLURALE**
.... = a me *to me*	.... = a noi *to us*
.... = a te *to you*	vi = a voi *to you*
le = a lei *to her* / Le = a Lei *to you (form.)*	gli = (a) loro *to them*
gli = a lui *to him*	

I pronomi indiretti sostituiscono un complemento indiretto. Il complemento indiretto risponde alla domanda a chi? Il complemento indiretto in italiano normalmente è introdotto dalla preposizione a.
The indirect object pronouns replace indirect object complements, which answer the question to whom? In Italian the indirect pronoun is normally introduced by the preposition a.

- Telefoni a Gino?
- Sì, telefono a Gino. ("a Gino" è il complemento indiretto / *"a Gino" is the indirect object complement*)
- Sì, gli telefono.

Come i pronomi diretti e riflessivi anche i pronomi indiretti si mettono prima del verbo.
As the direct and reflexive pronouns, also the indirect object pronouns are placed before the verb.
Ti offro la cena. *I offer the dinner to you.*
Le manderò la mail stasera. *I will send the e-mail to her tonight.*

Nelle frasi negative non si mette prima del pronome indiretto.
In negative sentences, non is placed before the indirect object pronoun.
Non gli parlo. *I don't talk to him.*
Non ci portano il vino. *They don't bring the wine to us.*

I PRONOMI INDIRETTI CON I VERBI SERVILI *VOLERE, DOVERE, POTERE* + INFINITO

Ci sono due possibilità (*there are two possibilities*):

a. Mi puoi dire che ore sono?	=	b. Puoi dirmi che ore sono?
Le voglio regalare un libro.	=	Voglio regalarle un libro.
Ci dovete portare i documenti.	=	Dovete portarci i documenti.

1 **Inserisci i pronomi indiretti.** *Insert the indirect pronouns.*

1. Ora telefono a Maria perché .... devo parlare.
2. "Quando scrivi a Leo?" "....... scrivo domani."
3. Se venite con me, ... offro la cena.
4. Per il tuo compleanno .... regalo un tablet.
5. Marco e Maria, ... spedirò una cartolina da Londra.
6. Il mio professore di Storia .... ha insegnato molte cose interessanti.
7. Carlo .... ha detto che oggi non viene.
8. Se Monica vuole, ... presto le fotocopie.
9. Sandra .... chiede se può venire anche lei.
10. Quando .... mostri la tua nuova casa?
11. Marco, puoi prestar....... il tuo dizionario?
12. "Ragazzi, ... interessano i documentari?" "Sì, ... interessano."
13. "Cosa chiederai ai tuoi genitori?" "....... chiederò di lasciarmi uscire."
14. "....... piace sciare, Mara?" "Sì, ... piace."
15. "Che cosa hai consigliato a Claudia e Patrizia?" "....... ho consigliato di aspettare."

Edizioni Edilingua

LIFESTYLE

1 **Leggi le seguenti lettere.** *Read the following letters.*

Gentile dott.ssa Abbruzzi,

mi chiamo Valeria, sono una ragazza di 18 anni di Milano. Le scrivo perché penso di essere un po' grassa e dunque vorrei avere qualche consiglio da Lei per dimagrire un po'. Da quando ho cominciato a fare questa dieta, ho smesso di mangiare dolci e cerco di evitare sia le bibite che la carne. Mia madre dice che stare a dieta fa male alla salute. In effetti durante il giorno non mi sento molto bene perché sono sempre stanca e debole e qualche volta ho una fame terribile. A volte mi sento stressata e con un forte mal di testa e dunque forse non vale la pena continuare. Secondo Lei, cosa devo fare?

Saluti

Valeria Franzini

Cara Valeria,

molte ragazze della tua età mi scrivono per chiedermi consigli su come dimagrire. Se vuoi perdere peso, evita i dolci e non mangiare cibi troppo grassi o con molte calorie. Mangia invece i cibi che fanno bene alla salute come frutta, verdura e bevi molta acqua. Cerca di non fare spuntini fuori dai pasti e fa' un po' di attività fisica. Prima di cominciare a fare la dieta, consulta un medico o un dietologo e soprattutto non prendere farmaci che non conosci e che possono avere effetti collaterali. Ovviamente non esagerare con la dieta ma vivi in modo sereno e dormi regolarmente altrimenti poi ti senti stanca e stressata.

Un caro saluto

Dott.ssa Roberta Abbruzzi

2 **Rispondi alle seguenti domande (prima a voce e poi per iscritto).**
Answer the following questions (first speaking and then in writing).

1. Perché Valeria scrive alla dottoressa Abbruzzi?

....

2. Cosa dice la madre di Valeria?

....

3. Come si sente Valeria?

....

4. Quali consigli dà la dottoressa Abbruzzi a Valeria?

....

....

5. Perché la dottoressa Abbruzzi dice a Valeria che non deve esagerare con la dieta?

....

Preparazione al
GCSE in Italian

a. Vocabolario *Vocabulary*

ambulanza = *ambulance*
ammalarsi = *to fall ill, to get sick*
aspirina = *aspirin*
cerotto = *sticking plaster, Band Aid*
chirurgo = *surgeon*
consultare = *to consult*
cotone = *cotton*
crampo = *cramp*
data di scadenza = *expiry date*
dentista = *dentist*
dieta = *diet*
dietologo/a = *nutritionist, dietitian*
dimagrire = *to lose weight, to slim down*
dolore = *pain*
dottore = *doctor (masc.)*
dottoressa = *doctor (fem.)*
effetto collaterale = *side effect*
energia = *energy*
essere a dieta = *to be on a diet*
farmacia = *pharmacy, chemist's*
farmacista = *chemist*
farmaco = *medicine, drug*
farsi male = *to hurt yourself*
fasciatura = *bandage*
ferita = *wound, injury*

guarire = *to heal, to recover*
incidente = *accident*
infermiera = *nurse (fem.)*
infermiere = *nurse (masc.)*
influenza = *flu*
ingrassare = *to get fat, to put on wight*
malato = *sick, ill*
malattia = *illness, disease, sickness*
medicina = *medicine, drug*
medico = *doctor, medic*
oculista = *eye specialist*
ortopedico = *orthopedist*
ospedale = *hospital*
perdere peso = *to lose weight*
pomata = *cream*
ricetta = *prescription*
raffreddore = *cold*
sciroppo = *syrup*
stare bene = *to be well*
stare male = *to be sick*
stile di vita = *lifestyle*
sano/a = *healthy*
salute = *health*
tagliarsi = *to cut yourself*
tossire = *to cough*

b. Problemi di salute/Disturbi *Health problems*

avere = *to have* + **l'influenza** = *flu*

la febbre = *fever*

la tosse = *cough*

il raffreddore = *cold*

mal di denti = *toothache*

mal di gola = *sore throat*

mal di testa = *headache*

mal di stomaco = *stomach-ache*

la pressione alta = *high blood pressure*

un dolore a + parte del corpo = *a pain in* + part of the body

Edizioni Edilingua

c. Le parti del corpo *Parts of the body*

COME SI CHIAMANO LE PARTI DEL MIO CORPO?

i capelli

l'orecchio; le orecchie

il labbro; le labbra

il collo

il petto

il gomito

la pancia

il dito; le dita

il ginocchio; le ginocchia

il viso

l'occhio; gli occhi

il naso

la bocca

la spalla

il braccio; le braccia

la mano; le mani

la gamba

il piede; i piedi

3 **Che problemi di salute hanno queste persone? Scrivilo sotto le immagini come nell'esempio.**

What health problems do these people have? Write each under the image as in the example.

1

Lui ha mal di testa.

2

3

GCSE in Italian

....

4 **Completa le seguenti frasi con le parole dei punti a, b e c.**

Complete the following sentences with the words of points a, b and c.

1. Quando ho l'.. rimango a letto, mi riposo e prendo qualche ....
.... per guarire.
2. Gianni oggi non viene a scuola perché sta ....
3. Da una settimana sono a .... perché voglio dimagrire.
4. Per sbaglio ieri io .... con un coltello mentre cucinavo.
5. Quando ho .... di testa prendo un'aspirina e sto subito meglio.
6. Oggi ho un forte .... alle spalle.
7. Monica ha mal di .... Le ho detto che deve andare dal dentista.
8. Il .... mi ha detto di mangiare molta verdura ed evitare le bevande alcoliche.
9. Saverio ha mangiato tre fette di tiramisù e adesso ha mal di ....
10. Per .... peso, puoi fare attività fisica.
11. Sara ha fatto un incidente con la macchina e ora si trova in ....
12. Purtroppo ho la .... dunque non posso uscire con voi.
13. Tutte le medicine possono avere .... collaterali.
14. Ultimamente non vedo bene. Domani vado a fare una visita dall'............................. .
15. Per non ...., evita di mangiare dolci.

5 **Scrivi le parole o le espressioni nella colonna corrispondente come nell'esempio.**

Write the words or the expressions in the corresponding column as in the example.

~~fare attività fisica~~ ◆ ~~fumare~~ ◆ lo stress ◆ le bevande alcoliche ◆ avere molti interessi
stare con gli amici ◆ rilassarsi ◆ lavorare troppo ◆ mangiare frutta e verdura ◆ passeggiare
mangiare molti cibi grassi ◆ lo yoga ◆ annoiarsi ◆ divertirsi ◆ stare troppo da soli ◆ arrabbiarsi

Fa bene (alla salute)	Fa male (alla salute)
fare attività fisica	*fumare*

d. Sottolineare/Marcare/Enfatizzare un contrasto *To mark/To emphasize a contrast*

- **Mentre** fare attività fisica fa bene alla salute, fumare fa male.
- Fare attività fisica fa bene alla salute, **mentre/invece** fumare fa male.

Come vedi, solo l'avverbio mentre può essere messo anche all'inizio della frase.
As you can see, only the adverb mentre can be placed both at the beginning and at the centre of the sentence.

6 **Scrivi delle frasi marcando il contrasto come nell'esempio. Usa le espressioni dell'esercizio 5.**
Write some sentences marking the contrast as in the example. Use the expressions of exercise 5.

Esempio: bere succhi di frutta **I** bere troppi caffè

Mentre bere succhi di frutta fa bene alla salute, bere troppi caffè fa male.
Bere succhi di frutta fa bene alla salute, **mentre/invece** bere troppi caffè fa male.

....

....

....

....

....

....

....

e. Dare un consiglio con l'Imperativo *To give advice with the Imperative*

Leggi i consigli della dott.ssa Abbruzzi. *Read the advice of dott.ssa Abbruzzi.*

- ...**evita** i dolci e **non mangiare** cibi troppo grassi.
- **Mangia** invece i cibi che fanno bene alla salute [...] e **bevi** molta acqua. **Cerca** di non fare spuntini [...] e **fa'** un po' di attività fisica.
- ...**consulta** un medico o un dietologo.
- ...**non prendere** farmaci che non conosci.
- ...**non esagerare** con la dieta ma **vivi** in modo sereno e **dormi** regolarmente.

Completa ora lo schema dell'Imperativo informale. *Now complete the chart of the informal Imperative.*

IMPERATIVO INFORMALE (TU) - VERBI REGOLARI *Informal Imperative - Regular verbs*			
MANGI<u>ARE</u>	**PREND<u>ERE</u>**	**DORM<u>IRE</u>**	**FIN<u>IRE</u> (-isc-)**
(Tu)	(Tu) prendi	(Tu)	(Tu) finisci
(Tu) non mangiare	(Tu) non	(Tu) non dormire	(Tu) non finire

IMPERATIVO INFORMALE (TU) - VERBI IRREGOLARI			
Informal Imperative - Irregular verbs			
ESSERE	**AVERE**	**ANDARE**	**DIRE**
(Tu) sii	(Tu) abbi	(Tu) va'	(Tu) di'
(Tu) non essere	(Tu) non avere	(Tu) non andare	(Tu) non dire
DARE	**STARE**	**FARE**	**VENIRE**
(Tu) da'	(Tu) sta'	(Tu) fa'	(Tu) vieni
(Tu) non dare	(Tu) non stare	(Tu) non fare	(Tu) non venire

Come vedi, l'Imperativo informale (tu) negativo si forma mettendo non prima del verbo all'Infinito (non *parlare*/non *dormire*/non *finire* etc.).
As you can see, the negative form of the informal Imperative is formed by non + Infinitive.

7 Tu e un tuo compagno/una tua compagna fate dei dialoghi usando le seguenti situazioni secondo il modello. Usa l'Imperativo per dare consigli. *You and your friend make up some dialogues using the following situations as in the example. Use the Imperative to give advice.*

Esempio: Il/La tuo/a compagno/a ha mal di testa.
- *Ho un terribile mal di testa. Che consiglio mi dai?*
- **Prendi** *un'aspirina.*

1. Il/La tuo/a compagno/a non riesce a leggere bene.
2. Il/La tuo/a compagno/a vuole dimagrire.
3. Il/La tuo/a compagno/a si sente stressato/a.
4. Il/La tuo/a compagno/a si è tagliato/a.
5. Il/La tuo/a compagno/a ha un terribile mal di stomaco.
6. Il/La tuo/a compagno/a ha il raffreddore.
7. Il/La tuo/a compagno/a ha un dolore al braccio.
8. Il/La tuo/a compagno/a beve troppi caffè.
9. Il/La tuo/a compagno/a ha l'influenza.
10. Il/La tuo/a compagno/a ha mal di denti.

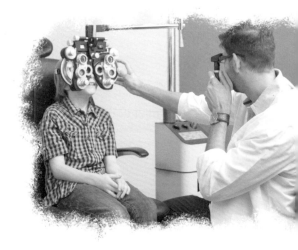

f. **Altrimenti/Se no/In caso contrario** *Otherwise, Or else*

Alla fine della sua lettera, la dott.ssa Abbruzzi scrive (*at the end of her letter, dott.ssa Abbruzzi writes*):

- *Ovviamente non esagerare con la dieta ma vivi in modo sereno e dormi regolarmente* **altrimenti** *poi ti senti stanca e stressata.*

Altrimenti/Se no/In caso contrario (*Otherwise, Or else*) introducono la conseguenza dell'azione contraria (*introduce the consequence of the opposite action*).

Sports, Free Time, Food and Drink, **Lifestyle**, Fashion

8 Tu e un tuo compagno/una tua compagna fate dei dialoghi usando le seguenti situazioni secondo il modello. Usa l'Imperativo per dare consigli e introduci la conseguenza contraria con altrimenti, se no, in caso contrario.

You and your friend make up some dialogues using the following situations as in the example. Use the Imperative to give advice and introduce the opposite consequence with altrimenti, se no, in caso contrario.

Esempio: Situazione: il/la tuo/a compagno/a ha un terribile dolore alla gamba
Consiglio: andare dall'ortopedico
Conseguenza: il dolore diventa più forte
- *Ho un terribile dolore alla gamba. Che consiglio mi dai?*
- *Va' dall'ortopedico **altrimenti** il dolore diventa più forte.*

1. Situazione: il/la tuo/a compagno/a si sente stressato/a
   Consiglio: lavorare di meno
   Conseguenza: si ammala

2. Situazione: il/la tuo/a compagno/a ha la febbre
   Consiglio: prendere il paracetamolo
   Conseguenza: la febbre può salire

3. Situazione: il/la tuo/a compagno/a ha il raffreddore e il mal di testa
   Consiglio: non uscire
   Conseguenza: gli/le viene l'influenza

4. Situazione: il/la tuo/a compagno/a fa vita sedentaria
   Consiglio: fare un po' di sport
   Conseguenza: ingrassa

5. Situazione: il/la tuo/a compagno/a ha mal di stomaco
   Consiglio: non bere alcolici
   Conseguenza: aumenta l'acidità

6. Situazione: il/la tuo/a compagno/a ha un terribile mal di denti
   Consiglio: andare dal dentista
   Conseguenza: il dolore può aumentare

g. Stati fisici e psicologici *Physical and psychological conditions*

Nella sua lettera, Valeria scrive (*in her letter, Valeria writes*):

- *...**non mi sento molto bene** perché **sono sempre stanca e debole** e qualche volta **ho una fame terribile**. A volte **mi sento stressata**.*

avere fame

essere/sentirsi stanco/a

essere/sentirsi stressato/a

GCSE in Italian

avere sete

avere caldo

avere freddo

avere paura

essere annoiato/a

essere/sentirsi triste

essere arrabbiato/a

essere contento/a

9 Unisci le due colonne come nell'esempio.
Match the two columns as in the example.

1. Quando ho fame	a. perché ha passato l'esame.
2. Sono stanco	b. e dunque vado a dormire.
3. Paolo è arrabbiato	c. e ora voglio bere un po' d'acqua.
4. Marta è contenta	d. vado al mare.
5. Ho molta sete	e. mangio un panino.
6. Quando ho caldo	f. perché stasera non può uscire.
7. Siamo tristi	g. perché non ho niente da fare.
8. Sono annoiato	h. perché lavora molto.
9. Luisa è stressata	i. quando siamo lontani da casa.
10. Ho paura	l. di tornare a casa da sola.

Edizioni Edilingua

Sports and Free Time

Sports, Free Time, Food and Drink, **Lifestyle**, Fashion

Attività di parlato (*AQA – Context: Health and Lifestyle*) *Speaking task*

Task: Good habits/Bad habits
You used to have bad habits: you were smoker, you drank alcohol, you didn't do any sport, etc. Now you have changed and you live much better. A friend of yours has bad habits and is asking you for some advice to change his/her life. Your teacher will play the role of your friend.

Your teacher will ask you the following:
- what you did when you had bad habits
- what your good habits are now
- some advice to change his/her bad habits
- the consequences of bad habits
- the importance of healthy habits for your lifestyle
- !

! Remember, at this point, you will have to respond to something you have not yet prepared.

The dialogue will last between 4 and 6 minutes.

Suggerimenti *Tips*

✹ **What you did when you had bad habits**
Di solito prima + ... (vedi le abitudini che fanno male alla salute a pagina 112 e usa l'Imperfetto. *See bad habits for health on page 112 and use the Imperfetto*):
Di solito prima la notte dormivo poco, fumavo molto, bevevo molti alcolici etc.

✹ **What your good habits are now**
Adesso invece + ... (vedi le abitudini che fanno bene alla salute a pagina 112 e usa il Presente. *See the good habits for health on page 112 and use the Present*):
Adesso invece faccio sport, non fumo, mangio molta frutta e verdura etc.

✹ **Some advice to change his/her bad habits**
a. *Ti consiglio di* + Infinito:
   Ti consiglio di mangiare frutta e verdura, non fare una vita sedentaria, non lavorare troppo etc.
b. Imperativo (*Imperative*):
   Mangia frutta e verdura, non fare una vita sedentaria, non lavorare troppo etc.

✹ **The consequences of bad habits**
Se + cattiva abitudine + conseguenza (*if* + bad habits + consequence):
Se lavori troppo, poi sei stressato e ti arrabbi. /Se mangi troppi cibi grassi, ingrassi e la pressione ti sale./Se stai troppo da solo, poi sei triste e stai male etc.

✹ **The importance of healthy habits for your lifestyle**
(Vedi "Suggerimenti" a pagina 43. *See the "Tips" on page 43*)
Le sane abitudini sono molto importanti per la tua vita: **in primo luogo** *perché puoi vivere senza stress,* **poi** *perché sei più rilassato...* **e poi... e poi...**
Oltretutto *hai più energia per avere successo nella scuola e nello sport etc.*
Pertanto, *avere buone abitudini ti permette di vivere meglio giorno dopo giorno.*

Preparazione al
GCSE in Italian

i **Attività di scrittura (AQA – *Context: Health and Lifestyle*)** *Writing task*

Task Title: HEALTHY LIFESTYLE
Write an advertising text for an Italian medical web-site in which you describe how a good and healthy lifestyle should be.

You could mention:

- your healthy lifestyle (what you do and eat to be healthy)
- the positive consequences of a healthy lifestyle
- the negative consequences of an unhealthy lifestyle
- some advice to be healthy
- whether it is hard to change lifestyle
- whether you consulted a doctor/nutritionist before starting your healthy lifestyle
- what people around you think about your healthy lifestyle

 Suggerimenti *Tips*

✹ The positive consequences of a healthy lifestyle
Se hai/Se segui/Con uno stile di vita sano + conseguenze positive (positive consequences):
Se hai uno stile di vita sano, ti senti bene, non sei stressato, hai più energia etc.

✹ The negative consequences of an unhealthy lifestyle
Se invece non hai/segui uno stile di vita sano + conseguenze negative (negative consequences):
Se invece non segui uno stile di vita sano, allora ti puoi sentire debole e stressato, ti ammali più facilmente, non stai bene, ti senti stanco etc.

✹ Whether it is hard to change lifestyle
Certo/Ovviamente/Naturalmente cambiare stile di vita all'inizio può essere un po' difficile *perché devi rinunciare* ad alcuni cibi come per esempio i dolci, le patatine fritte, le bibite, però *ne vale la pena* (*it is worthy*).

✹ Whether you consulted a doctor/nutritionist before starting your healthy lifestyle
Per avere i consigli giusti, **prima di cominciare a seguire uno stile di vita sano** *ho consultato un medico/dietologo.*

✹ What people around you think about your healthy lifestyle
Secondo la gente attorno a me/la mia famiglia/i miei amici, io faccio bene a seguire questo stile di vita sano.../ho fatto la scelta giusta.../devo continuare/andare avanti...

Edizioni Edilingua

Sports and Free Time

Sports, Free Time, Food and Drink, **Lifestyle**, Fashion

Attività di lettura (*AQA – H*) *Reading task*

Read the lifestyle of these four Italian friends.

Veronica

Siccome sono vegetariana evito la carne e mangio molta verdura. In genere non mangio dolci e gli alcolici non mi piacciono per niente. Non pratico nessuno sport perché nel tempo libero preferisco guardare la TV, navigare su Internet o ascoltare musica a letto. Lo so, faccio una vita molto sedentaria però dopo la scuola a dire la verità non mi va molto di uscire di casa.

La mia salute per me è molto importante, per questo cerco di mangiare cibi sani come frutta, verdura e pesce e ovviamente evito sia la carne rossa che le bevande alcoliche. Inoltre faccio molta attività fisica in palestra e in piscina almeno quattro volte alla settimana. Due volte all'anno vado dal dottore a fare una visita generale perché, come ho detto, voglio sempre stare bene.

Io non sto molto attento a quello che mangio, infatti possiamo dire che a me piacciono tutti i tipi di cibi, in particolare le patatine fritte, la carne di maiale e i dolci. Non faccio nessun tipo di attività fisica perché sono un po' pigro e in genere la notte dormo poco, al massimo sei ore. Forse devo cambiare il mio stile di vita ma per adesso a me va bene così.

Fin da piccolo ho sempre seguito delle buone abitudini: molto sport, cibi sani e genuini e la compagnia di buoni amici. Per questo motivo non ho mai avuto problemi di salute e sinceramente spero di non averne mai. Infatti, sto molto attento a non ammalarmi e ogni tanto faccio una visita dal dottore.

Adriana

Giacomo

Carlo

According to the text, how can you define these young people's lifestyle?
Write in the box: H (healthy), U (unhealthy), H + U (healthy and unhealthy).

a. Veronica ☐   **c.** Adriana ☐

b. Giacomo ☐   **d.** Carlo ☐

GCSE in Italian

 Attività d'ascolto (*AQA – H*) *Listening task*

Franco's lifestyle

*Which **three** statements are true?*

Franco ...

A. takes long walks during the week.

B. does not take alcoholic drinks.

C. eats a lot of red meat and fried food.

D. has high blood pressure.

E. likes cakes.

F. never feels tired.

Write the correct letter in the boxes.

 Grammatica *Grammar*

IMPERATIVO
Imperative

L'Imperativo è usato per dare a) ordini, b) consigli o c) istruzioni.
The Imperative is used to give a) orders, b) advice or c) instructions.

a) *Marco, **telefona** a Valeria! Marco, phone Valeria!*

b) *Maria, **non guardare** quel film. Non vale la pena. Maria, don't watch that movie. It's not worth it.*

c) ***Apri** il file e **copia** il testo. Open the file and copy the text.*

	PARL<u>ARE</u>	PREND<u>ERE</u>	DORM<u>IRE</u>	FIN<u>IRE</u> (*-isc-*)
Tu	parla	prendi	dormi	finisci
Noi *Let's...*	parliamo	prendiamo	dormiamo	finiamo
Voi	parlate	prendete	dormite	finite

Per noi e voi l'Imperativo corrisponde al Presente Indicativo.
For noi and voi the Imperative corresponds to the Presente Indicativo.

Sports and Free Time

Sports, Free Time, Food and Drink, **Lifestyle**, Fashion

IMPERATIVO NEGATIVO *Negative Imperative*				
	PARL*ARE*	**PREND*ERE***	**DORM*IRE***	**FIN*IRE* (*-isc-*)**
Tu	non parlare	non prendere	non dormire	non finire
Noi *Let's not...*	non parliamo	non prendiamo	non dormiamo	non finiamo
Voi	non parlate	non prendete	non dormite	non finite

L'Imperativo negativo si forma con:
- **non** prima del verbo all'Infinito per *tu*;
- **non** seguito dal verbo coniugato all'Imperativo per *noi* e *voi*.

The negative Imperative is formed with non before the verb in the Infinitive for tu and non followed by the verb in the Imperative for noi and voi.

L'IMPERATIVO CON I PRONOMI
The Imperative with the pronouns

Nell'Imperativo affermativo i pronomi si trovano alla fine del verbo e formano un'unica parola.
In the affirmative Imperative the pronouns are placed at the end of the verb and form a single word.

- **Leggiamolo**, è molto interessante. (pronome diretto / *direct object pronoun*)
- **Telefonategli** adesso, per favore. (pronome indiretto / *indirect object pronoun*)
- **Ricordati** di non esagerare con la dieta. (pronome riflessivo / *reflexive pronoun*)

L'imperativo negativo con i pronomi si può formare in due modi.
The negative imperative with the pronouns can be formed in two ways.

- **Non lo leggere. – Non leggerlo.** (pronome diretto / *direct object pronoun*)
- **Non le telefonare. – Non telefonarle.** (pronome indiretto / *indirect object pronoun*)
- **Non ti arrabbiare. – Non arrabbiarti.** (pronome riflessivo / *reflexive pronoun*)

CASI PARTICOLARI DELL'IMPERATIVO CON I PRONOMI
Particular cases of the Imperative with the pronouns

Andare - Va'
Vammi a prendere un panino al bar!

Fare - Fa'
Fammi un piacere.

Dare - Da'
Dalle i libri.

Dire - Di'
Dimmi la verità!

Preparazione al GCSE in Italian

Preparazione al
GCSE in Italian

1 **Trasforma le seguenti frasi usando l'Imperativo come nell'esempio.**
Transform the following sentences using the Imperative as in the example.

Esempio: Tu devi studiare il capitolo.
    Studia il capitolo.

1. Devi andare dal dottore.

....

2. Dovete parlare in italiano durante la lezione.

....

3. Non devi uscire questa sera.

....

4. Dobbiamo mangiare a casa.

....

5. Devi pulire la casa.

....

6. Non dovete tornare tardi.

....

7. Non devi fumare.

....

8. Dobbiamo cominciare una dieta.

....

9. Devi leggere questo libro.

....

10. Non devi mangiare troppa carne.

....

2 **Completa con l'Imperativo.** *Complete with the Imperative.*

1. Renato, (fare) .... un po' di sport.
2. Massimo e Luca, (prendere) .... un po' di questo vino, è buono.
3. (Noi-andare) .... al cinema questa sera!
4. Daria, (scrivere) .... una mail al direttore, per favore.
5. (Noi-dormire) .... in quell'albergo: è bello, pulito ed economico.
6. Alessio, non (essere) .... sempre arrabbiato.
7. Ragazzi, non (lavorare) .... troppo.
8. Chiara, (comprare) .... del pane al negozio di alimentari, per favore.
9. Daniele, non (stare) .... sempre davanti al computer, altrimenti non stai mai con i tuoi amici.
10. (Noi-prendere) .... un caffè insieme oggi pomeriggio.

Edizioni Edilingua

3 **Rispondi alle seguenti domande usando l'Imperativo con i pronomi come nell'esempio.**

Answer the following questions using the Imperative with the pronouns as in the example.

Esempio: • Posso mangiare questo panino?
- Sì, *mangialo, è buono.*

1. • Invito Francesca alla festa?
   - Sì, ...
2. • Telefono a Paolo?
   - No, ...
3. • Devo leggere l'articolo?
   - Sì, ...
4. • Dobbiamo telefonare a Nicola?
   - Sì, ...
5. • Devo rispondere a Veronica?
   - Sì, ...
6. • Dobbiamo prendere le vitamine?
   - Sì, ...

4 **Traduci in italiano le seguenti frasi. Immagina cha stai parlando a un amico.**

Translate into Italian the following sentences. Imagine that you are talking to a friend.

1. Don't go to that restaurant. It's expensive and the food is not good.
   ....

2. Call him (*dir.*) now, please.
   ....

3. Phone me (*ind.*) when you arrive at home, please.
   ....

4. Don't be so rude with your friends.
   ....

5. Read the message and then tell me (*ind.*) your opinion.
   ....

6. Buy some bread for the dinner.
   ....

7. Have lunch with me today. I feel sad.
   ....

8. Rest and don't watch TV.
   ....

9. Speak in Italian during the class.
   ....

10. Bring some drinks to the party tonight.
    ....

Preparazione al
GCSE in Italian

FASHION

1 **Leggi i seguenti dialoghi.** *Read the following dialogues.*

IN UN NEGOZIO DI ABBIGLIAMENTO

Commessa: Buongiorno, cerca qualcosa?

Cliente: Sì, vorrei provare quei pantaloni di cotone neri in vetrina.

Commessa: Va bene. Che taglia porta?

Cliente: La 48.

Commessa: Ecco, li può provare nel camerino in fondo a destra.

Cliente: Grazie.

Commessa: Allora, come le stanno?

Cliente: Sono un po' stretti. Forse è meglio se provo una taglia più grande.

Commessa: D'accordo. Però di taglie più grandi, li abbiamo solo blu e verdi. Va bene lo stesso?

Cliente: Veramente li volevo neri.

Commessa: Mi dispiace, quelli neri sono finiti. Se vuole, ci sono questi di velluto.

Cliente: Non importa. Ripasso in un altro momento. Arrivederci.

Commessa: Arrivederci.

IN UN NEGOZIO DI SCARPE

Commessa: Buongiorno, desidera?

Cliente: Quanto costano quelle scarpe marroni con i tacchi alti?

Commessa: Quali, scusi?

Cliente: Quelle marroni vicino agli stivali neri.

Commessa: Quelle costano 75 euro.

Cliente: Sono un po' care. È possibile vederne un altro paio di meno costose?

Commessa: Sì, queste blu sono più economiche, vengono 50 euro. Che numero porta?

Cliente: Il 38.

Commessa: Ecco.

Cliente: Vanno bene, le prendo. Posso pagare con la carta di credito?

Commessa: Certo.

Edizioni Edilingua

Sports and Free Time

Sports, Free Time, Food and Drink, Lifestyle, **Fashion**

2 **Scegli l'opzione corretta.** *Choose the correct option.*

1. Il cliente del negozio di abbigliamento vuole...
   a. provare un paio di pantaloni neri di velluto.
   b. provare un paio di pantaloni neri di cotone.
   c. provare un paio di pantaloni verdi di velluto.

2. I pantaloni che prova il cliente...
   a. sono un po' stretti.
   b. sono un po' larghi.
   c. vanno bene.

3. Alla fine il cliente...
   a. compra i pantaloni neri di velluto.
   b. compra i pantaloni verdi di cotone.
   c. esce senza comprare.

4. La cliente del negozio di scarpe vuole...
   a. provare un paio di scarpe blu con i tacchi.
   b. provare un paio di scarpe marroni con i tacchi.
   c. provare un paio di stivali neri.

5. Le scarpe che prova...
   a. costano 50 euro.
   b. costano 75 euro.
   c. sono care.

6. Alla fine la cliente compra...
   a. le scarpe blu e paga 50 euro.
   b. le scarpe marroni e paga 50 euro.
   c. le scarpe blu e paga 75 euro.

a. Vocabolario *Vocabulary*

abbigliamento = *clothing*
abito = *dress suit*
a buon mercato = *cheap*
acquistare = *to purchase*
a quadri = *squared*
a righe = *striped*
bottone = *button*
boutique = *boutique*
camerino = *fitting room*
capo (di abbigliamento) = *item of clothing, garment*
caro/a/i/e = *expensive*
cassa = *till*
casual = *casual*
classico/a/i/-he = *classic*
commesso/a = *shop-assistant, clerk*
corto/a/i/e = *short*
costoso/a/i/e = *expensive*
economico/a/i/-he = *cheap*

elegante/i = *elegant*
firmato (abito, vestito, capo) = *designer clothes*
grande/i = *large*
griffato (abito, vestito, capo) = *designer clothes*
indossare = *to wear*
larghezza = *width*
largo/a/-hi/-he = *large/wide*
leggero/a/i/e = *light*
lunghezza = *length*
lungo/a/-hi/-he = *long*
manica = *sleeve*
mettersi = *to put (a dress) on*
moda = *fashion*
modello/a = *model*
negozio di abbigliamento = *clothing store, dress shop*
negozio di scarpe = *shoe shop, shoe store*

numero (di scarpe) = *shoe size*
pagare = *to pay*
paio (di) = *pair (of)*
pesante/i = *heavy, thick, warm*
piccolo/a/i/e = *small*
portare = *to wear*
provarsi = *to try on*
saldi = *sales, clearance*
sconto = *discount*
scontrino = *receipt*
stilista = *stylist, fashion designer*
svendita = *clearance sale*
stretto/a/i/e = *tight*
tacchi = *heels*
taglia = *size*
truccarsi = *to make up*
trucco = *make up*
vestito = *dress*
vetrina = *shop window*

I COLORI COLOURS

arancione = *orange* ● **azzurro/blu** = *blue*
bianco = *white* ● **giallo** = *yellow* ● **grigio** = *grey*
marrone = *brown* ● **nero** = *black* ● **rosa** = *pink*
rosso = *red* ● **verde** = *green* ● **viola** = *purple*

Tonalità Shades
chiaro = *light* ● **scuro** = *dark*

LE STOFFE E I MATERIALI CLOTHES AND MATERIALS

(di) cotone = *cotton* ● **(di) cuoio** = *leather*
jeans = *jeans* ● **(di) lana** = *wool* ● **(di) seta** = *silk*
(di) pelle = *hide (skin)* ● **(di) velluto** = *velvet*

Preparazione al
GCSE in Italian

Attenzione! *Attention!*

Con le tonalità l'aggettivo del colore è sempre al maschile
(with shades, the adjective of colour is always masculine):
Una giacca rossa. A red jacket.
Ma *(but) Una giacca* **rosso scuro**. *A dark-red jacket.*

✎ **b. I capi di abbigliamento: vestiti e colori. Scrivi le parole della lista negli spazi vuoti come nell'esempio.**
Clothes and colours. Write the words of the following list in the blank space as in the example.

~~maglione~~ ◆ paio ◆ cuoio ◆ cappello ◆ camicia ◆ sciarpa ◆ scarpe ◆ pantaloni ◆ jeans ◆ cotone ◆ stivali

un ....*maglione*.... verde di lana   una maglietta di ....[1]   una ....[2] bianca

un paio di ....[3] neri   una giacca grigia a quadri   una cravatta viola

una ....[4] blu   un cappotto   un paio di
....................[5] chiari

un paio di
....................[6] classiche   un paio di calzini neri   un paio di scarpe
da ginnastica

Edizioni Edilingua

una gonna rosa

un ....(7) di guanti

un ....(8)

un paio di ....(9)

un paio di scarpe con i tacchi

un paio di scarpe basse

una cintura di ....(10)

un giubbotto

un vestito

una borsetta di pelle

un portafoglio

un impermeabile

una felpa

un giubbino

uno zaino

una blusa

una tuta da ginnastica

un berretto

GCSE in Italian

3 **Completa le seguenti frasi con le parole dei punti a e b.**

Complete the following sentences with the words of points a and b.

1. Ieri sono andata in un negozio di .... e ho comprato un paio di pantaloni neri e una maglietta di cotone.

2. "Che .... porti di scarpe?" "Il 42."

3. Oggi fa freddo e dunque mi metto un paio di ...., un maglione di lana e una sciarpa. Ovviamente mi metto anche un .... pesante.

4. "Che .... porti di pantaloni?" "La 48."

5. Queste scarpe sono un po' .... È meglio se provo un numero più grande.

6. Quando voglio vestirmi ...., mi metto una giacca e una cravatta.

7. Questi pantaloni sono troppo .... È meglio se provo una taglia più piccola.

8. Ieri Mirella ha comprato un .... di scarpe con i tacchi.

9. Normalmente quando vado a in discoteca non mi vesto elegante ma ....

10. Prendo la .... e le scarpe da ginnastica e vado in palestra.

11. Giorgio Armani è un grande .... di moda.

12. Paolo .... sempre vestiti eleganti e costosi.

4 **Cosa indossano queste persone? Scrivilo sotto le immagini.**

What are these people wearing? Write it under the pictures.

Roberto indossa ....

....

....

....

....

Francesca ....

....

....

....

....

Fabrizio ....

....

....

....

....

Edizioni Edilingua

Sports, Free Time, Food and Drink, Lifestyle, **Fashion**

Federica ....

Marco ....

Giovanna ....

....

....

....

....

c. In un negozio di abbigliamento/scarpe *In a dress/shoe shop*

Commesso/a: Buongiorno/Buonasera, desidera?
Cliente:　　　 Buongiorno/Buonasera, vorrei/volevo vedere/provare (try on) una giacca/un paio di pantaloni/una maglietta/un maglione/un paio di scarpe/un paio di stivali etc.
Commesso/a: Che taglia porta? (vestiti) Che numero porta? (scarpe)
Cliente:　　　 Porto la 46 (taglia)/il 42 (numero di scarpe).

✖ **Per chiedere il prezzo** *To ask for the price*
- **Quanto costa/viene + singolare?**
  Quanto cosa questo vestito/questa giacca/questo cappello etc.?

- **Quanto costano/vengono + plurale?**
  Quanto costano questi pantaloni/queste scarpe/questi calzini etc.?

✖ **Per dire che comprerai/prenderai l'articolo** *To say that you are going to buy the item*
- Va bene, lo/la/li/le compro/prendo.

✖ **Per uscire senza comprare** *To go out of the shop without buying*
- Grazie, ma ci devo pensare.
- Grazie, ma non sono molto convinto/a.
- Grazie. Ripasso in un altro momento.

Preparazione al
GCSE in Italian

d. L'aggettivo dimostrativo *quello* (that/those)

Nei due dialoghi iniziali i due clienti chiedono (*in the two opening dialogues the two customers ask*):

Cliente: *Sì, vorrei provare* **quei** *pantaloni di cotone neri in vetrina.*

Cliente: *Quanto costano* **quelle** *scarpe marroni con i tacchi alti?*

Per le diverse forme dell'aggettivo dimostrativo quello ci sono le stesse regole degli articoli determinativi.
For the different forms of the demonstrative adjective quello there are the same rules as for the definite articles.

MASCHILE				
SINGOLARE	**PLURALE**			
quel	quei	+ **consonante**	quel *maglione*	quei *maglioni*
quell'	quegli	+ **vocale**	quell'*impermeabile*	quegli *impermeabili*
quello	quegli	+ **s-consonante** + **z-**	quello *stivale* quello *zaino*	quegli *stivali* quegli *zaini*

FEMMINILE				
SINGOLARE	**PLURALE**			
quella	quelle	+ **consonante**	quella *gonna*	quelle *gonne*
quell'	quelle	+ **vocale**	quell'*amica*	quelle *amiche*

e. Numeri *Numbers*

1	uno	11	undici	21	ventuno	40	quaranta
2	due	12	dodici	22	ventidue	50	cinquanta
3	tre	13	tredici	23	ventitré	60	sessanta
4	quattro	14	quattordici	24	ventiquattro	70	settanta
5	cinque	15	quindici	25	venticinque	80	ottanta
6	sei	16	sedici	26	ventisei	90	novanta
7	sette	17	diciassette	27	ventisette		
8	otto	18	diciotto	28	ventotto		
9	nove	19	diciannove	29	ventinove		
10	dieci	20	venti	30	trenta		

Edizioni Edilingua

Sports and Free Time

Sports, Free Time, Food and Drink, Lifestyle, **Fashion**

100 cento	**1000** mille
200 duecento	**1500** millecinquecento
300 trecento	**2000** duemila
400 quattrocento	**3000** tremila
500 cinquecento	**4000** quattromila
	5000 cinquemila

5 Scrivi i numeri in lettere come nell'esempio. *Write the numbers using letters as in the example.*

Esempio: Questo maglione costa (35) ....trentacinque......... euro.

1. Questa giacca costa (250) .... euro.
2. Queste scarpe costano (86) .... euro.
3. Questi stivali vengono (74) .... euro.
4. Questa sciarpa viene (18) .... euro.
5. Questo impermeabile costa (133) .... euro.
6. Questi pantaloni costano (42) .... euro.

6 Tu e un tuo compagno fate dei dialoghi fra un/una commesso/a e un/una cliente come negli esempi.
You and your friend make up some dialogues between a shop-assistant and a customer as in the examples.

Cliente: paio di pantaloni neri ❙ 48 / Commesso: 60 euro 🙂

Commesso: *Buongiorno, desidera?*
Cliente: *Vorrei/Volevo provare quei pantaloni neri.*
Commesso: *Che taglia porta?*
Cliente: *La 48.*
Commesso: *Ecco.*
(*Il cliente prova i pantaloni*)
Cliente: *Quanto costano?*
Commesso: *60 euro.*
Cliente: *Va bene, li prendo.*

Cliente: scarpe con il tacco alto ❙ 38 / Commesso: 120 euro 🙁

Commesso: *Buongiorno, desidera?*
Cliente: *Vorrei/Volevo provare quelle scarpe con il tacco alto.*
Commesso: *Che numero porta?*
Cliente: *Il 38.*
Commesso: *Ecco.*
(*La cliente prova le scarpe*)
Cliente: *Quanto costano?*
Commesso: *120 euro.*
Cliente: *Grazie, ma sono un po' care. Ripasso in un altro momento.*

GCSE in Italian

1. Cliente: maglione verde di lana I Medium / Commesso: 25 euro

2. Cliente: stivali di cuoio I 39 / Commessa: 85 euro

3. Cliente: scarpe da ginnastica bianche I 42 / Commesso: 80 euro

4. Cliente: scarpe basse I 37 / Commessa: 35 euro

5. Cliente: camicia bianca I 42 / Commesso: 40 euro

6. Cliente: giacca a quadri I 50 / Commesso: 85 euro

7. Cliente: gonna I 42 / Commessa: 50 euro

8. Cliente: impermeabile grigio I 64 / Commessa: 120 euro

f. *Più* (-er/more)/*meno* (less). **Fare comparazioni/confronti/paragoni** *To make comparisons*

Commessa: *Allora, come le stanno?*
Cliente: *Sono un po' stretti. Forse è meglio se provo una taglia **più grande** (bigger).*

Commessa: *Quelle costano 75 euro.*
Cliente: *Sono un po' care. È possibile vederne un altro paio di **meno costose** (less expensive)?*
Commessa: *Sì, queste blu sono **più economiche** (cheaper), vengono 50 euro.*

7 **Tu e un tuo compagno fate dei dialoghi fra un/una commesso/a e un/una cliente come negli esempi.**
You and your friend make up some dialogues between a shop-assistant and a customer as in the examples.

Commessa: gonna / cliente: stretta
Commessa: *Allora, come le sta la gonna?*
Cliente: *È un po' stretta. Forse è meglio se provo una taglia più grande.*

Commessa: scarpe I 60 euro I 50 euro / cliente: care
Commessa: *Le scarpe costano 60 euro.*
Cliente: *Sono un po' care. È possibile vederne un altro paio di meno costose?*
Commessa: *Sì, queste sono più economiche, vengono 50 euro.*

1. Commessa: pantaloni / Cliente: lunghi
2. Commessa: camicia / Cliente: stretta
3. Commessa: giacca I 120 euro I 100 euro / Cliente: cara
4. Commessa: felpa I 50 euro I 35 euro / Cliente: cara
5. Commessa: maglietta / Cliente: grande
6. Commessa: impermeabile / Cliente: piccolo

Edizioni Edilingua

2 Chapter

Attività di parlato (*Edexcel – Open interaction*) *Speaking task*
(4-6 minutes talking – preparation 2-3 minutes)

Giovanna's clothing shop

Situation
You would like to buy one or more items of Giovanna's clothing shop. You have to interact with the Italian shop assistant. He/She will start the conversation.

Task
He/She may ask you:

- how can she/he helps you (what item(s) are interested in buying)

- the size(s) and the colour(s) of the item(s)

- whether the article you have tried on fits you

- how you are going to pay

Be prepared to ask questions during the conversation.

Preparazione al
GCSE in Italian

💡 Suggerimenti *Tips* 💬

* **How to say the size(s) and the colour(s) of the item(s)**
  Porto/Ho una + numero della taglia oppure *Small/Medium/Large/Extra-large*:
  Porto una 46.
  Ho una Medium.

* **To say that the article you have tried on fits you**
  Nome dell'articolo al singolare + *mi va bene* / Nome dell'articolo al plurale + *mi vanno bene*:
  La maglietta mi va bene.
  I pantaloni mi vanno bene.

* **To say that the size of the item or the shoe size does not fit you**
  Mi sta (singolare) *stretto/a* (tight)/*largo/a* (loose):
  Questo maglione mi sta stretto.
  Mi stanno (plurale) *stretti/e* (tight)/*larghi/e* (loose):
  Questi pantaloni mi stanno larghi.
  Queste scarpe mi stanno strette.

* **To ask whether there is another item with a different size, colour, price, etc.**
  Per caso ne avete/ce n'è un altro/un'altra di un colore diverso?
  di una taglia più grande/piccola?
  a righe?
  meno costoso/a?

* **How you are going to pay**
  Pago in contanti (cash).
  Pago con carta di credito (by credit card).

✏️ Attività di scrittura (*Edexcel*) *Writing task*

Write an e-mail to an Italian fashion magazines to describe fashion styles and tendencies among young people of your country.

You could mention:

* which clothes are in fashion among the youth of your country
* how you normally dress according to the occasion
* which clothes you have bought recently
* which clothes you don't like
* whether you are interested in fashion

Edizioni Edilingua

Sports, Free Time, Food and Drink, Lifestyle, **Fashion**

💡 Suggerimenti *Tips* ⓘ ✉

✳ **Which clothes are in fashion among the youth of your country**

a. **Fra i giovani del mio Paese è/va di moda (indossare/portare)** + vestito al singolare/
sono/vanno di moda + vestito al plurale:
Fra i giovani del mio Paese va di moda la giacca a quadri.
Fra i giovani del mio Paese sono di moda i pantaloni molto stretti.

b. **Molti giovani del mio Paese indossano/portano/si mettono** + vestito:
Molti giovani del mio Paese indossano il berretto colorato e la camicia a righe.

✳ **How you normally dress according to the occasion**
Se/Quando vado + luogo (place) + **mi metto** + vestito:
Se vado in discoteca mi metto i jeans.
Quado vado al lavoro mi metto la giacca.

Se/Quando vado + luogo (place) + **mi vesto normale/casual/sportivo/classico/elegante:**
Se vado a una festa di solito mi vesto casual.
Se vado a un colloquio di lavoro mi vesto classico.

✳ **Which clothes you have bought recently**
Recentemente/Ultimamente ho acquistato/ho comprato + nome del vestito:
Recentemente ho comprato un paio di scarpe classiche.
Ultimamente ho acquistato un maglione di lana e un paio di pantaloni di velluto.

✳ **Whether you are interested in fashion**
La moda mi interessa molto, in particolare quella degli stilisti italiani.
La moda mi piace molto, soprattutto quella italiana.

👤 Attività di lettura (*Edexcel – F/H*) *Reading task*

Sales

Read this advert

Alla boutique *Carmela* dal 15 febbraio ci saranno i saldi di fine stagione su tutti i capi invernali. Vieni a vedere la grande offerta di sconti su impermeabili, cappotti, giacche, maglioni, camicie, pantaloni, sciarpe e berretti. Su tutti gli abiti firmati lo sconto è del 30% mentre su tutti gli altri capi gli sconti vanno dal 30 al 50%. La boutique *Carmela* si trova a Roma in Via del Babuino vicino a Piazza del Popolo. Ti aspettiamo.
Tel.: 06/7456238

Preparazione al
GCSE in Italian

Answer the following questions by putting a cross (✗) in the correct box.

Example: This text is an advert addressed to ...

A. employees.	B. students.	C. customers.
		✗

(i) On the 15th of February ...

A. the sales will start.	B. the sales will end.	C. the boutique will open.

(ii) The discounted items will be ...

A. summer clothes such as scarves.	B. winter clothes such as T-shirts.	C. winter clothes such as jumpers.

(iii) The designer clothes will be discounted ...

A. by 50%.	B. by 30%.	C. from 30% to 50%.

(iv) The advert also mentions ...

A. the opening and closing times of the boutique and the location of the boutique.	B. the location and the phone number of the boutique.	C. the opening and closing times of the boutique and the phone number of the boutique.

🎧 Attività d'ascolto (*Edexcel – F/H*) *Listening task*

Flawed clothing

Listen to this conversation between a customer and a shop assistant.
Put a cross (✗) in the correct box.

Example: The customer would like to change a ...

A. jacket.	B. shirt.	C. jumper.
		✗

(i) He bought the jumper ...

A. the day before yesterday.	B. three days ago.	C. yesterday.

Edizioni Edilingua

(ii) The shop assistant asks the customer ...

A. when he bought the jumper.	**B.** whether he washed it in hot water.	**C.** whether he has the receipt.

(iii) The jumper ...

A. cannot be changed because the customer does not have the receipt.	**B.** can be changed but the customer needs to wait until tomorrow.	**C.** cannot be changed because there are no jumpers of that size available in the shop.

(iv) Finally the customer ...

A. thanks the shop assistant.	**B.** gets annoyed with the shop.	**C.** is thanked by the shop assistant.

Grammatica *Grammar*

I COMPARATIVI
The comparatives

- **Comparativo di maggioranza** - più ... di... (*-er/more ... than...*)
  *Questa gonna è **più** economica **dei** pantaloni.*

- **Comparativo di minoranza** - meno ... di... (*less ... than...*)
  *Questo maglione è **meno** caro **della** camicia.*

- **Comparativo di uguaglianza** – come/quanto... (*as ... as...*)
  *Queste scarpe sono strette **quanto** quelle.*

❋ **La preposizione semplice** di si usa (*the simple preposition di is used*):

a. davanti ai nomi propri di persona e città (*in front of proper names of people and cities*)
  Alessandro studia meno di Luca.
  Londra è più grande di Roma.

b. davanti ai pronomi personali (*in front of personal pronouns*) me/te/lui/lei/noi/voi/loro
  Vittoria lavora più di me.
  Noi spendiamo meno di voi.

c. davanti ai pronomi dimostrativi (*in front of demonstrative pronouns*) questo/a/i/e e quello/a/i/e
  Queste scarpe sono più belle di quelle.
  Quella borsa costa meno di questa.

d. davanti agli articoli indeterminativi (*in front of indefinite articles*) un/uno/una/un'
  Un cappotto è più pesante di un giubbino.

Preparazione al
GCSE in Italian

✿ Con gli altri casi si usa la preposizione articolata, di + articolo determinativo:

	IL	LO	L'	LA	I	GLI	LE
DI	DEL	DELLO	DELL'	DELLA	DEI	DEGLI	DELLE

La sciarpa è più economica (di + la) **della** *gonna.*
La giacca è più cara (di + i) **dei** *pantaloni.*
La maglietta costa meno (di + il) **del** *maglione.*

1 **Scrivi delle frasi secondo il modello.** *Write some sentences as in the example.*

Esempio: la giacca ▌ 65 euro / il maglione ▌ 45 euro
La giacca è più cara del maglione./Il maglione è meno caro della giacca.

1. i pantaloni di velluto ▌ taglia 50 / i pantaloni jeans ▌ taglia 48

....

....

2. la maglietta ▌ 15 euro / la camicia ▌ 25 euro

....

....

3. gli stivali ▌ numero 39 / le scarpe con i tacchi ▌ numero 37

....

....

4. la camicia di cotone ▌ 30 euro / il maglione di lana ▌ 30 euro

....

5. la giacca a scacchi ▌ taglia 50 / la giacca a righe ▌ taglia 52

....

....

6. il vestito azzurro ▌ 150 euro / il vestito verde ▌ 200 euro

....

....

Edizioni Edilingua

Holidays and Geography

Holidays, Excursions and Accommodation, House and Public Places, Geography and Environment

---

Goals: in this chapter you will learn...

- how to talk about holidays, means of transport, seasons and the weather
- how to describe houses and public places
- how to talk about geography, the environment, plants and animals

HOLIDAYS, EXCURSIONS AND ACCOMMODATION

1 **Leggi la seguente mail.** *Read the following e-mail.*

A...	sandra89@yahoo.it
Cc...	
Oggetto:	Vacanze in Italia

Cara Sandra,

come stai? Spero bene. Ti scrivo per raccontarti che il mese scorso io e la mia famiglia siamo andati in vacanza in Italia. Siamo partiti da Londra in aereo e siamo arrivati a Roma dopo solo un'ora e mezza di volo. Siamo andati in albergo in taxi, abbiamo lasciato i bagagli in camera e siamo subito usciti per visitare i musei, le chiese, le piazze e tutti gli altri monumenti importanti. Per girare per la città abbiamo preso l'autobus, il tram, il metrò ma abbiamo anche fatto lunghe passeggiate a piedi. A Roma siamo rimasti tre giorni, poi siamo andati a Firenze con il treno. Anche lì abbiamo visitato molti musei interessanti, siamo andati in alcune chiese molto belle e abbiamo fatto un sacco di fotografie davanti ai monumenti più importanti. Dopo Firenze abbiamo visitato Venezia e infine Milano. C'erano turisti da tutto il mondo: giapponesi, americani, tedeschi e anche qualche inglese. Durante la vacanza ho conosciuto una ragazza italiana, un ragazzo spagnolo, delle ragazze francesi e delle studentesse australiane. Con loro sono andata in discoteca, mi sono rilassata, ho mangiato al ristorante, insomma ho fatto tante cose. Faceva molto caldo perché era estate, non come quando tu sei venuta a Londra in inverno a dicembre, ti ricordi che freddo faceva?

Siamo tornati in Inghilterra il 20 agosto. Siamo partiti dall'aeroporto di Milano.

A Capodanno vorrei tornare in Italia, però vorrei andare in montagna questa volta. Ho già chiesto informazioni all'agenzia di viaggi e penso che fra due settimane prenoterò l'albergo.

E tu che cosa mi racconti? Dove hai passato le tue vacanze?

Un abbraccio,
Fiona

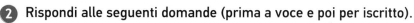

2 **Rispondi alle seguenti domande (prima a voce e poi per iscritto).**
Answer the following questions (first speaking and then in writing).

1. Dove, quando e con chi è andata in vacanza Fiona?

Preparazione al

GCSE in Italian

2. Come è partita da Londra?

....

3. Cosa ha fatto a Roma?

....

....

4. Come è andata a Firenze?

....

5. Quali altre città italiane ha visitato?

....

6. Quando è tornata a Londra?

....

a. Vocabolario *Vocabulary*

aeroporto = *airport*
agenzia di viaggi = *travel agency*
agriturismo = *agritourism, farm holiday*
albergo = *hotel*
all'estero = *abroad*
alloggio = *accommodation*
andata = *one-way, single*
andata e ritorno = *return, round trip*
bagagli = *baggage, luggage*
biglietto = *ticket*
camera (d'albergo) = *hotel room*
campeggio = *camping*
cartolina = *postcard*
check-in = *check-in*
chiedere informazioni = *to enquire*
chiesa = *church*
crociera = *cruise*
fare una gita = *to take a trip*
fotografia = *picture*
gita = *day trip, excursion*
hotel = *hotel*
itinerario = *route*
montagna = *mountain*
montare la tenda = *to pitch the tent*
monumento = *monument*

lago = *lake*
macchina fotografica = *camera*
mare = *sea*
museo = *museum*
ostello della gioventù = *hostel*
partire = *to leave*
passare = *to spend*
reception = *reception*
receptionist = *receptionist*
scaricare i bagagli = *to unload the luggage*
spiaggia = *beach*
stanza (d'albergo) = *hotel room*
stazione = *station*
tenda = *tent*
trascorrere = *to spend*
ufficio del turismo = *tourist centre*
turismo = *tourism*
turista = *turist*
vacanze = *holidays*
valigia = *suitcase*
viaggiare = *to travel*
viaggio = *journey*
visitare = *to visit*
volare = *to fly*
volo = *flight*

Edizioni Edilingua

Holidays and Geography

Chapter 3

Holidays, Excursions and Accommodation, House and Public Places, Geography and Environment

✎ **b. I mezzi di trasporto. Scrivi le seguenti parole sotto le immagini.**
Means of transport. Write the following words under the images.

bicicletta ◆ taxi ◆ motocicletta ◆ treno ◆ aereo ◆ autobus ◆ tram ◆ metrò

1

macchina

2

3

4

5

nave

6

7

8

9

barca

10

11

12

traghetto

> **Attenzione!** *Attention!*
>
> **andare** + **in** + mezzo di trasporto
> oppure
> **andare** + **con** + articolo determinativo + mezzo di trasporto
>
> Vado a scuola **in** autobus.
> Vado a scuola **con** l'autobus.
> (anche Per andare a scuola **prendo** l'autobus.)
>
> **Ma** (*but*) Vado al lavoro **a piedi**.

c. I mesi dell'anno e le stagioni. Scrivi le parole negli spazi vuoti.
The months of the year and the seasons. Write the words in the blank spaces.

agosto ∎ ottobre ∎ dicembre ∎ aprile

marzo
......................(1)
maggio

PRIMAVERA

giugno
luglio
......................(2)

ESTATE

settembre
......................(3)
novembre

AUTUNNO

......................(4)
gennaio
febbraio

INVERNO

- In/A maggio, **in** primavera, **fa** un po' (di) caldo (*it's a little hot*).

- In/A luglio, **in/d**'estate **fa** molto caldo (*it's very hot*).

- In/A novembre, **in** autunno, **fa** un po' freddo (*it's a little cold*).

- In/A gennaio, **in/d**'inverno, **fa** molto freddo (*it's very cold*).

d. Feste religiose e nazionali. Unisci le parole alle immagini come nell'esempio.
Religious and national holidays. Match the words with the pictures as in the example.

Anniversario della Liberazione
25 aprile

Ferragosto
15 agosto

Pasqua
marzo o aprile

Natale
25 dicembre

Capodanno
1° gennaio

3 **Completa le seguenti frasi con le parole dei punti a, b, c e d.**
Complete the following sentences with the words of points a, b, c and d.

1. Per andare a Londra ho preso l'.......................... . Sono partito il 3 agosto dall'aeroporto di Roma.

2. Ieri io e la mia famiglia abbiamo fatto una .... al lago.

3. In estate, quando fa caldo, vado in vacanza al ....

4. Di solito passo il .... con la mia famiglia, mentre a Capodanno vado a una festa con i miei amici.

5. In .... vado a sciare in montagna.

6. Non vado a scuola in autobus ma con la ....

7. Domani telefono all'agenzia di viaggi per .... il volo e poi telefono all'albergo per prenotare la ....

8. In ...., a marzo, In Italia fa un po' caldo.

9. L'estate scorsa abbiamo fatto una crociera per le isole della Grecia. Siamo partiti in .... da Venezia.

10. Quando sono arrivato all'albergo ho lasciato i miei .... in camera e poi sono uscito a fare un giro per la città.

11. A Roma molte persone vanno in .... perché è comodo e veloce.

12. "Ti piace viaggiare?" "Sì, mi piace molto, per questo io viaggio in tutte le stagioni: in primavera, in estate, in .... e in inverno.

13. "Dove passi le vacanze?" "................................. le vacanze al mare."

14. "Quali città italiane hai visitato?" "Dunque, ... Roma, Firenze, Venezia e Milano."

15. Siccome non voglio spendere molto, di solito quando vado in vacanza non dormo in un albergo ma in un ....

e. Cosa si può fare in vacanza? *What can you do on holidays?*

ammirare i monumenti e le opere d'arte = *to admire the monuments and the works of art*
andare a cavallo = *to go horse-riding*
andare ai concerti = *to go to concerts*
andare in bicicletta = *to cycle*
andare in discoteca = *to go to the disco*
conoscere nuove persone/nuova gente = *to meet new people*
fare acquisti = *to shop*
fare/scattare fotografie = *to take pictures*
fare passeggiate/passeggiare = *to walk, to go for a walk*
fare/praticare sport = *to do/play sport*
fare surf = *to surf*
fare trekking = *to trek*
fare un giro in barca = *to take a boat trip*
giocare = *to play*
girare per la città = *to go around the city*
mangiare al ristorante = *to eat at the restaurant*
mangiare all'aperto = *to eat outdoors*
mangiare il gelato = *to eat ice cream*
nuotare/fare il bagno al mare o in piscina = *to swim in the sea or the swimming pool*
pescare = *to fish*
prendere il sole = *to sunbathe*
rilassarsi (*rifl.*) = *to relax*
sciare = *to ski*
visitare chiese, musei, monumenti, piazze etc. = *to visit churches, museums, monuments, squares, etc.*

Edizioni Edilingua

4 **Guardando le immagini, tu e un tuo compagno fate dei mini-dialoghi come nel modello.**

Looking at the pictures, you and your friend make up some short dialogues as in the example.

al mare

in montagna

- Dove sei andato in vacanza?
- Sono andato in montagna. Ho passeggiato e ho fatto fotografie. E tu?
- Sono andato al mare. Ho preso il sole e ho fatto il bagno.

1

a Roma

al lago

2

in un agriturismo

in crociera

3

in campeggio

a Milano

GCSE in Italian

al mare

in Toscana

in montagna

all'estero

in Italia

in campagna

5 **Rispondi alle seguenti domande.** *Answer the following questions.*

1. Dove e con chi vai in vacanza di solito? Che cosa fai/fate?

....

2. Dove sei andato/a in vacanza l'ultima volta e cosa hai fatto?

....

3. Dove pensi che andrai o dove ti piacerebbe andare in vacanza la prossima volta?

....

4. Come passi di solito il Natale?

....

5. Cosa hai fatto a Capodanno?

....

6. Sei mai andato/a in vacanza in Italia? Se sì, dove e per quanto tempo?

....

Edizioni Edilingua

f. Prenotare una camera d'albergo. Inserisici le battute della cliente.

To book a hotel room. Insert the phrases of the customer.

Receptionist: *Hotel Michelangelo*, buongiorno.

Cliente: ....(1)

Receptionist: Un momento che controllo... sì.

Cliente: ....(2)

Receptionist: Certo, signora. Mi può dare un nominativo per la prenotazione?

Cliente: ....
....(3)

Receptionist: 150 euro per notte.

Cliente: ....
....(4)

Receptionist: Sì e la serviamo dalle 7 alle 9 del mattino.

Cliente: ....
....(5)

Receptionist: Certamente. In più lei può controllare la temperatura della stanza sull'apposito display.

Cliente: ....(6)

Receptionist: Sì, lei può collegare il suo computer con una password che le diamo noi.

Battute della cliente *Customer's phrases*

a. E avete il collegamento wi-fi?

b. È possibile prenotare la camera per tre notti, da venerdì a lunedì?

c. Bene. Nella stanza c'è l'aria condizionata?

d. Barbara Rossi e senta, quanto viene la camera?

e. Buongiorno, avete una camera matrimoniale per il prossimo fine settimana?

f. È compresa la colazione?

g. **Frasi utili per fare una prenotazione in albergo** *Useful phrases to book a hotel room*

✹ **Per chiedere se la camera/stanza è libera** *To ask whether the room is available*
   Pronto, buongiorno, avete/c'è una camera singola/doppia/matrimoniale libera per il prossimo fine settimana/il 20 gennaio?

✹ **Per chiedere se è possibile prenotare la camera per un determinato numero di notti**
   To ask whether it is possible to book the room for a given number of nights or on a particular date
   Posso/È possibile prenotare la camera/stanza per una/due/tre/etc. notti?

GCSE in Italian

✱ **Per chiedere il prezzo della stanza** *To ask the price of the room*
Quanto costa/viene la camera?

✱ **Per chiedere se la colazione è compresa** *To ask whether the breakfast is included*
È compresa la colazione?

✱ **Per chiedere se l'albergo offre un determinato servizio**
To ask whether the hotel provides a given service
Nella stanza c'è/avete l'aria condizionata/il collegamento wi-fi etc.?
Nella stanza c'è/avete il ristorante/il parcheggio/la piscina/la sauna etc.?

h. I servizi dell'albergo. Inserisci la lettera come nell'esempio.
Hotel services. Insert the letter as in the example.

a. camera singola **b.** ristorante **c.** campo da tennis **d.** aria condizionata **e.** colazione compresa

f. sauna **g.** piscina **h.** wi-fi **i.** camera doppia **l.** parcheggio **m.** palestra **n.** servizio in camera

6 **Tu e un tuo compagno fate dei dialoghi fra un cliente e il receptionist di un albergo come nell'e-sempio.** *You and your friend make up some dialogues between a customer and the receptionist of a hotel as in the example.*

Esempio: Cliente: due notti dal 20 al 22 ottobre, Mario Baldetti

Receptionist: *Hotel Michelangelo*, 120 euro

Receptionist: *Hotel Michelangelo, buongiorno.*
Cliente: *Buongiorno, avete una camera singola per due notti dal 20 al 22 ottobre?*
Receptionist: *Un momento che controllo... sì. Mi può dare un nominativo per la prenotazione?*
Cliente: *Mario Baldetti, e quanto viene la camera?*
Receptionist: *120 euro per notte.*
Cliente: *Avete il collegamento wi-fi?*
Receptionist: *No, mi dispiace.*
Cliente: *E c'è l'aria condizionata?*
Receptionist: *Certo.*

1. Cliente: due notti il prossimo fine settimana ▐Carla Franti

   Receptionist: *Albergo Leonardo* ▐130 euro

2. Cliente: dal 27 dicembre al 3 gennaio ▐Valerio Sampieri

   Receptionist: *Albergo Raffaello* ▐125 euro

3. Cliente: una settimana dal 13 al 20 luglio ▐Monica Gentile

   Receptionist: *Albergo Donatello* ▐150 euro

4. Cliente: due notti, domani e dopodomani ▐Paolo Peretti

   Receptionist: *Albergo Pinturicchio* ▐160 euro

5. Cliente: cinque notti ▐dal lunedì al venerdì della prossima settimana ▐Franca Masani

   Receptionist: *Albergo Perugino* ▐180 euro

6. Cliente: due settimane ▐dal 2 al 16 luglio ▐Claudia Biagi

   Receptionist: *Albergo Vasari* ▐200 euro

Preparazione al
GCSE in Italian

 i. In un'agenzia di viaggi. Riordina le battute del seguente dialogo.
In a travel agency. Put in the correct order the phrases of the following dialogue.

a. Impiegata: Buongiorno, desidera?

b. Cliente: Il 4 aprile, e vorrei tornare a Roma l'11 aprile.

c. Impiegata: Alle 10, sa qui in Italia siamo un'ora avanti rispetto all'Inghilterra.

d. Cliente: Va bene, allora prendo il biglietto per il volo che parte da Roma alle 9 e per il ritorno mi dia quello che parte da Gatwick alle 7 di sera.

e. Impiegata: Bene, un attimo... allora c'è un volo che parte alle 9 di mattina dall'aeroporto di Fiumicino e arriva a Londra alle 10 oppure ce n'è un altro il pomeriggio alle 4 che arriva a Londra alle 5.

f. Cliente: E al ritorno?

g. Impiegata: Quando vuole partire?

h. Cliente: Buongiorno, vorrei delle informazioni per i voli andata e ritorno per Londra.

i. Impiegata: Dunque, c'è un volo che parte da Heathrow alle 11 e un altro la sera alle 7 che parte dall'aeroporto di Gatwick.

l. Cliente: Se prendo quello delle 7 di sera, a che ora arrivo a Roma?

L'ordine esatto è (*the proper order is*)**:**

1 [a] 2 [ ] 3 [ ] 4 [ ] 5 [ ] 6 [ ] 7 [ ] 8 [ ] 9 [ ] 10 [ ]

l. Frasi utili per chiedere informazioni in un'agenzia di viaggi
Useful phrases to request information/enquire in a travel agency

✱ **Per chiedere informazioni su un volo/un viaggio in treno/in autobus etc.**
To request information about a flight/a train route/times, etc.

- Buongiorno, vorrei delle informazioni sui voli per Roma.
- A che ora parte il treno da Perugia?
- A che ora è il volo per Napoli?
- Quanto costa un biglietto andata e ritorno per Firenze?
- Quanto dura il viaggio?
- Vorrei un biglietto andata e ritorno per Venezia.

150

✱ **Per specificare la data** *To specify the date*

- *il* + numero del giorno + mese:

  Vorrei partire il 3 dicembre.

  Vorrei tornare il 7 aprile.

  Vorrei un biglietto aereo per Londra per il 15 agosto.

7 **Tu e un tuo compagno fate dei dialoghi fra un cliente e l'impiegato di un'agenzia di viaggi come nell'esempio.** *You and your friend make up some dialogues between a customer and the employee of a travel agency as in the example.*

Cliente:
Roma-Londra
20 gennaio-27 gennaio
andata e ritorno

Impiegato:
andata: 8 di mattina-
9 di mattina
ritorno: 4 del pomeriggio-
7 di sera
60 euro

- *Buongiorno, desidera?*
- *Buongiorno, vorrei alcune informazioni sui voli andata e ritorno per Londra.*
- *Quando vuole partire?*
- *Il 20 gennaio, e vorrei tornare a Roma il 27 gennaio.*
- *Bene, un attimo... per l'andata allora c'è un volo che parte alle 8 di mattina e arriva a Londra alle 9 e per il ritorno ce n'è uno che parte da Londra alle 4 del pomeriggio e arriva a Roma alle 7 di sera.*
- *Ho capito. Quanto costa in totale?*
- *60 euro.*

Cliente: **Venezia-Manchester** ▌ 3 luglio-5 luglio ▌ andata e ritorno
Impiegato: **andata:** 10 di mattina-a mezzogiorno ▌ **ritorno:** 9 di mattina-a mezzogiorno ▌ 75 euro

Cliente: **Padova-Milano** ▌ domani ▌ andata e ritorno
Impiegato: **andata:** 6 di mattina-8:30 di mattina ▌ **ritorno:** 6 di sera-8:30 di sera ▌ 45 euro

Cliente: **Genova** ▌ oggi pomeriggio ▌ sola andata
Impiegato: 2 del pomeriggio-3 del pomeriggio ▌ 10 euro

Cliente: **Torino-Milano** ▌ domani mattina-domani sera ▌ andata e ritorno
Impiegato: **andata:** 9 di mattina-10 di mattina ▌ **ritorno:** 8 di sera-9 di sera ▌ 30 euro

Cliente: **Pisa-Londra** ▌ domani sera ▌ sola andata
Impiegato: 8:30 di sera-9:30 di sera ▌ 40 euro

Cliente: **Modena-Bologna** ▌ domani mattina-domani sera ▌ andata e ritorno
Impiegato: **andata:** 7:30 di mattina-8:30 di mattina ▌ **ritorno:** 6:30 di sera-7:30 di sera ▌ 20 euro

GCSE in Italian

m. Le nazionalità *Nationalities*

- C'erano turisti da tutto il mondo: **giapponesi**, **americani**, **tedeschi** e anche qualche **inglese**. Durante la vacanza ho conosciuto una ragazza **italiana**, un ragazzo **spagnolo**, delle ragazze **francesi** e delle studentesse **australiane**.

Completa lo schema. *Complete the chart.*

SINGOLARE *Singular*

MASCHILE *Masculine*	FEMMINILE *Feminine*
italiano	....
....	spagnola
tedesco (*German*)	tedesca (*German*)
australiano	australiana

Ma (*but*)

MASCHILE *Masculine*	FEMMINILE *Feminine*
....	inglese
francese	francese
giapponese	giapponese

PLURALE *Plural*

MASCHILE *Masculine*	FEMMINILE *Feminine*
italiani	italiane
spagnoli	spagnole
tedeschi (*German*)	tedesche (*German*)
australiani	....

Ma (*but*)

MASCHILE *Masculine*	FEMMINILE *Feminine*
inglesi	inglesi
francesi	francesi
....	giapponesi

Edizioni Edilingua

8 Tu e un tuo compagno fate dei dialoghi secondo il modello.
You and your friend make up some dialogues as in the example.

Esempio: Paul (Inghilterra) ❙ Diane e Janet (Stati Uniti/America)

- *Di dov'è Paul?*
- *Paul è inglese. E di dove sono Diane e Janet?*
- *Sono americane.*

1. Franco (Italia) ❙ Manuel (Spagna)
2. Gerard (Francia) ❙ Sarah (Stati Uniti/America)
3. Karla e Angela (Germania) ❙ Hiromi ed Ema (Giappone)
4. Monica e Valeria (Italia) ❙ Fiona (Inghilterra)
5. Emélie (Francia) ❙ Estrella (Spagna)
6. Jurgen e Hand (Germania) ❙ Peter e Phil (Australia)

i **Attività di scrittura (*Edexcel*)** *Writing task*

You have just returned from a holiday which you enjoyed a lot. Write an e-mail to your friend describing the places you visited and recommending that he/she see them.

You could mention:

- when, where and with whom you went on holiday
- what you did and which places you visited while on holiday
- whether you had met new people
- why you liked it
- a recommendation to visit the same places
- where would you like to go on holiday the next time

💡 **Suggerimenti** *Tips*

✳ **Why you liked it**
La vacanza mi è piaciuta molto perché mi sono divertito/perché sono andato in molti posti/ho conosciuto molte persone etc.

✳ **A recommendation to visit the same places**
Anche tu dovresti andare a/in/visitare + posto (place), *ne vale davvero la pena* (it's really worthwhile).
Ti consiglio di andare a/in + posto (place), *è un posto magnifico.*
Se puoi, anche tu va' a/in + posto (place), *vedrai che ti divertirai.*
Anche tu dovresti andare a Venezia, ne vale davvero la pena.
Ti consiglio Venezia, è un posto magnifico.
Se puoi, anche tu va' a Venezia, vedrai che ti divertirai.

GCSE in Italian

✿ **Where would you like to go on holiday the next time**

La prossima volta vorrei/mi piacerebbe/avrei voglia di andare in vacanza a/in + posto...
La prossima volta che andrò in vacanza vorrei/mi piacerebbe/avrei voglia di visitare + posto...
La prossima volta mi piacerebbe andare in vacanza in India/avrei voglia di andare in vacanza a Londra.
La prossima volta che andrò in vacanza vorrei visitare l'Italia.

📧 **Attività di parlato (*Edexcel – Open interaction*)** *Speaking Task*

Visit the UK with EnjoyTours

 From London to:

Manchester - single £12.5/return £25
(every hour from 6:15am/Travel time: 2 hours 8 mins)

Liverpool - single £12.5/return £25
(every hour from 6:30am/Travel time: 2 hours 5 mins)

Birmingham - single £7.5/return £15
(every hour from 6:00am/Travel time: 1 hour 25 mins)

Chester - single £19/return £38 **(every hour from 6:15am/Travel time: 2 hours)**

✈ **Flights from London to:**

Manchester - single £22.5/return £45
(10:15am/Travel time: 45 mins)

Liverpool - single £22.5/return £45
(8:30am/Travel time: 45 mins)

Edinburgh - single £35/return £65
(11:00am/Travel time: 1 hour)

Glasgow - single £39/return £68
(7:15am/Travel time: 1 hour)

Belfast - single £40/return £70 **(9:15am/Travel time: 1 hour)**

 From London to the Isle of Wight

08:05 Depart from London (train)
09:22 Arrive Southampton
09:45 Depart (ferry)
10:08 Arrive West Cowes
17:15 Depart West Cowes (ferry)
17:52 Arrive Southampton
18:00 Depart from Southampton (train)
19:20 Arrive London

Day tour - £80 per person/£70 – Children (3 to 11)

2 nights hotel - £200 per person all included

 Touring from London

Stonehenge and Bath day tour - £40 per person/£30 - Children (3 to 11)

Tour leaves London at 8:30am

Return at 7:30pm

Stonehenge, Bath and Castle of Windsor 1 night hotel in Windsor - £120 per person all included

Oxford day tour - £30 per person/£20 - Children (3 to 11)

Tour leaves London at 7:30am

Return at 7:00pm

1 night hotel in Oxford - £80 all included

For further information: www.enjoytours.com, Tel. 020 65892245

Edizioni Edilingua

Situation

Your Italian friend has found this leaflet advertising journeys in the UK. He/She is interested in going to some places and asks you to help him/her understand it better.

Task

He/She may ask you:

- for information about the means of transport to reach the places
- about times of departure and return
- about ticket prices
- which days you would recommend to visit the places and why
- how to get further information

Be prepared to ask questions during the conversation.

↑ Departures			✈
Flight	Time	Destination	Gate
VX 161	06:45	LONDON	A17
AQ 326	06:55	NEW YORK	B3
TG 348	07:10	PARIS	C15
NK4587	07:25	TOKYO	A9
MX6261	07:30	BANGKOK	D19
AA 783	07:45	ROME	B8
OX9023	08:10	MUNICH	C2
AN 845	08:30	AMSTERDAM	D5

💡 **Suggerimenti** *Tips* 💬

✱ **Which days you would recommend to visit the places and why**

Al posto tuo, andrei il lunedì o il mercoledì perché costa meno.
Dovresti andare durante la settimana perché c'è meno gente.
Va' il giovedì perché è più tranquillo.

✱ **How to get further information**

Per (avere) maggiori informazioni puoi chiamare/chiama il numero...
puoi collegarti al sito/puoi andare sul sito...
collegati al sito/va' sul sito...

👤 Attività di lettura (*Edexcel – F/H*) *Reading task*

Holidays

To which places do Italians go on holiday?	
al mare	35%
in montagna	20%
all'estero	15%
al lago	10%
in campagna	10%
nelle città importanti	5%
in campeggio	5%

Complete the table with the correct percentage.

Example: camping	5 %
a) to the mountains	........%
b) abroad	........%
c) to the important cities	........%
d) to the lake	........%

GCSE in Italian

🎧 Attività d'ascolto (*Edexcel – F/H*) *Listening task*

Patrizia's summer holidays

*Listen to the talk. Put crosses (X) next to the **four** correct statements.*

Example: Went to the countryside.	X
a. Went to the beach with her family.	
b. Went to the cinema at night.	
c. Attended a language course.	
d. Met a lot of people.	
e. Worked in a pub.	
f. Took a lot of pictures.	
g. Read a lot.	
h. Visited monuments and churches.	

℀ Grammatica *Grammar*

Siamo partiti da Londra in aereo e siamo arrivati a Roma dopo solo un'ora e mezza di volo. Siamo andati in albergo in taxi, abbiamo lasciato i bagagli in camera e siamo subito usciti per visitare i musei, le chiese, le piazze e tutti gli altri monumenti importanti. Per girare per la città abbiamo preso l'autobus, il tram, il metrò ma abbiamo anche fatto lunghe passeggiate a piedi. A Roma siamo rimasti tre giorni, poi siamo andati a Firenze con il treno.

PREPOSIZIONI SEMPLICI
Simple prepositions

In alcuni casi scegliamo la preposizione semplice secondo una regola logica ma in molti altri dobbiamo usare la <u>memoria</u>. *In some cases we choose the simple preposition according to a logical rule but in many others we use our memory.*

Logical rule

- essere/andare/venire/abitare/vivere **in** + paese (country) *Italia/Inghilterra/Germania etc.*
- essere/andare/venire/abitare/vivere **a** + città (city) *Roma/Londra/Berlino/Genova etc.*
  Io vado a Roma, in Italia.
- essere/andare/venire **in** + mezzo di trasporto (means of transport) *treno/macchina/aereo/bicicletta etc.*
  ma (but) **a** piedi
  Noi andiamo a scuola in autobus.
- essere **di** + città di provenienza (city of origin/birth) *Venezia/Londra/Berlino etc. (I am from...)*
  Io sono italiano di Venezia.

Edizioni Edilingua

- andare **a** + Infinito del verbo (Infinitive of the verb)
  Io vado a lavorare/cucinare/studiare etc.

- essere/andare **da** + nome di persona (= a casa di quella persona)
  Questa sera vado da Cathy (Cathy's house).

- partire **per** + città/regione/paese (city/region/country)*
  Domani partiamo per Mosca.

  * Con i nomi dei paesi e delle regioni si deve usare l'articolo determinativo (*with the name of the countries and the regions, the definite article must be used*): La prossima settimana **parto per la** Spagna.

Memoria

- **a** + casa, teatro, scuola, letto, lezione, colazione, pranzo, cena

- **in** + biblioteca, palestra, piscina, discoteca, montagna, campagna, vacanza, centro, periferia

- **Ma al** + lavoro, mercato, ristorante, lago, mare, cinema, supermecato*

* In realtà al è una preposizione articolata formata dalla preposizione semplice a + l'articolo determinativo il, vedi le "Preposizioni articolate" a pagina 170 (*Actually al is a* preposizione articolata *formed by the* preposizione semplice *a + the definite article il, see the "Preposizioni articolate" on page 170*).

1 **Inserisci le preposizioni.** *Insert the prepositions.*

1. Domani vado .... Roma .... treno.
2. Dopo la lezione vado .... cenare con la mia famiglia.
3. Noi siamo italiani .... Venezia.
4. Io vado .... scuola .... piedi.
5. Io abito .... Londra, ... Inghilterra.
6. "Io preferisco andare .... vacanza .... mare. E tu?"
   "Io invece preferisco andare .... montagna."
7. Michela viene .... Palermo.
8. Questo pomeriggio vado .... studiare .... Paola.
9. Mio padre va .... lavoro .... metro.
10. Vorrei partire .... Inghilterra.

GCSE in Italian

HOUSE AND PUBLIC PLACES

1 **Leggi il seguente dialogo.** *Read the following dialogue.*

Francesca: Ciao Sergio, sai che ora abito in un appartamento grande e in centro?

Sergio: Davvero? E dove?

Francesca: Vicino alla banca, proprio davanti all'ufficio postale, fra la chiesa e il teatro.

Sergio: Io invece abito lontano, in periferia, e per andare a scuola ci metto sempre almeno un'ora in autobus.

Francesca: Anche per me prima ci voleva molto tempo per arrivare a scuola, mentre adesso esco di casa, attraverso la piazza, vado avanti fino all'incrocio, giro a destra e sono arrivata.

Sergio: E com'è il tuo nuovo appartamento?

Francesca: È molto comodo, spazioso e anche luminoso. Si trova al quarto piano di un palazzo con l'ascensore. Ha un ingresso, un corridoio, una sala da pranzo, un soggiorno, una cucina, due bagni, tre camere da letto e un piccolo terrazzo. Purtroppo non c'è il giardino, però il quartiere mi piace molto. E la tua casa, quante stanze ha?

Sergio: A casa mia c'è una cucina, c'è un salotto, ci sono due bagni, una cantina e tre camere da letto. Fuori c'è il garage. L'appartamento è vostro o pagate l'affitto?

Francesca: Paghiamo il mutuo.

Sergio: E l'avete già arredato?

Francesca: Certo. Abbiamo già messo tutti i mobili e anche gli elettrodomestici. Nella mia camera da letto, per esempio il letto è accanto all'armadio e davanti alla scrivania. Sulla scrivania c'è il computer. A sinistra dell'armadio c'è la finestra. La libreria è a destra della scrivania.

Sergio: A casa mia la libreria è in salotto di fronte al divano, a fianco della televisione.

2 **Scegli l'opzione corretta.** *Choose the correct option.*

1. Francesca abita in un appartamento...

    A. in centro vicino alla banca.

    B. in periferia.

    C. in centro fra la banca e l'ufficio postale.

2. Sergio ci mette...

    A. poco tempo per andare a scuola perché prende l'autobus.

    B. molto tempo per andare a scuola perché abita lontano.

    C. poco tempo per andare a scuola perché abita vicino.

3. Nell'appartamento di Francesca ci sono...

    A. tre camere da letto e un bagno.

    B. tre camere da letto e una cucina.

    C. tre camere da letto e due salotti.

4. A casa di Sergio ci sono...

    A. tre camere da letto, una cucina e un salotto.

    B. tre camere da letto, una cucina e un bagno.

    C. due camere da letto, una cucina e un bagno.

5. Nella camera di Francesca il letto è...

    A. davanti all'armadio, accanto alla scrivania.

    B. a sinistra dell'armadio, a destra della scrivania.

    C. accanto all'armadio, davanti alla scrivania.

6. A casa di Sergio la libreria è...

    A. in salotto a fianco del divano.

    B. nella sua camera da letto.

    C. in salotto a fianco della televisione.

a. Vocabolario *Vocabulary*

abitare = *to live (in a place)*

abitazione = *house, home*

a due passi da = *near*

affittare = *to rent*

affitto = *rent*

appartamento = *flat*

arredamento = *furniture, furnishing house*

arredare = *to furnish*

arredato = *furnished*

ascensore = *lift, elevator*

camera = *room*

camera degli ospiti = *guest room*

casa = *house, home*

centro = *(city) centre*

comodo = *comfortable*

condominio = *apartment house, block of flats*

confortevole = *comfortable*

elettricità = *electricity*

edificio = *building*

elettrodomestico = *home appliance*

fontana = *fountain*

garage = *garage*

giardino = *garden*

indirizzo = *address*

luminoso/a = *bright*

mobile = *piece of furniture*

monumento = *monument*

muro = *wall*

mutuo = *mortgage*

pagare l'affitto = *to pay the rent*

pagare il mutuo = *to pay the mortgage*

palazzo = *building*

passante = *passer-by*

parcheggiare = *to park*

parete = *wall*

pavimento = *floor*

periferia = *suburbs*

piano = *floor, level*

piano terra = *ground floor*

presso = *near*

proprietario = *landlord*

quartiere = *neighbourhood, area, district*

radiatore = *radiator*

riscaldamento = *heating*

scale *(fem.pl.)* = *stairs*

spazioso = *spacious, big*

stanza = *room*

termosifone = *radiator*

terrazzo = *terrace*

vicino a = *near, close to*

villa = *mansion*

vivere = *to live*

zona = *area*

GCSE in Italian

 b. **Le stanze di una casa. Scrivi le parole sotto le immagini.**
The rooms of a house. Write the words under the pictures.

cucina ◆ balcone ◆ cameretta/camera per ragazzi ◆ salotto/soggiorno ◆ bagno

1. entrata/ingresso

2.

3.

4. corridoio

5.

6. sala da pranzo

7. camera da letto

8.

9. studio

10. ripostiglio

11. cantina

12.

Edizioni Edilingua

3 **Completa le seguenti frasi con le parole dei punti a e b.**

Complete the following sentences with the words of points a and b.

1. Io .... al quarto piano in un edificio del centro.

2. A casa mia ci sono tre .... da letto, una cucina, un .... e due bagni.

3. Il .... non funziona e dunque a casa mia fa molto freddo.

4. Io non sono proprietario dell'appartamento in cui abito. Pago l'.. ogni mese.

5. Io guardo la televisione in .... mentre ceno.

6. Paolo abita lontano, in .... Per questo motivo lui deve prendere l'autobus per andare a scuola.

7. Noi abitiamo in un .... molto alto e per arrivare al nostro appartamento dobbiamo prendere l'ascensore.

8. Ho comprato una nuova casa molto .... e luminosa. Il mio nuovo indirizzo è Via Garibaldi, 7.

9. La mattina di solito mi sveglio alle sette, mi alzo, vado in .... per lavarmi e poi faccio colazione in cucina.

10. Chelsea è un .... molto elegante che si trova nel centro della città.

11. "Dove parcheggi la macchina?" "La parcheggio sempre in ...."

12. Noi .... la nostra casa il mese scorso. Adesso ci sono tutti i mobili in ogni stanza.

c. Mobili ed elettrodomestici. Inserisci il numero come negli esempi.

Furniture and appliances. Insert the number as in the examples.

1. un forno
2. una lavastoviglie
3. un comodino
4. una doccia
5. una lavatrice
6. una sedia
7. un tavolo
8. un frigorifero
9. un forno a microonde
10. un quadro
11. un letto
12. una lampada
13. un gabinetto/water
14. una scrivania
15. una credenza
16. una vasca da bagno
17. un armadio
18. uno specchio
19. un divano
20. una poltrona
21. una cassettiera
22. una libreria
23. un televisore
24. un tappeto
25. una porta
26. un tavolino
27. una finestra
28. un lavandino

GCSE in Italian

 3 3  10

  5

  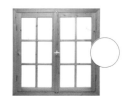  21

  20

    25

 18   13

d. *C'è/Ci sono*

- *A casa mia **c'è** una cucina, **c'è** un salotto, **ci sono** due bagni, una cantina e tre camere da letto.*

C'è/Ci sono esprimono la presenza o l'esistenza di un oggetto o di una persona.
C'è/Ci sono express the presence or the existence of something or someone like "there is" and "there are".

- C'è + singolare (singular)
  In salotto c'è il divano.

- Ci sono + plurale (plural)
  In cucina ci sono le sedie.

4 Descrivi queste stanze usando c'è e ci sono. *Describe these rooms using c'è and ci sono.*

1

2

In questo salotto c'è un divano, ci sono due poltrone...

3

4

5

6

Preparazione al
GCSE in Italian

👥 **e. Ubicazione/Localizzazione nello spazio. Guarda questa cameretta e leggi le frasi.**
Location/Position. Look at this room and read the sentences.

- La scrivania è davanti/di fronte al (*in front of*) letto, sotto (*under*) la libreria.

- L'armadio è dietro (*behind*) la scrivania accanto alla/a fianco della (*next to, beside*) finestra.

- La libreria è sopra (*above*) la scrivania.

- Il computer è sulla (*on*) scrivania.

- Il letto è tra/fra (*between*) la cassettiera e la finestra.

- La sedia è a sinistra della (*to the left of*) cassettiera e davanti alla scrivania.

- La lampada è a destra del (*to the right of*) computer.

- Il letto è vicino alla (*near*) finestra.

5 **Guarda l'immagine e rispondi alle seguenti domande.**
Look at the picture and answer the following questions.

1. Dov'è il letto?

....

....

2. Dov'è il tappeto?

....

....

3. Dove sono i libri?

....

4. Dov'è la scrivania?

....

5. Dov'è la sedia?

....

6. Dov'è l'armadio?

....

7. Dov'è la cassettiera?

....

8. Dov'è il computer?

....

Edizioni Edilingua

f. Chiedere e dare indicazioni stradali/Luoghi pubblici *To ask and give directions/Public places*

Museo

Chiesa

Supermercato

Municipio

Ufficio del Turismo

Biblioteca Comunale

Parcheggio

Ospedale

PT

Ufficio postale

Distributore di benzina

Scuola

Bar

Banca

Ristorante

Teatro Nazionale

A

Stazione

Stadio

Fermata dell'autobus

Parco

Albergo Leonardo

👥 **Leggi il seguente dialogo e guarda sulla mappa il percorso che deve fare Claudia per arrivare dal punto A all'Ufficio del Turismo.**
Read the following dialogue and look at the map to see the route that Claudia has to walk from point A to get to the Tourist Centre.

Claudia: Scusa, per andare all'Ufficio del Turismo?

Passante: Sempre dritto per questa strada, attraversa la piazza, ancora avanti, al primo incrocio gira a sinistra e lì, davanti al supermercato, c'è l'Ufficio del Turismo.

Preparazione al
GCSE in Italian

Chiedere indicazioni stradali *To ask directions*

- **Scusa/i, c'è** un ristorante/una biblioteca/un bar etc. qui vicino/da queste parti?
- **Scusa/i, per andare** al teatro/alla biblioteca comunale/allo stadio etc.?

Dare indicazioni stradali *To give directions*

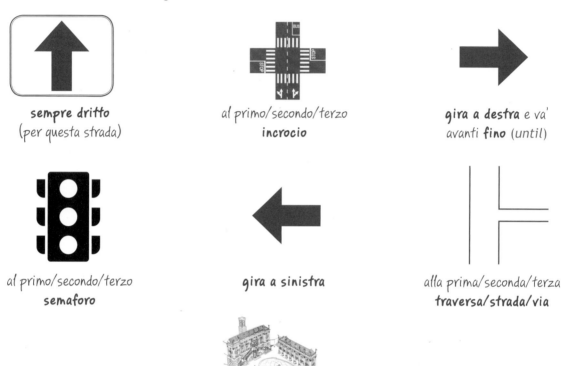

sempre dritto
(per questa strada)

al primo/secondo/terzo
incrocio

gira a destra e va'
avanti **fino** *(until)*

al primo/secondo/terzo
semaforo

gira a sinistra

alla prima/seconda/terza
traversa/strada/via

attraversa la piazza

6 Sei al punto A della cartina di pagina 165. Tu e un tuo compagno fate dei dialoghi come quello fra Claudia e il passante. Devi andare nei seguenti luoghi.
You are at point A on page 165. You and your friend make up some dialogues such as that between Claudia and the passer-by. You have to go to the following places.

1 Banca
2 Ospedale
3 Stazione
4 Museo
5 Ristorante
6 Stadio
7 Ufficio postale
8 Biblioteca Comunale

Edizioni Edilingua

g. Il verbo *metterci* The verb "metterci"

- Io invece abito lontano, in periferia, e per andare a scuola **ci metto** sempre almeno un'ora in autobus.

Il verbo metterci (non è un verbo riflessivo) indica il tempo necessario per qualcuno per fare qualcosa.
Metterci is not a reflexive verb. It expresses the time that it takes you to do something.

Io ci metto
Tu ci metti
Lui/Lei ci mette
Noi ci mettiamo   } + tempo + per/a + Infinito
Voi ci mettete
Loro ci mettono

Io **ci metto** (*it takes me*) 20 minuti per prepararmi.

---

7 **Tu e un tuo compagno fate dei dialoghi secondo il modello.**
You and your friend make up some dialogues as in the example.

Esempio: vestirsi **I** 25 minuti
- Quanto tempo ci metti a vestirti?
- Ci metto 25 minuti.

1. fare i compiti **I** un'ora
2. andare a scuola **I** mezz'ora
3. fare colazione **I** 10 minuti
4. leggere un capitolo **I** mezza giornata
5. pranzare **I** 40 minuti
6. leggere un libro **I** una settimana

Attività di parlato (*AQA – Cross Context*) *Speaking task*

Task: Student exchange program
Next month you are hosting an Italian student for an exchange program involving his/her school and yours. Now you are having a phone conversation with him/her. Your teacher will play the role of the Italian student.

Your teacher will ask you the following:
- a brief description of your house and room
- a brief description of your town, mentioning public places and their locations
- how to get to the local school from your house and how long it takes
- what one young student can do in his/her free time in your town
- what you think he/she might learn from this kind of experience
- !

! Remember, at this point, you will have to respond to something you have not yet prepared.

The dialogue will last between 4 and 6 minutes.

Preparazione al
GCSE in Italian

💡 Suggerimenti *Tips* 💬

❋ **How to get to the local school from your house...**
Per andare a scuola devi andare fino all'incrocio e poi girare a destra, poi sempre dritto, attraversi una piazza...
Per andare a scuola devi prendere l'autobus numero ... e poi scendere a...

❋ **...and how long it takes**
(Per andare/arrivare a scuola) **Ci vuole** + durata temporale singolare (singular duration):
Per andare a scuola ci vuole un'ora a piedi.
(Per andare/arrivare a scuola) **Ci vogliono** + durata temporale plurale (plural duration):
Per arrivare a scuola ci vogliono venti minuti in macchina.

❋ **What one young student can do in his/her free time in your town**
Un giovane nella mia città (può fare molte cose: per esempio) può andare al pub, oppure in discoteca e anche passeggiare al parco. Ci sono anche alcuni musei e chiese molto interessanti da visitare come per esempio + nome del museo/nome della chiesa etc.

❋ **What you think that he/she might learn from this kind of experience**
Secondo me/Per me, da/con questa esperienza tu puoi/potrai conoscere una nuova cultura, puoi/potrai anche migliorare il tuo inglese, puoi imparare/potrai imparare a essere più responsabile/impari a confrontare la tua opinione con quella degli altri etc.

Un'esperienza di questo tipo ti fa crescere/maturare perché impari a essere autosufficiente.

Con un'esperienza di questo tipo puoi vedere le differenze fra la tua cultura e la mia/tra la scuola italiana e quella inglese/tra la cucina italiana e quella inglese etc.

✏️ Attività di scrittura (*AQA – Cross Context*) *Writing task*

Task Title: YOUR HOUSE AND YOUR CITY
Your Italian penfriend asks you to write him/her a letter to describe your house and your city expressing your views and opinions.

In your letter you might include:

- the location of your house
- the rooms of your house and what you normally do in each one of them
- whether you pay the rent, or the mortgage or the house is yours
- the most important public places of your city and their location
- the public places where you spend your free time
- whether there is an area of your city that you don't like and why
- whether you would like to live somewhere else (another city, region, abroad)

Edizioni Edilingua

Holidays, Excursions and Accommodation, **House and Public Places**, Geography and Environment

💡 Suggerimenti *Tips* ℹ️ ✉️

❈ **The location of your house/a piece of furniture/public place, etc.**
La mia casa **si trova/è** davanti a un parco.
La scrivania **si trova/è** accanto all'armadio.
Il museo **si trova/è** fra la biblioteca e il parcheggio.

❈ **The rooms of your house and what you normally do in each one of them**
Dunque, a casa mia c'è una cucina, **dove** di solito faccio colazione, pranzo, ceno, cucino etc., poi c'è un salotto, **dove** ricevo gli ospiti oppure guardo la TV, quindi c'è la mia camera da letto, **dove** studio, ascolto musica, navigo su Internet etc.

❈ **Whether you pay the rent, the mortgage or the house is yours**
Noi paghiamo l'affitto. /Noi paghiamo il mutuo. /La casa è nostra.

❈ **The most important public places of your city and their location**
I **luoghi (pubblici) principali della mia città sono** la Piazza Centrale, **che si trova** vicino a...,
poi la Biblioteca Centrale, **che è** davanti a..., poi la Chiesa di St. John, **che si trova** dietro... etc.
I **posti più importanti della mia città sono** lo stadio, **che si trova** fra ... e..., **poi c'è** il teatro,
che è presso..., **poi c'è** il cinema, **che si trova** dietro... etc.

❈ **Whether there is an area of your city that you don't like and why**
Nella mia città c'è anche un'area/una zona/un quartiere che non mi piace, ... (nome della zona
+ localizzazione), **perché è un po' pericoloso/c'è troppo traffico/non c'è niente da fare** etc.

❈ **Whether you would like to live somewhere else (another city, region, abroad) in the future**
In futuro vorrei rimanere nella mia città.
Più avanti mi piacerebbe andare a vivere all'estero.
Fra qualche anno ho intenzione di trasferirmi in una città più grande/piccola.

📖 Attività di lettura (*AQA – H*) *Reading Task*

Your Italian friend sends you this description of her house.

Caro Stephen,
come stai? Spero bene.
La mia casa si trova in un quartiere molto tranquillo. Davanti c'è una scuola e a destra c'è una chiesa.
Al piano terra c'è la cucina, un salotto grande, una camera per gli ospiti e un bagno. Al secondo piano
ci sono tre camere da letto, un altro bagno e uno studio. In camera mia il letto è accanto all'armadio
e davanti alla scrivania. Sul muro c'è un poster di Lady Gaga. In questa stanza di solito ascolto
musica, navigo su Internet, parlo con le mie amiche e suono la chitarra. In salotto il divano è di fronte
al televisore fra le due poltrone. Fuori c'è un garage e un giardino molto grande dove ogni tanto
organizziamo qualche festa all'aperto. Se un giorno vuoi venire a trovarmi, sei il benvenuto.
Un caro saluto
Monica

Preparazione al
GCSE in Italian

*According to this letter, which **four** statements are correct?*

A. In front of her house there is a church.

B. The guest room is on the ground floor.

C. Her bedroom is upstairs.

D. In her bedroom the desk is next to the bed.

E. In her bedroom she watches TV.

F. In the living room the sofa is between two armchairs.

G. Outside there is a garage where sometimes they organise parties.

H. She invites her friend to come to visit her.

Write the correct letter in the boxes.

☐ ☐ ☐ ☐

---

(13) **Attività d'ascolto (*AQA – F/H*)** *Listening Task*

Student Exchange Program

Alberto tells what he did and visited during his Student Exchange Program in London. Complete the sentences.

a. When?   He went to London ....

b. What?   He visited ....

c. How many?   The flat had .... bedrooms and .... bathrooms.

d. How long?   He stayed in London ....

Grammatica *Grammar*

PREPOSIZIONI ARTICOLATE
(PREPOSIZIONI SEMPLICI + ARTICOLI DETERMINATIVI)
(Simple preposition + Definite articles)

Leggi le frasi e completa lo schema. *Read the sentences and complete the chart.*

Francesca: Vicino alla banca, proprio davanti all'ufficio postale, fra la chiesa e il teatro.

Francesca: Certo. Abbiamo già messo tutti i mobili e anche gli elettrodomestici. Nella mia camera da letto, per esempio il letto è accanto all'armadio e davanti alla scrivania. Sulla scrivania c'è il computer. A sinistra dell'armadio c'è la finestra. La libreria è a destra della scrivania.

Sergio: A casa mia la libreria è in salotto di fronte al divano, a fianco della televisione.

Edizioni Edilingua

	IL	LO	L'	LA	I	GLI	LE
A	AL	ALLO			AI	AGLI	ALLE
DI	DEL	DELLO			DEI	DEGLI	DELLE
DA	DAL	DALLO	DALL'	DALLA	DAI	DAGLI	DALLE
IN	NEL	NELLO	NELL'		NEI	NEGLI	NELLE
SU	SUL	SULLO	SULL'		SUI	SUGLI	SULLE

1 **Inserisci le preposizioni articolate.** *Insert the preposizioni articolate.*

1. Il distributore di benzina è vicino (a + lo) .... stadio.

2. Il supermercato è a destra (di + il) .... parco.

3. Le chiavi sono (su + la) .... scrivania.

4. Il ristorante è accanto (a + il) .... museo.

5. Il divano è davanti (a + la) .... televisione.

6. La borsa è (su + il) .... tavolo.

7. La carne è (in + il) .... frigorifero.

8. I vestiti sono (in + l') .... armadio.

9. Il quadro è (su + la) .... parete, a destra (di + lo) .... specchio.

10. Il comodino è a fianco (di + il) .... letto.

2 **Inserisci le preposizioni articolate.** *Insert the preposizioni articolate.*

1. La lampada è (su + il) .... comodino.

2. La libreria è a destra (di + l') .... armadio.

3. Il poster è (su + il) .... muro.

4. La fermata (di + l') .... autobus è di fronte (a + il) .... teatro.

5. La macchina è (in + il) .... parcheggio.

6. Devi camminare fino (a + l') .... incrocio.

7. Il bagno è (a + la) .... fine (di + il) .... corridoio.

8. I piatti sono (in + la) .... credenza.

9. La pianta è (su + la) .... terrazza.

10. L'ufficio postale è a fianco (di + la) .... scuola.

Preparazione al
GCSE in Italian

GEOGRAPHY AND ENVIRONMENT

1 **Leggi la seguente mail.** *Read the following e-mail.*

Gentili signori del WWF,

mi chiamo Monica Gentile, abito a L'Aquila, in Abruzzo, una regione con una natura molto bella. Questa regione confina a nord con le Marche, a ovest con il Lazio, a sud con il Molise. In questa terra c'è molto verde, cioè ci sono molti boschi e tante colline. Le montagne dell'Appennino offrono dei paesaggi spettacolari, e anche i laghi e i fiumi sono numerosi e affascinanti. Inoltre c'è il Parco Nazionale, dove vivono alcuni mammiferi selvatici come l'orso, il lupo, la volpe, la lepre, il cervo ma, ahimè, poche linci. Fra gli uccelli, ci sono il falco, il gufo e l'aquila reale. La foresta del parco ha parecchie specie di piante, alberi e fiori. Anche la costa dell'Abruzzo è interessante. Si estende per 130 km a est sul Mare Adriatico e lì c'è qualche bella spiaggia. Purtroppo nelle acque del mare e anche in quelle dei fiumi negli ultimi anni l'inquinamento è aumentato. Io mi preoccupo molto per la difesa dell'ambiente, vale a dire che faccio la raccolta differenziata, uso i mezzi pubblici e non spreco l'acqua. Grazie a Dio non siamo in pochi a rispettare la natura. Per esempio diversi miei amici mangiano cibi naturali a km zero, ossia frutta e verdura prodotta in questo territorio. Sfortunatamente ci sono anche certe persone che non hanno nessun rispetto per la natura perché non buttano i rifiuti nei cestini oppure sprecano acqua ed energia elettrica. Meno male che ci sono alcune organizzazioni ecologiste come il WWF che hanno a cuore l'ambiente e la natura.

Secondo voi, cosa deve fare il Comune per risolvere i problemi dell'inquinamento della mia regione?

In attesa di una Vostra cortese risposta, vi porgo i più cordiali saluti.

Monica Gentile

2 **Vero/Falso? Indica se le affermazioni sono vere o false.**
True/False? Indicate whether the following statements are true or false.

	Vero	Falso
1. Monica Gentile scrive la mail al WWF per parlare della sua regione.	◯	◯
2. L'Abruzzo confina a nord con il Molise.	◯	◯
3. In Abruzzo ci sono pochi boschi.	◯	◯
4. Nel Parco Nazionale d'Abruzzo vivono alcuni animali selvaggi.	◯	◯
5. La costa dell'Abruzzo è a ovest.	◯	◯
6. I fiumi e il mare sono inquinati.	◯	◯
7. Monica Gentile cerca di consumare poca acqua.	◯	◯
8. I suoi amici purtroppo non buttano i rifiuti nei cestini.	◯	◯

Edizioni Edilingua

a. Vocabolario *Vocabulary*

albero = *tree*
ambiente = *environment*
arcipelago = *archipelago*
aria = *air*
buttare (via) = *to throw away*
campo = *field*
canale = *canal*
cestino = *dustbin, waste bin*
clima = *weather, climate*
comune = *local council*
confinare = *to border*
confine = *border*
contea = *county*
discarica = *landfill site, dump*
ecologia = *ecology*
ecologista = *ecologist*
erba = *grass*
esteso = *extended, vast*
fauna = *fauna*
fiore = *flower*

flora = *flora*
foglia = *leaf*
geografia = *geography*
golfo = *gulf*
grado = *degree*
inquinamento = *pollution*
inquinato = *polluted*
mammifero = *mammal*
natura = *nature*
neve = *snow*
nuvola = *cloud*
paesaggio = *view, landscape*
parco nazionale = *national park*
penisola = *peninsula*
piantare = *to plant*
prato = *lawn*
pianta = *plant*
pianura = *plain*
pioggia = *rain*
porto = *harbour*

raccolta differenziata = *waste sorting*
regione = *region*
riciclare = *to recycle*
rifiuto = *garbage*
risparmiare = *to save*
ruscello = *stream*
smog = *smog*
specie = *species*
spiaggia = *beach*
sprecare = *to waste*
temperatura = *temperature*
torrente = *creek, brook*
uccello = *bird*
vegetazione = *vegetation*
vento = *wind*
verde = *greenery, vegetation*
vita = *life*
zona pedonale = *pedestrian zone*

b. Luoghi naturali. Inserisci la lettera come nell'esempio.
Natural places. Insert the letter as in the example.

> **a.** montagna/monte   **b.** fiume   **c.** vulcano   **d.** lago
> **e.** collina   **f.** costa   **g.** bosco   **h.** isola

 1. a
 2.
 3.
 4.

 5.
 6.
 7.
 8.

Preparazione al
GCSE in Italian

i **c. Gli animali. Scrivi le parole sotto le immagini.**
Animals. Write the words under the pictures.

lupo ◆ falco ◆ lepre ◆ cervo ◆ orso ◆ volpe ◆ aquila ◆ lince

Animali da compagnia/domestici *Pet animals*

cane	gatto	cavallo	pesciolino	tartaruga
canarino	coniglio	mucca	criceto	pecora

Animali selvatici *Wild animals*

.........................(1)   ....(2)   scimmia   leone   ....(3)

.........................(4)   tigre   ....(5)   serpente   ....(6)

Edizioni Edilingua

gufo coccodrillo zebra ....(7) ....(8)

3 **Completa le seguenti frasi con le parole dei punti a, b e c.**

Complete the following sentences with the words of points a, b and c.

1. In campagna c'è molto .... e dunque l'aria è più pulita.
2. L'Italia è una penisola mentre l'Inghilterra è un'... .
3. Nel bosco vicino a casa mia ci sono molti ....
4. Quando ero piccolo avevo due animali: un .... e un gatto.
5. Nel .... Nazionale di Cairngorms c'è una bellissima fauna.
6. Il .... Tamigi scorre a Londra, nel Sud dell'Inghilterra.
7. "Quali animali .... ti piacciono?" "Mi piacciono la tigre, il leone e il lupo."
8. Purtroppo l'acqua dei fiumi e dei .... è un po' inquinata.
9. "Quali .... ci sono nel Parco Nazionale d'Abruzzo?" "Ci sono l'aquila, il falco e il gufo."
10. Paolo rispetta molto l'ambiente e la .... Infatti, lui non spreca l'acqua, risparmia l'energia elettrica e fa la .... differenziata.
11. A Dover, sulla .... Sud dell'Inghilterra, ci sono dei paesaggi bellissimi.
12. Il Lincolnshire è una .... molto estesa.
13. Il traffico è una delle principali cause dell'... a Milano.
14. In Toscana si possono ammirare dei .... molto belli.

d. L'Italia e le regioni *Italy and its regions*

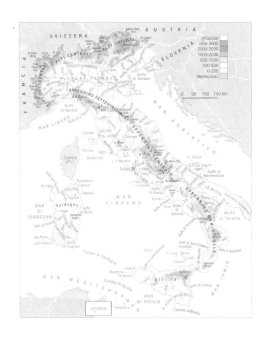

- L'Italia confina **a nord** con la Svizzera e l'Austria, **a est** con la Slovenia e **a ovest** con la Francia. I suoi mari sono il Mar Adriatico **a est**, il Mar Ionio e il Mar Mediterraneo **a sud** e il Mar Tirreno **a ovest**.

Con i nomi dei paesi e con i nomi delle regioni devi usare gli articoli determinativi.
With the names of the countries and with those of the regions the definite articles must be used.

PAESI			
L'Italia	La Scozia	Il Galles	La Grecia
L'Inghilterra	La Germania	Gli Stati Uniti	La Danimarca
Il Regno Unito	La Spagna	La Svezia	Il Portogallo
La Gran Bretagna	Il Belgio	L'Irlanda	L'Australia
...	...	...	...

REGIONI ITALIANE			
La Val (Valle) d'Aosta	Il Veneto	Le Marche	La Puglia
Il Piemonte	Il Friuli-Venezia Giulia	L'Abruzzo	La Basilicata
La Liguria	L'Emilia-Romagna	Il Lazio	La Calabria
La Lombardia	La Toscana	Il Molise	La Sicilia
Il Trentino-Alto Adige	L'Umbria	La Campania	La Sardegna

Edizioni Edilingua

e. I punti cardinali *Cardinal directions*

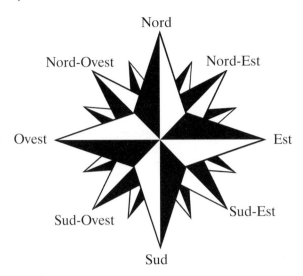

a est (di)

a ovest (di)

a nord (di)

a sud (di)

al centro (di)

sulla costa

4 **Guarda la cartina dell'Italia e scrivi delle frasi secondo il modello.**

Look at the map of Italy and write some sentences as in the example.

Esempio: Abruzzo

L'Abruzzo confina a nord con le Marche, a ovest con il Lazio e a sud con il Molise.

1. Lombardia

....

2. Puglia

....

3. Lazio

....

4. Molise

....

5. Emilia-Romagna

....

6. Piemonte

....

7. Veneto

....

8. Basilicata

....

GCSE in Italian

f. Problemi ambientali e possibili soluzioni *Environmental problems and possible solutions*

Poblemi ambientali

inquinamento dell'aria

traffico

buco dell'ozono

riscaldamento globale

rifiuti urbani

inquinamento delle acque

Soluzioni

piantare alberi

zone pedonali

risparmiare energia

prendere i mezzi pubblici

fare la raccolta differenziata

risparmiare l'acqua

Edizioni Edilingua

g. Spiegare, chiarire, precisare, puntualizzare *To explain, to clarify, to specify*

Le espressioni cioè, ovvero, ossia, vale a dire (che) si usano per precisare un'affermazione.
The expressions cioè, ovvero, ossia, vale a dire (che) are used to clarify a statement.

- In questa terra c'è molto verde, **cioè** ci sono molti boschi e tante colline.
- Io mi preoccupo molto per la difesa dell'ambiente, **vale a dire che** faccio la raccolta differenziata, uso i mezzi pubblici e non spreco l'acqua.
- Diversi miei amici mangiano cibi naturali a km zero, **ossia** frutta e verdura prodotta in questo territorio.
- Francesca viene da una regione dove ci sono molti boschi, **ovvero** dall'Abruzzo.

5 **Rispondi alle seguenti domande secondo il modello. Ricorda di coniugare i verbi.**
Answer the following questions as in the example. Remember to conjugate the verbs.

Esempio: Dove abiti?
> Cagliari **I** Sardegna
> *Abito a Cagliari, cioè in Sardegna.*

1. Che lavoro fai?
   essere operatore ecologico **I** pulire le strade e raccogliere i rifiuti

   ....

2. Quali animali ci sono in questo parco nazionale?
   esserci alcuni mammiferi selvatici **I** il cervo, la lince e il lupo

   ....

3. Dov'è il Parco Nazionale d'Abruzzo?
   essere in Abruzzo **I** nell'Italia centrale

   ....

4. Quale regione italiana preferisci?
   preferire la Toscana **I** una regione molto verde e con molta cultura

   ....

5. In quale parte d'Italia si trova il lago di Garda?
   trovarsi fra Verona e Brescia **I** al nord

   ....

6. Cosa fai per rispettare la natura?
   fare la raccolta differenziata **I** separare i rifiuti e buttarli in contenitori differenti

   ....

le Alpi

gli Appennini

GCSE in Italian

h. Il clima. Unisci le parole alle immagini come nell'esempio.
The weather. Match the words with the pictures as in the example.

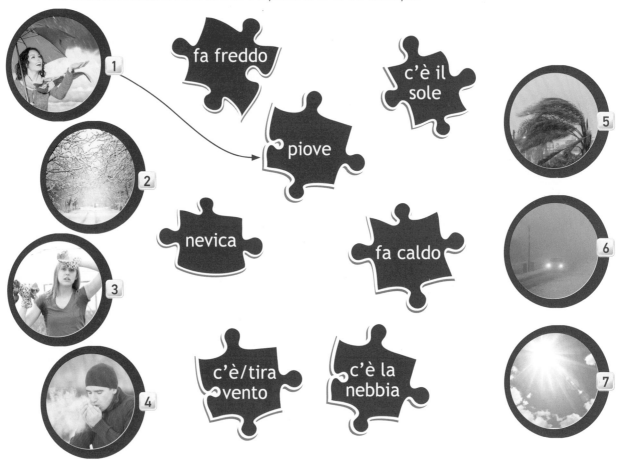

i. Esprimere disappunto e sollievo *To express displeasure/annoyance and relief*

 Esprimere disappunto
To express displeasure/annoyance

purtroppo/sfortunatamente (*unfortunately*), ahimè (*alas*) + **informazione negativa**:

Inoltre c'è il Parco Nazionale, dove vivono alcuni mammiferi selvatici come l'orso, il lupo, la volpe, la lepre, il cervo ma, **ahimè**, poche linci.

Purtroppo nelle acque del mare e anche in quelle dei fiumi negli ultimi anni l'inquinamento è aumentato.

Sfortunatamente ci sono anche delle persone che non hanno nessun rispetto per la natura perché non buttano i rifiuti nei cestini oppure sprecano acqua ed energia elettrica.

 Esprimere sollievo
To express relief

grazie a Dio (*thank God*), per fortuna/fortunatamente (che) (*luckily*), meno male che (*thank goodness*) + **informazione positiva**:

Grazie a Dio non siamo in pochi a rispettare la natura.

Fortunatamente noi abitiamo in una regione con molto verde dove tutti rispettano l'ambiente.

Meno male che ci sono alcune organizzazioni ecologiche come il WWF che hanno a cuore l'ambiente e la natura.

6 **Tu e un tuo compagno fate dei dialoghi secondo il modello.**

You and your friend make up some dialogues as in the example.

Esempio:

| 😟 c'è molto inquinamento | 😊 ci sono associazioni ecologiste come il WWF e Greenpeace |

- **Purtroppo** c'è molto inquinamento.
- Sì, ma **grazie a Dio** ci sono associazioni ecologiste come il WWF e Greenpeace.

1.	😟 alcune persone non buttano i rifiuti nei cestini	😊 molte persone fanno la raccolta differenziata
2.	😟 in questo parco non ci sono molti mammiferi	😊 ultimamamente sono aumentati un po'
3.	😟 alcune persone sprecano troppa acqua ed energia	😊 molte altre risparmiano acqua e energia
4.	😟 in città c'è molto smog	😊 abitiamo in campagna
5.	😟 oggi piove	😊 non siamo partiti per il mare
6.	😟 sulla costa del Mar Adriatico ci sono troppi turisti	😊 noi andiamo in vacanza in montagna sulle Alpi

l. Esprimere una quantità indefinita *To express an indefinite amount*

- In questa terra c'è **molto verde**, cioè ci sono **molti boschi** e **tante colline** [...] e anche i laghi e i fiumi sono numerosi.
- ...dove vivono **alcuni mammiferi** selvatici [...] ma, ahimè, **poche linci**.
- La foresta del parco ha **parecchie specie** di piante.
- ...e lì c'è **qualche** bella **spiaggia**.

✱ **molto/a = tanto/a = parecchio/a** + nome singolare (*much/a lot of* + singular noun)
In questa regione c'è **molto/tanto/parecchio** turismo.
Nel Parco Nazionale d'Abruzzo c'è **molta/tanta/parecchia** vegetazione.

✱ **molti/e = tanti/e = parecchi/parecchie** + nome plurale (*many/a lot of* + plural noun)
Nel Parco Nazionale d'Abruzzo ci sono **molti/tanti/parecchi** alberi.
In questa regione ci sono **molte/tante/parecchie** piante.

✱ **alcuni/alcune** + nome plurale (*some* + plural noun)
In Italia ci sono **alcuni** laghi veramente belli.
Vicino alla Sicilia ci sono **alcune** isole affascinanti.

GCSE in Italian

* **qualche** + nome singolare (*some* + singular noun)
  In Italia c'è **qualche** *lago veramente bello.*
  Vicino alla Sicilia c'è **qualche** *isola affascinante.*

* **poco/a** + nome singolare (*little* + singular noun)
  In inverno in questa regione c'è **poco** *turismo.*
  Purtroppo c'è **poca** *fauna in questa regione.*

* **pochi/e** + nome plurale (*few* + plural noun)
  Trent'anni fa sugli Appennini c'erano **pochi** *lupi.*
  Purtroppo nel Parco Nazionale d'Abruzzo ci sono **poche** *linci.*

* **non ... nessun(o)/a** + nome singolare (*no* + singular name)
  Nella mia città **non** *c'è* **nessun** *parco.*
  Nella mia regione **non** *c'è* **nessuna** *spiaggia.*

Attenzione! *Attention!*

Ce n'è/Ce ne sono

* **ce n'è** + **poco/a - molto/a - tanto/a - parecchio/a** (singolare)
  * *Quanto inquinamento c'è in Italia?*
  * **Ce n'è poco.**
  * **Ce n'è molto/tanto/parecchio.**

* **ce ne sono** + **pochi/e - alcuni/e - molti/e - tanti/e - parecchie/parecchie** (plurale)
  * *Quanti animali selvatici ci sono in questo parco nazionale?*
  * **Ce ne sono molti/parecchi/tanti/alcuni/pochi.**

  * *Quante piante ci sono in questo parco nazionale?*
  * **Ce ne sono molte/parecchie/tante/alcune/poche.**

* **ce n'è uno/a**
  * *Quanti fiumi ci sono in questa contea?*
  * **Ce n'è uno.**

  * *Quante foreste ci sono in questo paese?*
  * **Ce n'è una.**

* **non ce n'è nessuno/a**
  * *Quanti fiumi ci sono in questa regione?*
  * **Non ce n'è nessuno.**

  * *Quante spiagge ci sono in questa regione?*
  * **Non ce n'è nessuna.**

Edizioni Edilingua

7 **Tu e un tuo compagno fate dei dialoghi secondo il modello.**

You and your friend make up some dialogues as in the example.

Esempio: regione
- *Nella mia regione ci sono alcune volpi, e nella tua?*
- *Ce ne sono poche.*

1. Paese

2. contea

3. regione

4.   città

5.   quartiere

6.   contea

Attività di parlato (*AQA – Home and the Environment - Environment*) *Speaking Task*

Task: Environment and pollution
Your study exchange friend is asking you about the environment situation of your local area and what you do to protect the environment. Your teacher will play the role of your exchange partner.

Your teacher will ask you the following:
- the location of the area where you live and how long you have been living there
- the description of its flora and fauna
- whether there is pollution and other environment issues
- whether the environmental condition has either improved or got worse
- what you do to protect the environment
- !

! Remember, at this point, you will have to respond to something you have not yet prepared.

The dialogue will last between 4 and 6 minutes.

GCSE in Italian

Suggerimenti *Tips*

* **The location of the area where you live...**
  Il mio quartiere è + nome del quartiere:
  Il mio quartiere è Chelsea.

  Il mio quartiere/La zona dove abito/vivo si trova/è + posizione (location):
  Il quartiere dove abito si trova a sud di Londra.
  La zona dove vivo è nella parte Nord di Manchester.

* **...and how long you have been living there**
  Abito/Vivo in questo quartiere/questa zona/quest'area da + durata (duration):
  Abito in questo quartiere da sempre/da quando sono nato/a.
  Vivo in questa zona da 10 anni.
  Abito in quest'area da poco (tempo).

* **The description of its flora and fauna**
  Nella zona/Nel quartiere dove abito/vivo (non) c'è/ci sono/vivono + animali (animals):
  Nella zona dove abito vivono alcune volpi.

  Siccome abito nel centro della città non ci sono animali selvatici.

  Nella zona/Nel quartiere dove abito/vivo (non) c'è/ci sono + piante (plants):
  Nella zona/Nel quartiere dove vivo (non) ci sono molti alberi e piante.
  Nella zona/Nel quartiere dove vivo (non) ci sono molti boschi.
  Nella zona/Nel quartiere dove abito (non) c'è molto verde/molta vegetazione.

* **Whether there is pollution and other environment issues**
  Purtroppo c'è molto inquinamento/l'acqua dei laghi/fiumi è inquinata.
  Ahimè, l'aria è inquinata.
  Grazie a Dio non c'è (molto) inquinamento.
  Meno male che l'aria non è inquinata/è pulita.

* **Whether the environmental conditions have either improved or got worse**
  Ultimamente le condizioni ambientali **sono migliorate** (improved)/**peggiorate** (got worse).
  Attualmente/Al momento/In questo momento le condizioni ambientali sono **migliori** (better)/**peggiori** (worse) *rispetto a prima.*

* **What you do to protect the environment**
  Per proteggere l'ambiente **faccio la raccolta differenziata, evito di sprecare energia elettrica, cerco di risparmiare l'acqua** *etc.*

Edizioni Edilingua

i Attività di scrittura (*AQA – Context: Home and the Environment*) *Writing task*

Task Title: YOUR SCHOOL AND THE ENVIRONMENT
An Italian environmental magazine has asked you to write an article about environmental issues and how these are discussed at your school.

In your article you might include:

- details of your school (name, location, number of students, etc.)
- whether and how environmental issues are discussed in your classroom with teachers and why
- whether in your school you do something for the environment
- what you think the main environmental problems are
- what the local council should do to solve the environmental situation of your area
- whether you are optimistic for the future
- how the weather is in this period

⚲ Suggerimenti *Tips* *i* ✉

✹ **Details of your school (name, location, number of students, etc.)**
La mia scuola si chiama + nome della scuola (name of the school), **si trova/è** + nome della città (name of your city), **ha circa** + numero di studenti (number of students):
La mia scuola si chiama St. George School, si trova/è a Londra e ha circa 400 studenti.

✹ **Whether and how environmental issues are discussed in your classroom with teachers**
Nella nostra scuola io e i miei compagni parliamo/discutiamo molto/abbastanza di ambiente con i nostri insegnanti perché per noi è un tema fondamentale/molto importante per la nostra vita. Per esempio, una volta alla settimana parliamo di quello che possiamo fare giorno dopo giorno per proteggere la natura come per esempio la raccolta differenziata, risparmiare l'energia elettrica ed evitare di sporcare l'ambiente.

✹ **Whether in your school you and your peers do something for the environment**
Nella nostra scuola facciamo diverse cose per l'ambiente, per esempio facciamo la raccolta differenziata, usiamo la carta riciclata ed evitiamo di consumare acqua ed energia inutilmente.

✹ **What you think the main environmental problems are**
Secondo me, i problemi ambientali maggiori/principali/più importanti sono l'inquinamento, il buco dell'ozono, il riscaldamento globale, la deforestazione etc.

✹ **What the local council should do to solve the environmental situation of your area**
Per me il Comune deve/dovrebbe piantare nuove alberi, ampliare/ingrandire il verde, costruire un nuovo parco, fare delle aree pedonali, dire ai cittadini di usare i mezzi pubblici etc.

✹ **Whether you are optimistic about the future**
Per il/Riguardo al futuro sono molto/abbastanza/un po' ottimista perché le persone hanno finalmente capito che l'ambiente è molto importante e dunque cercano di proteggerlo.
Per il/Riguardo al futuro sono molto/abbastanza/un po' pessimista perché le persone non fanno molto/niente per proteggere l'ambiente.

✹ **How the weather is in this period**
In questo periodo piove/fa freddo/fa caldo etc.

GCSE in Italian

👥 **Attività di lettura (*AQA – H*)** *Reading Task*

Read this article about the decision taken by the municipality to solve environmental problems.

Il Comune ha preso alcune importanti decisioni per contrastare l'inquinamento e migliorare l'ambiente. Per prima cosa sarà costruito un nuovo parco dove i bambini potranno giocare all'aperto. Tuttavia questo progetto è molto costoso e i cittadini dovranno pagare molte tasse per finanziarlo. Saranno poi aumentate le aree pedonali in cui tutti potranno passeggiare tranquillamente ma per chi usa la macchina questo sarà un problema perché dovrà fare un percorso molto più lungo per andare in un posto. Il Comune ha anche annunciato che saranno piantati nuovi alberi ai lati delle strade per rendere migliore la qualità dell'aria. Purtroppo le strade della città sono piccole e secondo alcuni i rami degli alberi possono crescere troppo fino a entrare dentro le case. Infine il Comune vuole anche introdurre la raccolta differenziata però molti cittadini avranno difficoltà a realizzarla senza un'adeguata informazione.

According to this article, what are the advantages and disadvantages of the decisions made by the local council to solve the environmental problems?

*Mention **three** advantages and **three** disadvantages.*

Advantages	Disadvantages
(i)	(i)
(ii)	(ii)
(iii)	(iii)

(14) Attività d'ascolto (*AQA – F/H*) *Listening Task*

Environmental problems and solutions

What solutions do these people give to the environmental problems?

ENVIRONMENTAL PROBLEM   **SOLUTION**

....

....

....

....

....

....

....

....

GCSE in Italian

🔗 **Grammatica** *Grammar*

👥 **Leggi il testo e completa lo schema.** *Read the text and complete the chart.*

✏️ Diversi miei amici mangiano cibi naturali. [...] ci sono anche certe persone che non hanno nessun rispetto per la natura [...] Meno male che ci sono alcune organizzazioni ecologiste come il WWF.

AGGETTIVI INDEFINITI *Indefinite adjectives*			
SINGOLARE *Singular*		**PLURALE** *Plural*	
MASCHILE *Masculine*	**FEMMINILE** *Feminine*	**MASCHILE** *Masculine*	**FEMMINILE** *Feminine*
poco *little*	poca *little*	pochi *few*	poche *few*
non ... alcun(o) *no, not ... any*	non ... alcuna *no, not ... any*	alcuni *some*	.... *some*
certo *some*	certo *some*	certi *some*	.... *some*
-	-	vari *various*	varie *various*
-	-	.... *various, several*	diverse *various, several*
numeroso *numerous*	numerosa *numerous*	numerosi *many, a lot of*	numerose *many, a lot of*
molto *much, a lot of*	molta *much, a lot of*	molti *many, a lot of*	molte *many, a lot of*
tanto *much, a lot of*	tanta *much, a lot of*	tanti *many, a lot of*	tante *many, a lot of*
parecchio *much, a lot of*	parecchia *much, a lot of*	parecchi *many, a lot of*	parecchie *many, a lot of*
troppo *too much*	troppa *too much*	troppi *too many*	troppe *too many*
tutto *all*	tutta *all*	tutti *all, every*	tutte *all, every*
non ... nessun(o) *no, not ... any*	non ... nessuna *no, not ... any*	-	-
altro *other*	altra *other*	altri *other*	altre *other*

Edizioni Edilingua

Gli aggettivi indefiniti si usano per esprimere la quantità indefinita di cose o persone. Di solito precedono il nome e come tutti gli aggettivi concordano con il genere e numero.

The indefinite adjectives are used to express an indefinite amount of things or people. They are normally placed in front of the noun and, as the other adjectives, they agree with the gender and the number of the noun.

Devo fare **molti** compiti oggi.

Alcuni insegnanti lavorano in **varie** scuole.

Ci sono **diversi** problemi in questa città.

Ho conosciuto **molta** gente simpatica a Londra.

Ho già fatto **tutti** gli esercizi.

Alcuno/a e nessuno/a si usano nelle frasi negative con la negazione non che precede il verbo.

Alcuno/a and nessuno/a are used in the negative sentences with non placed in front of the verb.

Non parlo **alcuna/nessuna** lingua straniera.

Ieri **non** ho bevuto **alcun/nessun** caffè.

Come vedi le forme maschili alcuno e nessuno **perdono la -o finale.**

As you can see, the masculine forms alcuno and nessuno lose the final -o.

Altri aggettivi indefiniti hanno solo la forma singolare.

Other adjectives have only the singular form.

qualche (some)

ogni (every, each)

qualsiasi/qualunque (any)

Stasera vado al pub a bere **qualche** birra con i miei amici.

Vado a lavorare **ogni** giorno.

In Italia mangi bene in **qualsiasi/qualunque** ristorante.

---

1 Completa le seguenti frasi con gli aggettivi indefiniti.

Complete the following sentences with the indefinite adjectives.

1. Ho .... fame e dunque adesso mangio un panino.

2. Siccome non parlo ancora bene la lingua, qui in Germania per adesso ho .... amici.

3. Quando ero a scuola ho letto .... libro di Shakespeare come per esempio *La tempesta*, *Romeo e Giulietta* e *Macbeth*.

4. Noi non abbiamo visitato .... città inglese.

5. .... giorni fa mi sono iscritto a un corso di Yoga.

6. .... persone non hanno rispetto per l'ambiente.

7. Guarda che non c'è solo Eminem, ci sono .... cantanti bravi.

8. Mario e Luca guardano .... televisione e poi non hanno mai tempo per studiare.

Preparazione al
GCSE in Italian

9. Voi sapete .... cose.

10. In estate in Italia fa .... caldo.

11. A Londra ci sono .... turisti.

12. Sara e Daniela non sono curiose e dunque fanno .... domande.

② Traduci in italiano le seguenti frasi. *Translate into Italian the following sentences.*

1. When I go to the pub I normally have few beers.

   ....

2. Many Italians come to London to work every year.

   ....

3. Some days ago I went to the cinema.

   ....

4. They drink too much coffee.

   ....

5. I have read several books by Charles Dickens.

   ....

6. We have no car because we prefer to take the bus.

   ....

7. I go to school every day.

   ....

8. You smoke too many cigarettes.

   ....

9. We have a lot of friends.

   ....
   ....
   ....

10. I haven't drunk any coffee today.

   ....
   ....
   ....

Edizioni Edilingua

Education and Work

School and University, Work and Employment, Family

Goals: In this chapter you will learn...

- **how to talk about subjects to study at school and university**
- **how to talk about work, how to get a job and what people do at work**
- **how to talk about your family**
- **how to describe people (physically and psychologically)**

SCHOOL AND UNIVERSITY

1 **Leggi il seguente dialogo.** *Read the following dialogue.*

Linda: Ciao Daniele, sai che ho preso 7 all'interrogazione di Storia?

Daniele: Davvero? Brava, Linda. Io invece ho preso solo 6 nel compito di Letteratura e non sono per niente contento.

Linda: Beh, 6 non è un voto basso, significa che sei sufficiente.

Daniele: Lo so, però vorrei andare meglio in questa materia. In Matematica per esempio vado molto bene, prendo quasi sempre 8. Forse sono il migliore della classe.

Linda: E in Chimica che voti hai?

Daniele: Anche in Chimica di solito prendo 8 e lo stesso in Fisica e Scienze.

Linda: Questo significa che sei bravo nelle materie scientifiche. Io invece vado meglio nelle materie umanistiche come Letteratura e Storia.

Daniele: Ciò vuol dire che all'università tu dovresti studiare Lettere mentre io farei meglio a fare Ingegneria.

Linda: Forse hai ragione. Comunque non ho ancora scelto in quale facoltà studiare: sono ancora in terza liceo e c'è ancora tempo. Mi piacerebbe fare Lettere come hai detto tu, però i miei genitori dicono che poi è piuttosto difficile trovare un buon lavoro.

Daniele: Mio padre dice invece che con Ingegneria, Medicina oppure Economia e Commercio è abbastanza facile trovare un buon posto. Io vorrei studiare Chimica ma... (*indicando Franco*) Guarda, arriva Franco!

Franco: Ciao Linda, ciao Daniele. Sapete che ho preso un'altra volta 5 nel tema di Italiano? La professoressa mi ha detto che se continuo così, mi bocceranno. Adesso sono un po' preoccupato perché ho l'insufficienza in varie materie e inoltre la mia condotta non è molto buona.

Linda: Al posto tuo, studierei di più, farei sempre i compiti, durante la lezione starei attento e mi comporterei bene.

Daniele: Sono d'accordo con Linda. Dovresti stare più tempo sui libri e impegnarti molto invece di giocare con il computer o guardare la televisione. Sentite, ho un'idea, ci potremmo trovare oggi pomeriggio a casa mia per studiare tutti insieme. Che ne dite? Alle tre va bene?

Linda: Buona idea. Io posso alle tre.

Franco: Ok, vengo anch'io, però non studiamo troppo...

2 **Rispondi alle seguenti domande (prima a voce e poi per iscritto).**
Answer the following questions (first speaking and then in writing).

1. Che voto ha preso Linda all'interrogazione di Storia?

....

2. Che voto ha preso Daniele al compito di Letteratura?

....

3. In quali materie Daniele è bravo?

....

4. In quali materie va bene Linda?

....

5. A Linda cosa piacerebbe studiare all'università?

....

6. Cosa vorrebbe studiare Daniele all'università?

....

7. Perché Franco è preoccupato?

....

8. Cosa consiglia Linda a Franco?

....

9. Cosa consiglia Daniele a Franco?

....

10. Cosa propone Daniele a Linda e Franco?

....

11. Linda accetta la proposta di Daniele?

....

12. Franco accetta la proposta di Daniele?

....

Education and Work

School and University, Work and Employment, Family

a. Vocabolario *Vocabulary*

alunno = *pupil*

(non) andare bene in + materia = *to be (not) good at* + subject

appello = *roll call*

appunti = *notes*

argomento = *topic*

biblioteca = *library*

bocciare = *to fail*

bocciato = *failed*

bravo/a = *good*

capitolo = *chapter*

classe = *class*

comportamento = *behaviour*

comportarsi = *to behave*

compiti = *homework*

compito = *task, test*

concetto = *concept*

condotta = *behaviour*

corso = *course*

diploma = *high school leaving certificate*

disegnare = *to draw*

errore = *mistake*

esame = *exam*

esercizio = *exercise*

(non) essere bravo in + materia = *to be (not) good at* + subject

facoltà = *faculty*

fare i compiti = *to do the homework*

fare una ricerca = *to quest, to search*

fare un errore = *to make a mistake*

fotocopia = *photocopy*

frequentare (la scuola, l'università, un corso ecc.) = *to attend*

grammatica = *grammar*

imparare = *to learn*

impegnarsi (*rifl.*) = *to make an effort, to put effort into*

insegnante = *teacher*

insegnare = *to teach*

insufficiente = *poor*

insufficienza = *low mark*

interrogazione = *oral test*

intervallo = *break, recess*

iscriversi (a scuola, all'università, a un corso ecc.) = *to enrol, to register*

Latino = *Latin*

laurea = *BA/Bsc degree*

laureato/a = *graduate*

leggere = *to read*

lezione = *lesson, class*

maestro/a = *teacher (primary school)*

master = *master's degree*

materia = *subject*

orario = *timetable/schedule*

ortografia = *spelling, orthography*

passare (un test, un esame) = *to pass (a text, an exam)*

prendere (un voto) = *to get (a mark)*

prendere appunti = *to take notes*

preside = *headmaster*

professore = *teacher (secondary school and university) (masc.)*

professoressa = *teacher (secondary school and university) (fem.)*

promosso = *passed*

quadrimestre = *four months term*

regola = *rule*

ricreazione = *break, recess*

scrivere = *to write*

semestre = *six months term*

severo/a = *strict*

spiegare = *to explain, to illustrate*

superare (un test, un esame) = *to pass (a text, an exam)*

(materia) scientifica = *scientific subject*

scuola = *school*

scuola privata = *private, independent school*

scuola pubblica/statale = *state-funded school*

stare attento/a = *to pay attention*

studente = *student (masc.)*

studentessa = *student (fem.)*

studiare = *to study*

tema = *essay*

tesi = *dissertation, thesis*

titolo di studio = *qualification*

trimestre = *three months term*

tutor = *tutor*

(materia) umanistica = *liberal Arts subject*

università = *university*

valutazione = *grading, evaluation, assessment*

voto = *mark, grade*

zaino = *schoolbag*

Preparazione al
GCSE in Italian

b. **Le materie scolastiche. Scrivi le seguenti parole sotto le immagini come negli esempi.**
Subjects at school. Write the following words under the images as in the examples.

Storia • Letteratura • Musica • Arte • Italiano • Educazione fisica • Matematica • Geografia

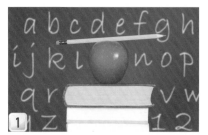

Inglese

Scienze

Chimica

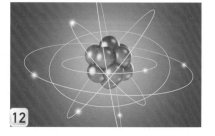

Fisica

Edizioni Edilingua

c. Le facoltà universitarie. Inserisci la lettera come nell'esempio.
University courses. Insert the letter as in the example.

a. Medicina   b. Architettura   c. Ingegneria   d. Economia e Commercio
e. Lingue straniere   f. Lettere   g. Informatica   h. Legge/Diritto/Giurisprudenza

1. a

2.

3.

4.

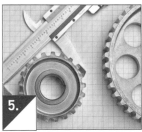
5.

6.

7.

8.

d. In un'aula. Scrivi le parole negli spazi vuoti.
In a classroom. Write the words in the blank spaces.

penna • lavagna • banco • quaderno • libro

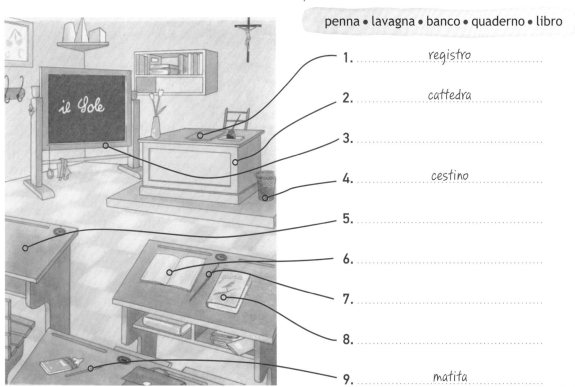

1. .... registro ....
2. .... cattedra ....
3. ....
4. .... cestino ....
5. ....
6. ....
7. ....
8. ....
9. .... matita ....

Preparazione al
GCSE in Italian

3 **Completa le seguenti frasi con le parole dei punti a b, c e d.**
Complete the following sentences with the words of points a, b, c and d.

1. "A quale .... pensi di iscriverti all'università?" "Penso di iscrivermi a
.... perché vorrei diventare dottore."

2. "Qual è la tua .... preferita?" "Matematica."

3. Ieri io .... 7 nell'interrogazione di Storia.

4. Gli studenti devono buttare le carte nel .... perché l'aula deve rimanere
sempre pulita.

5. "Scrivi con la .... o con la matita?" "Con tutte e due."

6. All'... mi piacerebbe studiare Lingue straniere.

7. La mia .... di Italiano è molto brava e simpatica.

8. Per la prossima settimana devo .... tutto il libro di Shakespeare.

9. L'insegnante ha scritto l'esercizio alla ....

10. Paolo è uno studente eccellente perché sta attento, studia e fa sempre i compiti, insomma lui
.... molto.

11. "Io preferisco le materie .... come per esempio Letteratura, Storia e
Arte." "Io invece preferisco le materie scientifiche come ...., Fisica e
Chimica."

12. Franco dovrebbe migliorare la sua condotta perché .... sempre molto
male.

13. Mi piace andare a scuola perché posso .... molte cose.

14. Laura prende sempre .... alti come 7 o 8.

15. Non solo devi stare .... durante la lezione, ma devi anche fare i compiti
per casa e studiare molto.

e. La scuola in Italia *School in Italy*

Scuola dell'infanzia *Pre-school Education* (da 3 a 6 anni)

Scuola dell'obbligo *Compulsory Schooling*

a. Scuola primaria *Primary School* (da 6 a 11 anni)

b. Scuola secondaria di primo grado *Lower Secondary School* (da 11 a 14 anni)

Fine dell'obbligo scolastico *End of Compulsory Schooling*

Scuola secondaria di secondo grado *Upper Secondary School*

- Liceo *High School* (da 14 a 19 anni)
- Istituto tecnico *Technical College* (da 14 a 19 anni)
- Istituto professionale *Vocational School* (da 14 a 19 anni)

Università *University*

Edizioni Edilingua

School and University, Work and Employment, Family

- Che classe fai/frequenti?
- Frequento il/Sono al primo/secondo/terzo/quarto/quinto anno di primaria.
- Faccio la prima/la seconda/terza etc.
- Che scuola fai/frequenti?
- Faccio/Frequento il liceo classico/l'istituto tecnico/l'istituto professionale.

4 **Rispondi alle seguenti domande.** *Answer the following questions.*

1. Qual è la tua materia preferita?

   ....

   ....

2. Di solito scrivi con la penna o con la matita?

   ....

   ....

3. Quale materia ti piace di meno?

   ....

   ....

4. Che classe fai?[1]

   ....

5. Quante ore studi al giorno?

   ....

6. Cosa ti piacerebbe studiare all'università?

   ....

7. Che scuola frequenti?[2]

   ....

8. A che ora iniziano e a che ora finiscono le lezioni nella tua scuola?

   ....

f. **Fare una deduzione/Trarre una conclusione logica con** *questo/ciò significa che.../questo/ciò vuol dire che...*
   To draw a logical conclusion with "questo/ciò significa che..."/"questo/ciò vuol dire che..."

Daniele: Anche in Chimica di solito prendo 8 e lo stesso in Fisica e Scienze.

Linda: **Questo significa che** sei bravo nelle materie scientifiche. Io invece vado meglio nelle materie umanistiche come Letteratura e Storia.

Daniele: **Ciò vuol dire che** all'università tu dovresti studiare Lettere mentre io farei meglio a fare Ingegneria.

---

1. *Imagine that you are an Italian student attending an Italian school.*
2. *Ibidem.*

Preparazione al
GCSE in Italian

5 Tu e un tuo compagno fate dei mini-dialoghi come nel modello.
You and your friend make up some short dialogues as in the example.

Esempio: "Quanti anni hai?"
16 **I** terzo anno del liceo

- *Quanti anni hai?*
- *Ho 16 anni.*
- *Questo significa/Ciò vuol dire che frequenti il terzo anno del liceo.*

1. "Quanti siete in classe?"
   in 35 **I** classe numerosa
2. "In quali materie sei bravo?"
   Matematica, Fisica e Chimica **I** nelle materie scientifiche
3. "Che voto hai preso nel compito di Matematica?"
   5 **I** non hai studiato abbastanza
4. "Quali materie non ti piacciono?"
   Letteratura, Storia, Arte **I** le materie umanistiche
5. "Che voto hai preso nell'interrogazione di Storia?"
   7 **I** ti sei impegnato molto
6. "Quando fate l'intervallo?"
   dalle 11 alle 11 e 20 **I** dura venti minuti

g. Dare un consiglio con il Condizionale *To give advice with the Conditional*

Linda: **Al posto tuo, studierei** di più, **farei** sempre i compiti, durante la lezione **starei** attento e **mi comporterei** bene.

Daniele: *Sono d'accordo con Linda.* **Dovresti** *stare più tempo sui libri e impegnarti di più.*

- **Al posto tuo, io** + I persona del Condizionale *If I was you, I would...*
  *"Non vado molto bene a scuola." "**Al posto tuo, io studierei** di più."*

- **Dovresti** (II persona del Condizionale di *dovere*) + Infinito *You should...*
  *"Non vado molto bene a scuola." "**Dovresti studiare** di più."*

CONDIZIONALE - VERBI REGOLARI		
Conditional - Regular verbs conjugation		
PARLARE	PRENDERE	PARTIRE
Io parlerei	Io prenderei	Io partirei

CONDIZIONALE - VERBI IRREGOLARI				
Conditional - Irregular verbs conjugation				
ESSERE	AVERE	STARE	ANDARE	FARE
Io sarei	Io avrei	Io starei	Io andrei	Io farei
DOVERE	POTERE	VENIRE	RIMANERE	VEDERE
Io dovrei	Io potrei	Io verrei	Io rimarrei	Io vedrei

Edizioni Edilingua

6 Sei nelle seguenti situazioni. Tu e un tuo compagno fate dei mini-dialoghi come nel modello.

You are in the following situations. You and your friend make up some short dialogues as in the example.

Esempio: devi studiare un capitolo di Storia per domani e non hai ancora cominciato **I** cominciare subito

- Devo studiare un capitolo di Storia per domani e non ho ancora cominciato. Cosa dovrei fare, secondo te?/Cosa faresti al posto mio?
- Dovresti cominciare subito./Al posto tuo, comincerei subito.

1. devi fare una ricerca su Shakespeare **I** andare sul sito http://www.shakespeare-online.com/
2. fai troppi errori di ortografia **I** leggere di più
3. devi migliorare la tua condotta **I** comportarsi meglio con i tuoi compagni
4. devi scegliere in quale facoltà studiare all'università **I** studiare Ingegneria
5. ti dimentichi sempre quello che ha detto l'insegnante a lezione **I** stare più attento/a
6. hai perso gli appunti di Italiano **I** fare le fotocopie degli appunti di Carlo

h. *Non ... affatto/per niente, poco, un po', piuttosto/abbastanza, tanto, molto, solamente/solo/soltanto, troppo.* Avverbi di quantità *Adverbs of quantity*

Daniele: Davvero? Brava, Linda. Io invece ho preso solo 6 nel compito di Letteratura e **non sono per niente** contento.

Linda: [...] però i miei genitori dicono che poi **è piuttosto difficile** trovare un buon lavoro.

Daniele: Mio padre dice invece che con Ingegneria, Medicina oppure Economia e Commercio **è abbastanza facile** trovare un buon posto.

Daniele: Sono d'accordo con Linda. Dovresti stare **più tempo** sui libri e **impegnarti molto**.

Franco: Ok, vengo anch'io, però non **studiamo troppo**...

non ... affatto/per niente Ieri ho avuto dei problemi e **non** ho studiato **affatto/per niente** per il compito di oggi.	*not ... at all/in no way*
poco Michele ha capito **poco** della lezione di Chimica.	*little*
un po' "Tiziano è migliorato in Matematica?" "**Un po'**."	*a little*
piuttosto/abbastanza Per me Italiano è **piuttosto/abbastanza** facile.	*quite*
molto/parecchio/tanto Durante il fine settimana ho letto **molto/tanto/parecchio**.	*much, a lot,* *a great deal*
non ... molto/non ... tanto Secondo me, Daniela **non** si impegna **molto** a scuola.	*not ... a lot/* *not ... (so) much*

Preparazione al
GCSE in Italian

solamente/solo/soltanto *Oggi devo fare* **solo/solamente/soltanto** *i compiti di Inglese.*	*only*
troppo *I miei insegnanti sono* **troppo** *severi.*	*too much*

7 **Traduci in italiano le seguenti frasi.** *Translate into Italian the following sentences.*

1. Alessandro studies a lot, so he is a good student.

....

....

2. In my opinion, Maths is a quite difficult subject.

....

3. Yesterday we read a little of the novel during the lesson.

....

....

4. I could not understand much of that topic.

....

....

5. I have only one hour a week of Chemistry.

....

....

6. I do not like to take notes at all.

....

....

....

Attività di scrittura (*Edexcel*) *Writing task*

An Italian magazine has asked you to describe your school and the relationship you have with it.

You could mention:

- the name, the type of school you attend (private/state-funded) and what year you are in
- how many hours you study a day (or a week) at school
- the subject(s) you study and those you like most and why
- how many hours you study at home and how long it takes you to do the homework
- whether you would like to continue to study at the university

Edizioni Edilingua

Education and Work

School and University, Work and Employment, Family

💡 Suggerimenti *Tips* ✎ ✉

❋ **The name, the type of your school (private/state-funded) and what year you are in**

La mia scuola si chiama ..., è una scuola pubblica/privata/un liceo/un istituto tecnico/un istituto professionale etc.

Sono al/Frequento il primo/secondo/terzo etc. anno del secondo ciclo di secondaria (high school).

❋ **How many hours you study a day (or a week) at school**

Faccio 5/6/7 ore al giorno di lezione. Comincio la mattina alle 8 e poi faccio un intervallo di dieci minuti alle 11. Finisco all'una, pranzo e poi ho altre due ore.

Vado a scuola dal lunedì al venerdì, dalle 8 all'una e poi dalle 2 alle 4 del pomeriggio. Faccio 35 ore settimanali/alla settimana.

❋ **The subject(s) you study and those you like most and why**

Le materie che studio a scuola sono + subjects (Matematica, Inglese, Lingue straniere, Fisica etc.)

La mia materia preferita/La materia che preferisco è + subject (Italiano/Matematica/Inglese etc) perché mi ha sempre appassionato. (any subject)

    sono bravo a fare i calcoli. (Maths)

    mi piace conoscere il passato (past) del mio Paese. (History)

    mi piace leggere. (Literature)

    mi piace la cultura italiana. (Italian)

    mi piace molto disegnare. (Arts)

    la trovo molto interessante. (any subject)

    la trovo molto utile. (any subject)

    il professore spiega molto bene. (any subject)

❋ **How many hours you study at home and how long it takes you to do the homework**

Di solito/Normalmente/In genere a casa studio un paio d'ore/tre ore/quattro ore etc.

Se devo prepararmi per un compito/un'interrogazione, studio almeno tre ore/di più/molto etc.

Per fare i compiti ci metto circa un'ora/45 minuti/un'ora etc.

❋ **Whether you would like to continue to study at the university and why**

Dopo (aver finito) la scuola, vorrei cercarmi un lavoro/andare a lavorare per cominciare a guadagnare subito (to start earning straightaway)/perché non posso permettermi (I cannot afford) di andare all'università/non mi piace molto studiare etc.

Quando avrò finito la scuola, vorrei studiare + subject (Informatica/Legge/Lingue straniere) perché, secondo me, oggigiorno è necessario avere una laurea/essere laureati per trovare un buon lavoro.

Preparazione al
GCSE in Italian

📧 **Attività di parlato** (*Edexcel – Open interaction*) *Speaking Task*
(*4-6 minutes talking – preparation 2-3 minutes*)

St. George's High School - Timetable

Hour	Monday	Tuesday	Wednesday	Thursday	Friday
9:00-9:45					
9:50-10:35					
10:45-11:30					
11:30-11:50	RECESS/BREAK				
11:55-12:40					
12:45-13:30					
13:30-14:30	LUNCH				
14:35-15:20					
15:25-16:10					

Situation

Your Italian friend is asking you some questions about your school. He/She will start the conversation.

Edizioni Edilingua

Education and Work

School and University, Work and Employment, Family

Task

He/She may ask you:

- at what time the lessons start and when they finish
- about the timetable with the subjects, the number of hours per each subject, break and lunch
- who is the teacher you prefer most and why
- whether you have a tutor helping with your study

Be prepared to ask questions during the conversation.

The dialogue will last between 4 and 6 minutes.

Suggerimenti *Tips*

✱ **At what time the lessons start and when they finish**
Nella mia scuola le lezioni cominciano (la mattina) alle ... e finiscono (il pomeriggio) alle...
Nella mia scuola le lezioni sono dalle ... (di mattina) alle ... (di pomeriggio).

✱ **The timetable with the subjects, the number of hours per each subject, break and lunch**
Dalle ... alle ... faccio/ho/c'è + materia (subject):
Dalle 9 alle 10 e 35 ho/faccio/ci sono due ore di Matematica.
L'intervallo dura 20 minuti, dalle 11 e mezzo alle 11 e 50.
Prima di fare lezione il pomeriggio c'è il pranzo, che dura un'ora.
Faccio/Ho/Ci sono 6 ore di Inglese alla settimana.

✱ **Who is the teacher you prefer most and why**
Preferisco l'insegnante/il professore/la professoressa (quello/a) di + materia (subject)
Preferisco quello di Matematica perché insegna bene la sua materia/spiega i concetti e le regole in modo chiaro/è molto preparato/è simpatico, gentile, non si arrabbia mai e non è troppo severo/ripete molte volte se qualcuno non ha capito etc.

✱ **Whether you have a tutor helping with your study**
Non ho/mi segue nessun tutor perché non ne ho bisogno.
Ho/Mi segue un tutor di Italiano il venerdì pomeriggio.

Attività di lettura (*Edexcel – H*) *Reading task*

Read the following e-mail.

Ciao Richard,
come stai? Spero bene. Ti scrivo per raccontarti che oggi ho preso un bel 7 nel compito di Inglese. Nei giorni scorsi avevo studiato moltissimo, soprattutto i verbi al passato, che per me sono molto difficili da imparare. La mia insegnante era molto contenta del risultato e ovviamente anche mia madre. Purtroppo il tema di Italiano non è andato come speravo. Ho preso 6, però io mi aspettavo almeno un 7. Il mio professore di Italiano mi dice sempre che dovrei migliorare l'ortografia perché faccio ancora qualche errore. La prossima settimana avrò l'interrogazione di Storia, la mia materia preferita e mi aspetto di prendere 8. Fra qualche anno andrò all'università, forse studierò Lettere ma non ho ancora deciso. E tu come vai a scuola? Qual è la materia che ti piace di più?
Un abbraccio
Carlo

GCSE in Italian

Answer these questions in English.

a. What grade did Carlo get and in which subject?

....(2)

b. Were his English teacher and his mother happy about the result?

....(1)

c. What was the result of the Italian essay and was he happy about it?

....(2)

d. What does his Italian teacher say Carlo should do?

....(1)

e. In which subject will Carlo have an oral exam next week?

....(1)

f. Which course might he study at university?

....(1)

(15) **Attività d'ascolto** (*Edexcel – F/H*) *Listening Task*

School subjects

*Listen to the conversation. Put crosses (✗) next to the **four** correct statements.*

Example: Roberto got a high mark in the English test.	✗
a. Roberto did not study much for the English test.	
b. Lucia expected a higher mark in the Science oral test.	
c. Lucia was asked some difficult questions by her teacher.	
d. Roberto tells Lucia that she should be satisfied anyway.	
e. Lucia will not try to do better in the future.	
f. Roberto invites Lucia to his house to study together.	
g. Chiara and Riccardo will not go to Lucia's to study.	
h. Roberto accepts Lucia's invitation.	

Grammatica *Grammar*

USI DEL CONDIZIONALE *Uses of the Conditional*

A) **Consiglio** *Advice*
- **Dovresti** (II persona del Condizionale di *dovere*) + Infinito *You should...*
  "*Ho un mal di testa terribile.*" "**Dovresti prendere** un'aspirina."
- **Al posto tuo, io** + I persona del Condizionale *If I were you, I would...*
  "*Ho un mal di testa terribile.*" "**Al posto tuo, io prenderei** un'aspirina."

Edizioni Edilingua

B) Desiderio *Wish*

- **Vorrei/Mi piacerebbe/Avrei voglia di/Sarebbe bello/Mi andrebbe di** + Infinito *I would like...*
  La prossima volta **vorrei andare** in vacanza in Toscana.
  La prossima volta **mi piacerebbe andare** in vacanza in Toscana.
  La prossima volta **avrei voglia di andare** in vacanza in Toscana.
  La prossima volta **sarebbe bello andare** in vacanza in Toscana.
  La prossima volta **mi andrebbe di andare** in vacanza in Toscana.

C) Per chiedere un favore in modo gentile *To ask something or a favour politely*

- Maurizio, **potresti** aprire la finestra, per favore?
- Scusi, signora, mi **direbbe** che ore sono?
- Paola, **andresti** a comprarmi le medicine in farmacia?

D) All'interno di una frase ipotetica *In a hypothetical phrase*

- Ho la febbre molto alta. **Sarei** un pazzo a uscire.
- Immaginando di vivere in Italia, io **imparerei** a cucinare bene.

CONDIZIONALE SEMPLICE – VERBI REGOLARI *Simple Conditional – Regular verbs*		
PARLARE	**SCRIVERE**	**PARTIRE**
Io parlerei	Io scriverei	Io partirei
Tu parleresti	Tu scriveresti	Tu partiresti
Lui/Lei parlerebbe	Lui/Lei scriverebbe	Lui/Lei partirebbe
Noi parleremmo	Noi scriveremmo	Noi partiremmo
Voi parlereste	Voi scrivereste	Voi partireste
Loro parlerebbero	Loro scriverebbero	Loro partirebbero

CONDIZIONALE SEMPLICE – VERBI IRREGOLARI *Simple Conditional – Irregular verbs*				
	ESSERE	**AVERE**	**ANDARE**	**VENIRE**	**DIRE**
Io	sarei	avrei	andrei	verrei	direi
Tu	saresti	avresti	andresti	verresti	diresti
Lui/Lei	sarebbe	avrebbe	andrebbe	verrebbe	direbbe
Noi	saremmo	avremmo	andremmo	verremmo	diremmo
Voi	sareste	avreste	andreste	verreste	direste
Loro	sarebbero	avrebbero	andrebbero	verrebbero	direbbero
	VEDERE	**SAPERE**	**POTERE**	**DOVERE**	**VOLERE**
Io	vedrei	saprei	potrei	dovrei	vorrei
Tu	vedresti	sapresti	potresti	dovresti	vorresti
Lui/Lei	vedrebbe	saprebbe	potrebbe	dovrebbe	vorrebbe
Noi	vedremmo	sapremmo	potremmo	dovremmo	vorremmo
Voi	vedreste	sapreste	potreste	dovreste	vorreste
Loro	vedrebbero	saprebbero	potrebbero	dovrebbero	vorrebbero

GCSE in Italian

1 **Completa con il Condizionale.** *Complete the sentences with the Conditional.*

1. Sabato sera (io-volere) .... uscire con i miei amici.

2. Tania, (tu-potere) .... aiutarmi a finire la traduzione?

3. "Sono molto stanco e stressato." "Al posto tuo, io domani non (andare) .... al lavoro.

4. Marisa, (tu-andare) .... in panificio a comprare un po' di pane, per favore?

5. L'estate prossima mi (piacere) .... andare in vacanza in Inghilterra.

6. "Mi hanno appena rubato il portatile." "(Tu-dovere) .... chiamare la polizia adesso."

7. "Vorrei visitare una bella città inglese." "Al posto tuo, io (visitare) .... Bath."

8. Con un lavoro alla City io (guadagnare) .... molto di più.

9. Abitare a Mayfair (essere) .... troppo caro per me.

10. Giancarlo, (tu-accompagnarmi) .... alla stazione?

2 **Traduci in italiano le seguenti frasi.** *Translate into Italian the following sentences.*

1. You shouldn't work too much.

   ....

2. Mum, could you help me with the Italian exercises?

   ....

3. If I were you, I would go to Florence.

   ....

4. With a house like that, I would organize parties every week.

   ....

5. Franco should study more.

   ....

6. Francesca, would you get me some water, please?

   ....

Edizioni Edilingua
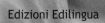

WORK AND EMPLOYMENT

1 **Leggi le seguenti lettere.** *Read the following letters.*

Gentili signori,
mi chiamo Deborah Smith, sono una studentessa inglese di 18 anni. Attualmente sto frequentando l'ultimo anno del liceo linguistico e sto per fare l'esame GCSE di Italiano. Vi contatto perché sarei interessata a lavorare come receptionist nel Vostro hotel nei mesi di luglio e agosto. Oltre all'inglese, sono in grado di parlare correntemente l'italiano, il francese, lo spagnolo e il tedesco. Ho una certa esperienza nel campo del turismo dato che ho fatto la receptionist part-time per un anno all'Hotel Ritz di Londra. Penso di essere una persona seria, responsabile e laboriosa e capace di comunicare in modo efficace con i turisti di ogni parte del mondo.
In attesa di una Vostra cortese risposta, Vi allego il mio curriculum vitae e Vi invio i miei più distinti saluti.

Deborah Smith

Gentile signorina Smith,
abbiamo letto la sua domanda di lavoro e siamo lieti di informarLa che abbiamo deciso di accettare la Sua candidatura. Stiamo organizzando la nuova reception e quindi stiamo assumendo nuovo personale. L'estate sta per cominciare e stanno arrivando molti turisti. Abbiamo dunque bisogno di una receptionist e Lei sembra avere tutti i requisiti necessari. Lo stipendio è di 900 euro al mese con vitto e alloggio pagati dall'albergo.
Cordialmente,
La Direzione dell'Hotel Michelangelo

2 Vero/Falso? **Indica se le affermazioni sono vere o false.**
True/False? Indicate whether the following statements are true or false.

	Vero	Falso
1. Deborah ha già finito la scuola.	○	○
2. Deborah ha già fatto l'esame GCSE di Italiano.	○	○
3. Deborah vorrebbe lavorare nella reception di un hotel.	○	○
4. Deborah parla diverse lingue.	○	○
5. Deborah non ha nessuna esperienza di lavoro.	○	○
6. La direzione dell'hotel vuole assumere Deborah.	○	○
7. L'albergo sta ricevendo molti turisti.	○	○
8. La direzione dell'hotel pagherà l'alloggio a Deborah.	○	○

Preparazione al
GCSE in Italian

a. Vocabolario *Vocabulary*

a tempo pieno = *full time*

andare in pensione = *to retire*

annuncio (di lavoro) = *classified advertisement, job announcement*

assumere = *to hire*

azienda = *firm, company*

campo = *field, sector*

candidarsi (rifl.) = *to apply for a job*

candidatura = *application, job candidacy*

capo = *boss*

casalinga = *housewife*

collega = *colleague*

colloquio (di lavoro) = *job interview*

commerciante = *businessman/businesswoman, trader*

commercio = *business*

competenza = *skill*

compilare = *to fill*

contratto = *contract*

curriculum vitae = *CV*

datore di lavoro = *employer*

dipendente = *employee, worker*

direttore = *director, executive, manager*

direzione = *director, manager*

dirigente = *director, executive, manager*

disoccupato = *unemployed*

disoccupazione = *unemployment*

ditta = *firm, company*

domanda (di lavoro) = *letter of application/job application*

esperienza = *experience*

essere in grado di + Infinito = *to be able to*

fare domanda di lavoro = *to apply for a job*

ferie = *paid holiday*

firmare un contratto = *to sign a contract*

full time = *full time*

giorno libero = *day off*

guadagnare = *to earn*

imprenditore = *entrepreneur (masc.), businessman*

imprenditrice = *entrepreneur (fem.), businesswoman*

impresa = *firm, company*

infermiera = *female nurse*

infermiere = *male nurse*

lavorare = *to work*

lavoratore = *workman*

lavoratrice = *workwoman*

lavoro = *work, job*

licenziamento = *dismissal, layoff, sacking, redundancy*

licenziare = *to fire, to dismiss*

manager = *manager*

mestiere = *profession, vocation*

modulo di domanda = *application form*

offerta di lavoro = *job offer*

operaio/a = *worker*

paga = *wage, salary*

pagare = *to pay*

part time = *part time*

pensionato/a = *retired*

pensione = *retirement*

personale = *staff*

posto = *post, position*

professione = *work, job*

ramo = *field, sector*

requisito = *requirement, prerequisite*

riunione = *meeting*

salario = *salary, wage*

sindacato = *trade union*

soldi = *money*

stipendio = *salary, wage*

vitto e alloggio = *room and board*

✏️ **b. Lavori, professioni, mestieri. Scrivi le parole sotto le immagini corrispondenti come negli esempi.**
Jobs, professions, vocations. Write the words under the corresponding images as in the examples.

> veterinario ◆ cameriere ◆ attore ◆ insegnante ◆ segretaria ◆ medico
> architetto ◆ cuoco ◆ meccanico ◆ commessa ◆ conducente/autista ◆ giornalista

receptionist

avvocato

operaio

parrucchiera

impiegato informatico

vigile urbano

Preparazione al
GCSE in Italian

Architetto, medico e avvocato si usano sempre nella forma maschile.
Architetto, medico and avvocato are used only in the masculine form.

Lui è architett**o**/medic**o**/avvocat**o**. - Lei è architett**o**/medic**o**/avvocat**o**.

> **Ricorda!** *Remember!*
> - **Che cosa/lavoro fai?** *What do you do?*
> - Io **sono** insegnante. If you use the verb essere, you don't use the definite article.
> - Io **faccio** l'insegnante. If you use the verb fare, you have to use the definite article.
> - Io **lavoro come** insegnante. If you use the verb lavorare, you have to use come.

c. I posti di lavoro. Inserisci la lettera come nell'esempio.
Workplaces. Insert the letter as in the example.

a. negozio	**b.** fabbrica	**c.** ristorante	**d.** ufficio
e. albergo	**f.** scuola	**g.** officina	**h.** ospedale

 1. *a*
 2.
 3.
 4.
 5.
 6.
 7.
 8.

(3) Completa le seguenti frasi con le parole dei punti a, b e c.
Complete the following sentences with the words of points a, b and c.

1. Un meccanico lavora in .... mentre un .... lavora nella cucina di un ristorante.

2. "Che .... fai?" "......................... insegnante. Lavoro in una scuola pubblica".

3. In Italia la gente va in .... a 65 anni.

4. Ho letto su Internet un'interessante .... di lavoro. Penso che manderò la mia candidatura.

5. Sono in .... di parlare italiano, inglese, spagnolo e francese.

Edizioni Edilingua

Chapter
4

6. Mio padre .... l'avvocato.

7. Nel mio .... c'è una scrivania, un telefono, un computer e una stampante.

8. Mio fratello lavora come dirigente in un'importante .... di moda.

9. In Italia un medico .... molti soldi.

10. Sono molto contenta perché vogliono assumermi in quella ditta. Domani firmerò il ....

11. In questo .... i camerieri sono molto bravi e gentili.

12. Uno dei .... per ottenere questo posto è essere in grado di parlare in inglese.

13. Sono contento perché da domani sono in .... per due settimane.

14. Nel mio .... vitae ho scritto che ho esperienza nel campo del turismo.

15. L'... di una fabbrica guadagna come la commessa di un negozio.

d. Le competenze/abilità *Skills*

Oltre all'inglese, sono in grado di parlare correntemente l'italiano, il francese, lo spagnolo e il tedesco. Ho una certa esperienza nel campo del turismo dato che ho fatto la receptionist part-time per un anno all'Hotel Ritz di Londra. Penso di essere una persona seria, responsabile e laboriosa e capace di comunicare in modo efficace con i turisti di ogni parte del mondo.

- **Posso/So/Sono capace di/Sono in grado di** + Infinito
  I can/I am able to + Infinitive

- ✳ **Competenze/abilità informatiche** *IT skills*
  Posso/So/Sono capace di/Sono in grado di usare Word, Excel, Power Point, Internet etc.

- ✳ **Competenze linguistiche** *Language skills*
  Posso/So/Sono capace di/Sono in grado di parlare inglese, italiano, spagnolo etc.

- ✳ **Competenze personali** *Personal skills*

- **Sono/Credo/Penso/Ritengo di essere** + competenza personale (personal skills)
  *Sono una persona **laboriosa** (hardworking), **affidabile** (reliable) e **onesta** (honest).*
  *Credo di essere una persona **calma** (calm/patient), **flessibile** (flexible) e **determinata** (determined).*
  *Penso di essere una persona **gentile** (polite/amiable), **attenta** (careful) ed **efficiente** (efficient).*
  *Ritengo di essere una persona **motivata** (motivated), **scrupolosa** (devoted/dedicated) e **intraprendente** (enterprising).*

- **Ho (una certa) esperienza nel campo/ramo...** *I have experience in the field...*
  Ho una certa esperienza nel campo turistico.
  Ho una certa esperienza nel campo dell'informatica.
  Ho esperienza nel ramo della scuola.

GCSE in Italian

e. Non solo ... ma anche.../Oltre a... *Not only ... but also.../Besides.../As well as...*

- **Oltre a** + Infinito + ..., ... **anche...** *Besides/As well as ...-ing, also...*
  Oltre a essere una persona onesta, sono anche molto determinato.

- **Oltre all'**inglese, sono in grado di parlare correntemente l'italiano, il francese, lo spagnolo e il tedesco.

- Sono in grado **non solo** di parlare l'inglese **ma anche** l'italiano, il francese, lo spagnolo e il tedesco.

4 **Scrivi delle frasi secondo il modello.** *Write some sentences as in the example.*

Esempio: Word **I** Power Point
> Oltre a Word, posso usare Power Point.
> Sono in grado non solo di usare Word, ma anche Power Point.

1. italiano **I** spagnolo

....

2. nel campo turistico **I** nel campo finanziario

....

3. Word **I** Excel

....

4. calmo/a **I** laborioso/a

....

5. nel ramo della scuola **I** nel ramo dell'università

....

6. inglese **I** francese

....

5 ***Cosa fa la gente al lavoro?* Tu e un tuo compagno fate dei mini-dialoghi come nel modello.**
What do people do at work? You and your friend make up some short dialogues as in the example.

Esempio: segretaria: scrivere mail **I** rispondere al telefono **I** spedire fax
giornalista: intervistare personaggi famosi **I** scrivere
articoli sul giornale **I** seguire gli avvenimenti

- Che lavoro fai?
- Faccio la segretaria: scrivo mail, rispondo al telefono e spedisco fax. E tu?
- Io sono giornalista: intervisto personaggi famosi, scrivo articoli sul giornale e seguo gli avvenimenti.

Edizioni Edilingua

Education and Work

School and University, Work and Employment, Family

1. impiegato informatico: usare molto il computer ❙ fare programmi ❙ fare riunioni
   cameriere/a: prendere le ordinazioni dei clienti ❙ servire ai tavoli ❙ portare i piatti ai clienti
2. insegnante: fare lezione ❙ correggere i compiti ❙ parlare con i genitori degli studenti
   meccanico: riparare le macchine ❙ sostituire i pezzi rotti ❙ controllare i motori
3. medico: visitare i pazienti ❙ curare i malati ❙ dare consigli per stare bene
   avvocato: ricevere i clienti in ufficio ❙ difendere le persone in tribunale ❙ parlare con i giudici
4. receptionist: rispondere al telefono ❙ scrivere mail ❙ dare informazioni ai clienti dell'albergo
   commesso/a: assistere i clienti ❙ mettere i vestiti in vetrina ❙ stare alla cassa
5. cuoco/a: tagliare la carne e la verdura ❙ cucinare ❙ preparare nuove ricette
   architetto: progettare nuove case ❙ visitare i cantieri ❙ rinnovare gli edifici
6. parrucchiere/a: tagliare/lavare/pettinare i capelli
   conducente: guidare lo scuolabus ❙ andare a prendere gli studenti ❙ accompagnare gli studenti a scuola

---

f. Descrivere un'azione che stai facendo mentre parli
To describe an action that you are doing while you are speaking

- **stare** + Gerundio:
  *Attualmente **sto frequentando** l'ultimo anno del liceo linguistico.*

GERUNDIO - VERBI REGOLARI		
Gerund - Regular verbs		
PARLARE	**SCRIVERE**	**PULIRE**
Io sto parlando	Io sto scrivendo	Io sto pulendo

GERUNDIO - VERBI IRREGOLARI		
Gerund - Irregular verbs		
FARE	**DIRE**	**BERE**
Io sto facendo	Io sto dicendo	Io sto bevendo

6 **Tu e un tuo compagno fate dei mini-dialoghi come nel modello.**
You and your friend make up some short dialogues as in the example.

Esempio: in ufficio ❙ scrivere una mail / in officina ❙ riparare una macchina
- *Pronto, dove sei?*
- *Sono in ufficio. Sto scrivendo una mail. E tu?*
- *Sono in officina. Sto riparando una macchina.*

1. a scuola ❙ correggere i compiti / al ristorante ❙ cucinare
2. al negozio ❙ mettere i vestiti in vetrina / ufficio ❙ spedire un fax
3. in ufficio ❙ fare una riunione / in libreria ❙ ordinare i libri sugli scaffali

GCSE in Italian

4. in fabbrica **I** lavorare / a casa **I** pulire il bagno

5. a scuola **I** preparare la lezione / nel mio studio **I** fare il progetto per un nuovo edificio

6. in cucina **I** tagliare le carote / in autobus **I** tornare a casa

g. Descrivere un'azione imminente *To describe a very close action which is about to happen*

- **stare + per** + Infinito (*to be about to do something*):
  Sto per fare l'esame GCSE di Italiano.

7 **Immagina di essere nelle seguenti situazioni. Scrivi quello che stai per fare sotto l'immagine come nell'esempio.** *Imagine that you are in these following situations. Write what you are about to do under the picture as in the example.*

Sto per scrivere una mail.

....

....

....

School and University, Work and Employment, Family

8 **Rispondi alle seguenti domande.** *Answer the following questions.*

1. Oltre a studiare, lavori part-time?

....

2. Che lavoro fanno i tuoi genitori?

....

3. Che lavoro vorresti fare in futuro?

....

4. Ti piacerebbe lavorare per un periodo in Italia?

....

5. Quali lingue straniere sei in grado di parlare oltre all'inglese?

....

6. Quali programmi o applicazioni del computer sai usare?

....

Attività di parlato (*Edexcel – Picture-based free-flowing discussion*) *Speaking task*
(4-6 minutes talking – preparation 2-3 minutes)

Suggested Questions

1. Perché hai scelto questa fotografia?
2. Quanto tempo hai lavorato in quel ristorante?
3. Ti piaceva lavorare lì?
4. Cosa dovevi fare?
5. Che lavoro intendi fare in futuro?

Preparazione al
GCSE in Italian

🔆 Suggerimenti *Tips* 🗨

❋ Perché hai scelto questa fotografia?
Ho scelto questa fotografia perché rappresenta/descrive/illustra il lavoro che ho fatto la scorsa estate.

❋ Quanto tempo hai lavorato in quel ristorante?
Ho lavorato in quel ristorante per + durata (duration):
Ho lavorato in quel ristorante per un mese/due mesi/tre mesi etc.

Ho lavorato da + mese (month) *a* + mese (month):
Ho lavorato da giugno a settembre.

❋ Ti piaceva lavorare lì?
Sì, mi piaceva lavorare lì perché il lavoro era + caratteristica positiva (positive characteristic'):
Sì, mi piaceva lavorare lì perché il lavoro era stimolante, interessante, facile, appassionante, potevo imparare molte cose etc.

No, non mi piaceva lavorare lì perché il lavoro era + caratteristica negativa (negative characteristic):
No, non mi piaceva lavorare lì perché il lavoro era faticoso, stressante, noioso, ripetitivo, troppo difficile etc.

❋ Che lavoro intendi fare in futuro?
In futuro/Dopo la scuola/Dopo l'università vorrei/mi piacerebbe fare + articolo determinativo + professione:
In futuro/Dopo la scuola/Dopo l'università vorrei/mi piacerebbe fare l'insegnante/l'imprenditore/il cuoco/la segretaria etc.

In futuro vorrei/mi piacerebbe lavorare come + professione:
In futuro/Dopo la scuola/Dopo l'università vorrei/mi piacerebbe lavorare come insegnante/imprenditore/cuoco/segretaria etc.

In futuro vorrei/mi piacerebbe lavorare + luogo:
In futuro/Dopo la scuola/Dopo l'università vorrei/mi piacerebbe lavorare all'estero/nella mia città/nel mio Paese/in un ufficio/in una scuola etc.

✏ Attività di scrittura (*Edexcel*) *Writing task*

An Italian hotel is hiring new staff for the summer months. Write a letter of application to the management team to apply.

You could mention:

- your details (name, nationality, age, current occupation, etc.)
- which kind of job you are interested in
- your skills (languages you can speak, IT programs you can use, personal skills, etc.)
- your previous work experience
- your personal interests

Edizioni Edilingua

Education and Work

School and University, **Work and Employment**, Family

💡 **Suggerimenti** *Tips* ✉

❋ Your details (name, nationality, age, current occupation, etc.)

Gentili signori,

mi chiamo + nome e cognome, **sono un ragazzo/una ragazza inglese di** + città di prove-nienza, ho ... anni e attualmente + occupazione:

Gentili signori,

mi chiamo Richard Smith, sono un ragazzo inglese di Birmingham, ho 17 anni e attualmente **sono/sto studiando** al terzo anno di scuola superiore.

❋ Which kind of job you are interested in

Vi contatto perché sarei interessato a lavorare come + professione (job):

Vi contatto perché sarei interessato a lavorare come cameriere/receptionist/barista/lavapiatti/aiuto cuoco etc.

❋ Your skills (languages you can speak, IT programs you can use, personal skills, etc.)

(Vedi punto d "Le competenze/abilità" a pagina 211. *See point d "Skills" on page 211*)

Posso/So/Sono capace di/Sono in grado di usare Word, Excel, Power Point, Internet etc.

Posso/So/Sono capace di/Sono in grado di parlare inglese, italiano, spagnolo etc.

Sono una persona **laboriosa**, **affidabile** e **onesta**.

Credo di essere una persona **calma**, **flessibile** e **determinata**.

❋ Your previous work experience

Ho (una certa) esperienza nel campo/ramo... *I have experience in the field...*:

Ho una certa esperienza nel campo turistico.

Ho lavorato come/Ho fatto + professione nel campo/ramo per + durata (duration) + luogo:

Ho lavorato come receptionist per due anni all'Hotel Excelsior di Londra.

Ho fatto il cameriere presso (*form.*) l'albergo Ritz di Londra per un anno.

❋ Your personal interests

Sono appassionato di/Mi intendo di/Ho una grande passione per + interesse/i (interest/s):

Sono appassionato di sport, il calcio in particolare.

Mi intendo di francobolli/libri/Formula Uno etc.

Ho una grande passione per la lettura/gli scacchi/l'arte etc.

👥 **Attività di lettura** (*Edexcel – F/H*) *Reading Task*

Work

Read this announcement.

L'albergo *Danieli* di Venezia assume tre receptionist e cinque camerieri per i mesi di giugno, luglio, agosto e settembre. I candidati devono inviare la domanda di lavoro con il curriculum e tre fotografie formato tessera entro il 15 maggio. I requisiti necessari sono: esperienza in campo turistico, conoscenza della lingua italiana e inglese, grande flessibilità e determinazione. L'età minima del candidato è 16 anni. Per maggiori informazioni, potete contattare il manager Paolo Restilli (Tel. 041-5642367 – paolorestilli@hoteldanieli.it).

Preparazione al GCSE in Italian

GCSE in Italian

Put crosses (**X**) next to the **four** correct statements.

Example: *Danieli Hotel* is in Venice.	X
a. *Danieli Hotel* is hiring five receptionists and three waiters.	
b. The candidates will start working on the 15th of May.	
c. The applications must be sent by the 15th of May.	
d. The candidates must include a CV and three photographs.	
e. One prerequisite is work experience in Italy.	
f. One prerequisite is to be able to speak Italian.	
g. The candidate must be Italian.	
h. The candidate must be at least sixteen years old.	

(16) Attività d'ascolto (*Edexcel - H*) Listening Task

Working during the summer

Answer these questions in English.

a. What did Alessandro do during last summer and where?

....(2)

b. What time did he start working in the morning?

....(1)

c. What time did he stop working in the evening?

....(1)

d. Mention two things he had to do at work.

....(2)

e. Mention one thing he did when he had the day off.

....(1)

f. What will he do with the money he earned?

....(1)

⚘ Grammatica *Grammar*

- Attualmente sto frequentando l'ultimo anno del liceo linguistico.
- Stiamo organizzando la nuova reception e quindi stiamo assumendo nuovo personale.
- Stanno arrivando molti turisti.

IL TEMPO PROGRESSIVO: *STARE* + GERUNDIO
To be + -ing (Gerund)

Il Tempo Progressivo si usa per esprimere un'azione che succede/avviene nel momento in cui si parla. Si forma con il Presente del verbo stare seguito dal Gerundio.

Al passato descrive un'azione continua avvenuta in un particolare momento: *Ieri alle 8 di sera* **stavo cenando**. Si forma con l'Imperfetto del verbo stare seguito dal Gerundio.

The Progressive Tense is used to express an action taking place at the moment of the speech. It is formed with the verb stare + the Gerund (-ing).

In the past it expresses a continuous action that was happening around a particular time. It is formed with the Imperfetto of stare + the Gerund (-ing).

STARE (Presente) + Gerundio *am/is/are -ing*	*STARE* (Imperfetto) + Gerundio *was/were -ing*
Io sto lavorando.	Io stavo lavorando.
Tu stai scrivendo.	Tu stavi scrivendo.
Lui/Lei sta partendo.	Lui/Lei stava partendo.
Noi stiamo facendo colazione.	Noi stavamo facendo colazione.
Voi state dicendo cose sbagliate.	Voi stavate dicendo cose sbagliate.
Loro stanno bevendo vino.	Loro stavano bevendo vino.

GERUNDIO - VERBI REGOLARI		
PARL**ARE**	SCRIV**ERE**	PART**IRE**
parlando	scrivendo	partendo

GERUNDIO - VERBI IRREGOLARI		
FARE	DIRE	BERE
facendo	dicendo	bevendo

- Sto per fare l'esame GCSE di Italiano.
- L'estate sta per cominciare.

STARE + *PER* + INFINITO
To be about to do something

Stare (Presente o Imperfetto) + per + Infinito si usa per esprimere un'azione imminente (*it is used to express an imminent action*):

Sta per piovere. It is about to rain.

Stavo per chiamarti. I was about to call you.

Preparazione al
GCSE in Italian

1 **Completa con stare + Gerundio.** *Complete with stare + the Gerund.*

1. Adesso Franco (fare) .... la doccia.

2. A quest'ora ieri (io-studiare) .... Italiano.

3. Attualmente Nicola e Federico (lavorare) .... in un supermercato.

4. Marisa ora (andare) .... a scuola.

5. Ci siamo incontrati quando (noi-tornare) .... a casa.

6. "Pronto, Catia, cosa (tu-fare)... ?" "(Io-scrivere)... una mail."

7. Quando il papà è entrato i bambini (giocare) ....

8. Io e Patrizia (fare) .... i compiti e dunque non possiamo venire a casa tua.

9. In quel momento io (dormire) ...., ecco perché non ho sentito niente.

10. "Pronto, Franca, (guardare) .... la TV?" "No, (ascoltare) .... la radio.

2 **Traduci in italiano le seguenti frasi.** *Translate into Italian the following sentences.*

1. "What are you doing?" "I am having breakfast."

....

2. I am about to go out.

....

3. I was about to take a shower when Fillippo called me.

....

4. We are about to start university.

....

5. Franco was drinking a glass of wine at that moment.

....

6. Alessandro is about to finish the exam.

....

7. I was studying Italian Literature when Gino phoned me and told me that I had to do the job interview.

....

8. They were about to leave when I stopped them.

....

9. At this time yesterday we were sleeping.

....

10. I was about to write the letter of application form when Marco arrived.

....

Edizioni Edilingua

FAMILY

1 **Leggi il seguente dialogo.** *Read the following dialogue.*

Marco: Loredana, sei stata molto gentile a invitarmi per il tuo compleanno: la tua casa è molto bella, tua madre cucina benissimo, tuo padre è molto intelligente e i tuoi fratelli sono molto simpatici.

Loredana: Grazie. Adesso non vedo l'ora di conoscere la tua famiglia. Come si chiamano i tuoi genitori?

Marco: Mio padre si chiama Ezio e mia madre si chiama Lisa. Come sai, ho anche una sorella e un fratello, tutti e due più piccoli di me. Aspetta, ho qui con me una foto della mia famiglia. Ecco.

Loredana: Allora, tuo padre è quello a destra alto con i capelli corti e neri?

Marco: Sì, è lui.

Roberto: E quella ragazzina magra con i capelli castani e lisci è tua sorella?

Marco: Sì, si chiama Rossella. E il bambino con i capelli biondi è Ruggero. Il signore a sinistra di mia sorella è mio nonno.

Loredana: E quella bella signora alta con i capelli neri è tua madre?

Marco: Sì.

Loredana: Caspita! È molto giovane! Ma dimmi una cosa, ci saranno tutti per la cena a casa tua sabato prossimo?

Marco: Certo, e verranno anche i miei parenti: mio zio Enrico con sua moglie Adriana e anche le mie cugine: Orietta che è incinta, e Sonia, che al momento è nubile. Comunque, non preoccuparti, ho già detto a tutti che sei bella, simpatica, con gli occhi azzurri e i capelli rossi.

2 **Indica le affermazioni presenti nel testo scegliendo** sì o no.
Indicate the sentences which are in the text by choosing sì or no.

	Sì	No
1. Loredana vuole conoscere i genitori di Marco.	○	○
2. Marco ha un fratello e una sorella.	○	○
3. Loredana chiede a Marco se ha una foto della sua famiglia.	○	○
4. Secondo Loredana, la sorella di Marco è bella.	○	○
5. Ruggero è il bambino con i capelli biondi.	○	○
6. Nella fotografia c'è il nonno di Marco.	○	○
7. Secondo Loredana, il padre di Marco è molto giovane.	○	○
8. Una delle due cugine di Marco aspetta un bambino.	○	○

a. Vocabolario *Vocabulary*

aspettare un bambino = *to be expecting a baby*

avere un bambino = *to give birth*

celibe = *single, unmarried man*

coniuge = *spouse*

consorte = *consort, spouse*

convivere = *to live together*

dare alla luce = *to give birth*

divorziare = *to divorce*

divorziato/a = *divorced*

essere incinta = *to be pregnant*

fidanzarsi (*rifl.*) = *to get engaged*

famiglia = *family*

femmina = *female*

fidanzato/a = *engaged*

gemello/a = *twin*

lasciarsi = *to split up, to break up*

maschio = *male*

matrimonio = *marriage*

GCSE in Italian

nubile = *single, unmarried woman*
parenti = *relatives*
partorire = *to give birth*

separarsi (*rifl.*) = *to split up, to break up*
single = *single*

sposarsi = *to get married*
sposato/a = *married*
vivere insieme = *to live together*

b. **L'albero genealogico. Guarda l'albero genealogico e completa le frasi con le parole della lista.**
Family tree. Look at this family tree and complete the sentences with the words of the list.

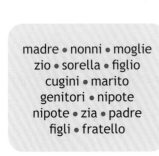

madre • nonni • moglie
zio • sorella • figlio
cugini • marito
genitori • nipote
nipote • zia • padre
figli • fratello

1. Carla è la .... di Maria e Federico.
2. Alberto è il .... di Maria e Federico.
3. Monica è la .... di Federico.
4. Paolo è il .... di Maria.
5. Maria e Paolo sono i .... di Vittorio.
6. Fabrizio e Donatella sono i .... di Monica e Federico.
7. Vittorio è il .... di Paolo e Maria.
8. Federico è il .... di Maria.
9. Donatella è la .... di Fabrizio.
10. Fabrizio e Donatella sono i .... di Vittorio.
11. Paolo è lo .... di Fabrizio e Donatella.
12. Monica è la .... di Vittorio.
13. Vittorio è il .... di Alberto e Carla.
14. Donatella è la .... di Maria e Paolo.
15. Alberto e Carla sono i .... di Vittorio, Fabrizio e Donatella.

3 **Completa le seguenti frasi con le parole dei punti** a e b.

Complete the following sentences with the words of points a and b.

1. Marco e Sara non sono sposati ma ....
2. "Come si chiamano i tuoi ....?" "Mio .... si chiama Stefano e mia madre si chiama Silvia."
3. Francesco ha un fratello e una ....
4. Monica è molto contenta perché .... un bambino.
5. Alberto non è sposato e vuole restare .... per tutta la vita.
6. Mario e Daniela sono fidanzati da molto tempo e il mese prossimo ....
7. I miei .... sono molto vecchi.
8. A Natale vengono sempre a casa mia gli zii e i miei ....
9. Dopo un lungo matrimonio, Carlo e Anna hanno deciso di ....
10. Io ho due sorelle e un ....

c. *Com'è lui/lei?* **Descrivere le persone (descrizione fisica)** *To describe people (physical description)*

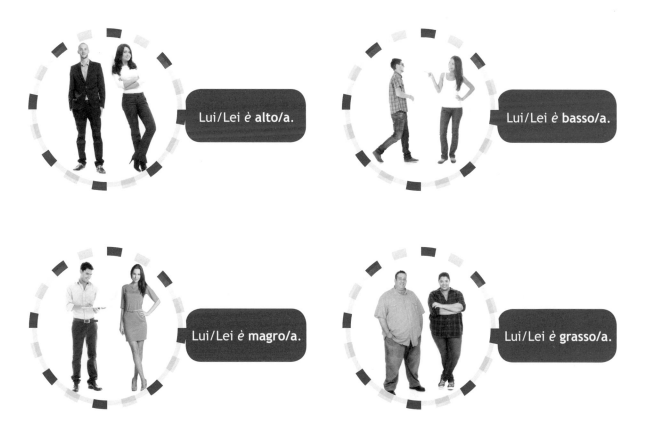

Lui/Lei è **alto/a**.

Lui/Lei è **basso/a**.

Lui/Lei è **magro/a**.

Lui/Lei è **grasso/a**.

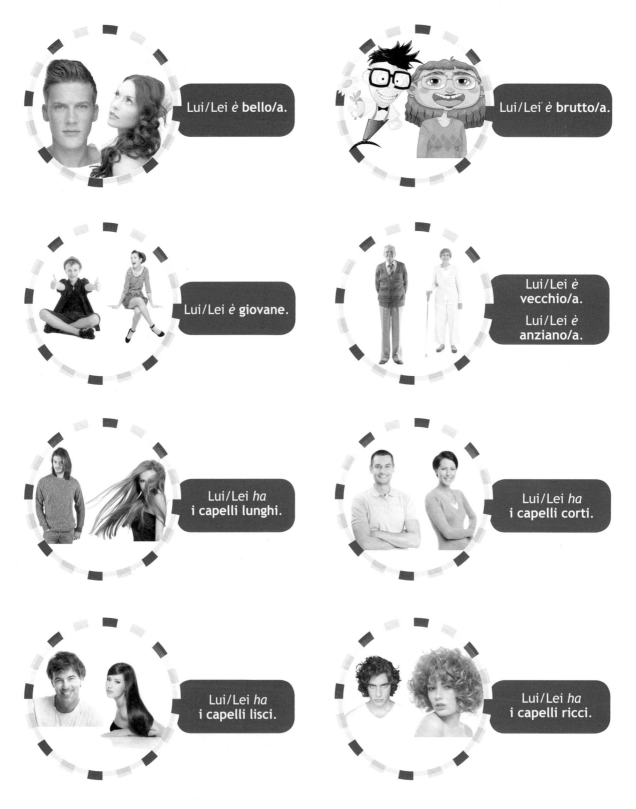

Lui/Lei è *bello/a*.

Lui/Lei è *brutto/a*.

Lui/Lei è *giovane*.

Lui/Lei è *vecchio/a*.
Lui/Lei è *anziano/a*.

Lui/Lei *ha* i capelli lunghi.

Lui/Lei *ha* i capelli corti.

Lui/Lei *ha* i capelli lisci.

Lui/Lei *ha* i capelli ricci.

Edizioni Edilingua

Lui/Lei *ha*
i capelli biondi.
*He/She has (got)
blonde hair.*

Lui/Lei *è* **biondo/a.**
*He/She is blonde
haired.*

Lui/Lei *ha*
i capelli neri.
*He/She has (got)
black hair.*

Lui/Lei *è* **bruno/a.**
*He/She is black
haired.*

Lui/Lei *ha*
i capelli castani.
*He/She has (got)
brown hair.*

Lui/Lei *è* **castano/a.**
*He/She is brown
haired.*

Lui/Lei *ha*
i capelli rossi.
*He/She has (got)
red hair.*

Lui/Lei *ha* gli occhi
neri/azzurri/verdi/
marroni (castani).

*He/She has (got)
black/blue/green/
brown eyes.*

Lui *è* **calvo.**

Lui *ha* i baffi.

Lui *ha* la barba.

GCSE in Italian

4 **Fa' la descrizione fisica di queste persone.** *Give a physical description of these people.*

Roberto ....

....

....

....

....

....

Annalisa ....

....

....

....

....

....

Il signor Rossi ....

....

....

....

....

....

Flavio ....

....

....

....

....

....

Jessica ....

....

....

....

....

....

Yassin ....

....

....

....

....

....

Filippo ....

....

....

....

Cathy ....

....

....

....

d. Identificare/Indicare le persone *To identify/indicate people*

Loredana: *Allora, tuo padre* **è quello a destra alto con i capelli corti e neri**?

Marco: *Sì, è lui.*

Loredana: *E* **quella ragazzina magra con i capelli castani e lisci è tua sorella**?

Marco: *Sì, si chiama Rossella. E* **il bambino con i capelli biondi è Ruggero**. *Il signore a sinistra di mia sorella è mio nonno.*

Loredana: *E* **quella bella signora alta con i capelli neri è tua madre**?

- **è quello/a** + aggettivo (adjective):

  ...è quello alto e magro.

  ...è quella bassa e grassa.

- **è quello/a** + **con** + descrizione parte del corpo (description of the part of the body):

  ...è quello con gli occhi azzurri e i capelli lunghi e ricci.

  ...è quella con gli occhi verdi e i capelli biondi e lisci.

5 **Guardando la fotografia, tu e un tuo compagno fate dei mini-dialoghi come nell'esempio.**
Looking at the picture you and your friend make up some dialogues as in the example.

- *Chi è Alessandra?*
- *È quella a sinistra, giovane, bella, con i capelli lunghi, ricci e biondi.*

Preparazione al
GCSE in Italian

e. *Com'è di carattere lui/lei?* Descrizione psicologica – Il carattere
Psychological description – Character

Lui/Lei è **buono/a** (*good/kind*).
  cattivo/a (*bad/nasty/naughty*).
  simpatico/a (*nice*).
  antipatico/a (*unpleasant/annoying*).
  allegro/a (*merry/cheerful/happy*).
  triste (*sad*).
  severo/a (*strict*).
  timido/a (*shy/timid*).
  intelligente (*intelligent/clever/smart*).
  educato/a (*polite*).
  gentile (*kind/polite*).
  maleducato/a (*rude/ill-mannered*).
  generoso/a (*generous*).
  pigro/a (*lazy*).
  ambizioso/a (*ambitious*).

6 **Completa le seguenti frasi con le parole del punto e.**
Complete the following sentences with the words of point e.

1. Mia sorella Maria ti aiuta sempre se hai un problema, è veramente ....
2. Quando esco con mio cugino Claudio mi diverto sempre perché lui è un ragazzo ....

   ....
3. Mia cugina Giorgia si comporta bene perché è una ragazza gentile ed ....
4. Mio fratello Roberto purtroppo si comporta sempre male perché è antipatico e ....

   ....
5. Tua sorella Alessia vuole diventare un'attrice famosa, è davvero ....
6. Daniele è .... perché lui e la sua fidanzata si sono lasciati.
7. I miei nonni sono molto .... Quando vado da loro mi regalano sempre 20

   euro.
8. Mio zio Enrico è un po' ...., lavora poco, dorme molto, non fa sport e

   guarda molta TV.
9. Mia zia parla poco durante una conversazione perché è un po' ....
10. Mio padre ha due lauree e tre master, lui è molto ....

228

Edizioni Edilingua

7 **Tu e un tuo compagno fate dei mini-dialoghi come nell'esempio.**
You and your friend make up some short dialogues as in the example.

Esempio: padre **I** età / madre **I** nome

- **Quanti anni ha** *tuo padre?*
- *Mio padre ha ... anni. E tua madre* **come si chiama**?
- *Mia madre si chiama ... .*

! Attenzione: *Sono figlio/a unico/a. I am an only child.*

1. sorella **I** lavoro / fratello **I** nome
2. cugina **I** descrizione fisica / tuo cugino **I** carattere
3. nonno **I** età / nonna **I** nome
4. padre **I** carattere / madre **I** carattere
5. fratello **I** lavoro / sorella **I** età
6. zio **I** nome / zia **I** nome

8 **Rispondi alle seguenti domande.** *Answer the following questions.*

1. Quanti siete in famiglia?

....

2. Come si chiamano i tuoi genitori?

....

3. Che cosa fa tuo fratello?

....

4. Quanti anni ha tua sorella?

....

5. Hai cugini?

....

6. Com'è di carattere tuo padre?

....

Attività di parlato (*AQA – Cross Context*) *Speaking Task*

Task: To live with an Italian family
A friend of yours is asking you about your recent vacation exchange in an Italian family. He/She also would like to have the same experience. Your teacher will play the role of your friend.

Your teacher will ask you the following:
- how long your vacation lasted and where it was
- whether you liked it and why
- whether you had any problem during your stay

Preparazione al
GCSE in Italian

- a brief description of the members of the family that hosted you
- the importance of having such an experience in a foreign country
- whether you missed your family
- !

! Remember, at this point, you will have to respond to something you have not yet prepared.

The dialogue will last between 4 and 6 minutes.

Suggerimenti *Tips*

✻ How long your vacation lasted and where it was
Sono andato/Ho vissuto a Roma per tre mesi a casa di una famiglia italiana.
Sono stato in una famiglia italiana per tutta l'estate a Venezia.

✻ Whether you liked it and why
Sì, la vacanza mi è piaciuta un sacco perché mi sono divertito, ho mangiato bene e ho imparato molte cose sulla cultura italiana.
Sì, devo dire che è stata un'esperienza positiva perché la famiglia era molto gentile e ospitale e mi ha aiutato molto.
Sì, ho fatto molte cose, per esempio sono andato al ristorante, ho potuto migliorare il mio italiano e ho conosciuto tante persone.

A dire il vero non mi sono divertito molto perché non ho fatto molte cose.
Purtroppo la vacanza non è stata molto interessante perché non ho conosciuto quasi nessuno e durante il giorno andavo solo a studiare Italiano.
No, questa vacanza non mi è piaciuta per niente perché la famiglia non era per niente ospitale, il tempo era sempre brutto e mi sono annoiato molto.

✻ Whether you had any problem during your stay
No, durante la vacanza non ho avuto nessun (tipo di) problema.
Sfortunatamente/Purtroppo durante la vacanza mi hanno rubato il portafoglio/ho litigato con (I quarrelled with).../non capivo bene la lingua e dunque non riuscivo a parlare con nessuno etc.

✻ A brief description of the members of the family that hosted you
La famiglia era composta da + numero + **persone**: il padre, che si chiama ..., ha circa ... anni, un uomo alto, con i capelli corti e neri, simpatico. Poi la madre, che si chiama ... etc. Poi c'era il **figlio maggiore/più grande** (eldest) che si chiama ... etc. Poi, **il fratello più piccolo** (youngest) che si chiama ... etc.

✻ The importance of having such an experience in a foreign country
Secondo me, fare/vivere un'esperienza di questo tipo è molto importante perché...
...puoi imparare e capire molte cose sulla cultura italiana.
...ti fa maturare (it makes you grow wiser/mature) e ti fa diventare più sicuro e indipendente.
...puoi imparare bene e in modo naturale una lingua straniera.
...puoi vivere diverse situazioni e fare nuovi amici.

✻ Whether you missed your family
Certamente la mia famiglia mi è mancata moltissimo.
Ovviamente ho sentito la mancanza dei miei genitori e dei miei fratelli.

Edizioni Edilingua

i Attività di scrittura (**AQA – Cross Context**) *Writing task*

Task Title: YOU AND YOUR FAMILY
Write an e-mail to your Italian friend to describe you and your family mentioning your relationship with your brothers and parents.

You could mention:

- your physical description and your character
- a description of the members of your family including name, age, job, physical description and character
- your relationship with them
- how you and your family spend free time together
- why family is important to you
- when you would like to start to live by yourself
- your future family plans

💡 Suggerimenti *Tips* *i* ✉

※ **Your physical description and your character**
Sono + descrizione fisica (physical description):
Sono giovane, alto/a, magra/a, ho i capelli lunghi e biondi etc.

Penso/Credo di essere + carattere (character):
Penso di essere gentile ed educato/a.

※ **Description of the members of your family including name, age, job, physical description and character**
Dunque, noi siamo in + numero dei componenti della famiglia + descrizione:
Dunque, noi siamo in quattro. Mio padre si chiama Giorgio, ha 50 anni, è avvocato. Lui è alto, ha i capelli corti e neri, ha gli occhi castani etc. Lui è molto buono e simpatico. Poi c'è mia madre, lei si chiama Loredana, ha 46 anni a lavora in banca. Lei è bella, ha i capelli lunghi e castani e gli occhi verdi. Lei è molto buona e gentile. Poi c'è mio fratello Alessandro, lui ha 15 anni e va a scuola come me. Lui è un po' basso, ha i capelli biondi corti etc.

※ **Your relationship with them**
Vado d'accordo con tutti. *I get along with everybody.*
Siamo una famiglia molto unita e ci aiutiamo a vicenda. *We are a very united/close family and we help each other.*
Sono molto legato alla mia famiglia. *I am very close to my family.*
Amo molto la mia famiglia./Voglio molto bene alla mia famiglia. *I love my family so much.*

※ **How you and your family spend free time together**
Nel tempo libero/Il fine settimana/Il sabato sera etc. io e la mia famiglia andiamo al ristorante/ facciamo una gita in campagna/andiamo al cinema etc.

GCSE in Italian

✿ Why family is important to you

La mia famiglia è molto importante per me perché…
…è un sostegno sicuro nei momenti difficili (is a support in difficult times).
…mi aiuta ad affrontare/a superare le difficoltà della vita (helps me to face and overcome difficulties in life).
…mi incoraggia ad andare avanti (encourages me to go ahead).
…posso sempre contare sui miei genitori, mio fratello/i miei fratelli/mia sorella/le mie sorelle (I can always count on my parents, my brother/brothers and my sister/sisters).

✿ When you would like to start to live by yourself

Penso che andrò/di andare a vivere **da solo/a/per conto mio** (by myself)…
…dopo i 18 anni.
…quando comincerò a studiare all'università.
…dopo l'università.
…quando comincerò a lavorare.

✿ Your future family plans

Veramente non so ancora quando avrò una famiglia.
Veramente è ancora presto per parlare della mia famiglia futura. Actually, it's too early to talk about my future family.
Vorrei avere due figli/una famiglia grande/numerosa.
Vorrei/Penso di sposarmi dopo i trent'anni. I would like to get married after thirty.

👤 **Attività di lettura (AQA – H)** *Reading task*

Read these comments in a Disqus.

I GIOVANI E LA FAMIGLIA

Paola

Vorrei sposarmi dopo l'università, quando avrò trovato un lavoro stabile perché, secondo me, la sicurezza economica è molto importante per avere dei figli. Ad ogni modo, adesso è un po' presto per parlare della mia famiglia futura, anche perché prima vorrei fare altre cose, come per esempio viaggiare in altri paesi e magari vivere per un anno in Inghilterra lavorando.

Cristiano

A casa mia c'è sempre stata molta confusione perché la mia famiglia è molto numerosa. Ho tre fratelli e due sorelle che studiano all'università e io sono il più piccolo. In futuro, quando sarò adulto, non mi piacerebbe avere una famiglia numerosa ma al massimo un figlio, anzi forse preferirei vivere da solo e fare quello che voglio. Potrei andare a divertirmi il fine settimana, dedicarmi con maggiore impegno al lavoro e anche viaggiare all'estero.

Edizioni Edilingua

Alessio

Ho 20 anni e ho già un bambino. Io e la mia fidanzata abbiamo deciso di fare una famiglia molto presto. Ci sposeremo il prossimo mese e all'inizio abiteremo a casa dei miei genitori perché per adesso non possiamo permetterci di pagare l'affitto di una casa e in più prima vorremmo finire l'università. Per noi non è un problema e nemmeno per mio padre e mia madre perché loro sono molto contenti di stare con noi e nostro figlio.

Fabiana

Sono studentessa universitaria e figlia unica. Il mio grande sogno è quello di avere una grande famiglia con molti bambini. So che sarei una buona madre che farebbe tutto il necessario per il bene dei suoi figli. Per esempio, gli darei una buona educazione, li porterei al parco, al cinema o in piscina per farli divertire e ovviamente li aiuterei nei momenti difficili.

Write the correct letter in the boxes.

(a) (i) The four people are discussing ...

A. family and children.

B. work and university.

C. work and partners.

(a) (ii) Paola thinks that before starting a family ...

A. she needs to finish school.

B. she needs to start to study at university.

C. she would like to travel.

Answer the questions.

(b) (i) Mention two things Cristiano could do as a single person.

1. ....
2. ....

(b) (ii) Give one reason why Alessio and his partner will have to live with his parents when they get married.

1. ....

(b) (iii) Mention two things Fabiana would do for her children's good.

1. ....
2. ....

GCSE in Italian

 Attività d'ascolto (*AQA – H*) *Listening task*

Family

Matteo is talking about his family.

Who ...

A. studies in the primary school?

B. is tall and a little fat?

C. is 38 years old?

D. is nice and generous?

E. has brown hair and green eyes?

F. has long and blonde hair?

Write the correct letter in the boxes.

a. His brother. ☐

b. His mother. ☐

c. His sister. ☐

d. His father. ☐

Grammatica *Grammar*

 **Leggi le frasi e completa lo schema.**
Read the sentences and complete the chart.

Marco: Loredana, sei stata molto gentile a invitarmi per il tuo compleanno: la tua casa è molto bella, tua madre cucina benissimo, tuo padre è molto intelligente e i tuoi fratelli sono molto simpatici.

Loredana: Grazie. Adesso non vedo l'ora di conoscere la tua famiglia. Come si chiamano i tuoi genitori?

Marco: Certo, e verranno anche i miei parenti: mio zio Enrico con sua moglie Adriana e anche le mie cugine: Orietta che è incinta, e Sonia, che al momento è nubile.

School and University, Work and Employment, **Family**

AGGETTIVI POSSESSIVI				
Possessive adjectives				
	SINGOLARE *Singular*		**PLURALE** *Plural*	
	MASCHILE *Masculine*	**FEMMINILE** *Feminine*	**MASCHILE** *Masculine*	**FEMMINILE** *Feminine*
io	il mio amico	la mia giacca	i .... genitori	le .... scarpe
tu	il .... maestro	la .... casa	i .... amici	le tue matite
lui – lei/Lei	il suo libro	la sua maglietta	i suoi cugini	le sue idee
noi	il nostro ufficio	la nostra macchina	i nostri vicini	le nostre amiche
voi	il vostro cane	la vostra città	i vostri problemi	le vostre borse
loro	il loro gatto	la loro maestra	i loro vestiti	le loro sedie

Gli aggettivi possessivi sono normalmente preceduti dall'articolo determinativo e concordano con il genere e il nome di riferimento.

The possessive adjectives are normally preceded by the definite article and they agree with the gender and the number of the noun they refer to.

il mio amico   i nostri amici   la tua amica
le tue amiche   il suo vicino   i suoi vicini

Attenzione! *Attention!*

❋ Non si deve usare l'articolo determinativo con i nomi della famiglia al singolare tranne con l'aggettivo di terza persona plurale loro (*the definite article must not be used with the nouns regarding singular family members and relatives except with the third plural person adjective loro*): **tua** madre, **nostro** zio, **mio** fratello, **suo** zio, **il loro** padre, **la loro** madre.

❋ Ma (*but*) si deve usare l'articolo determinativo (*the definite article must be used*):
  • con nomi della famiglia al plurale (*with the nouns regarding plural family relatives*): **le mie** sorelle, **i tuoi** fratelli etc.
  • e anche con (*and also with*) **il mio fratello maggiore, il mio fratello più piccolo, il mio fratellino, il mio papà/babbo, la mia sorellina, la mia mamma** etc.

1 Inserisci gli aggettivi possessivi. *Insert the possessive adjectives.*

1. Ti piace .... macchina nuova? L'ho comprata una settimana fa.
2. Ieri sera sono uscito con .... fidanzata.
3. "Come si chiama la sorella di Francesco?" "........................... sorella si chiama Daniela."
4. .... cugino, che lavora in una banca, viene a casa mia molto spesso.
5. Marco, c'è .... madre che aspetta fuori.
6. "Queste matite sono di Roberto?" "Sì, sono .... matite."

7. "Che lavoro fa tuo padre?" "........................... padre fa l'avvocato."

8. Carlo, è grande .... appartamento?

9. Il signor Rossi è venuto al lavoro con .... figlia.

10. Massimo, ... moglie ti aspetta all'uscita del teatro.

2 **Inserisci gli aggettivi possessivi.** *Insert the possessive adjectives.*

1. .... amiche vivono a Londra. Mi hanno invitato ad andarle a trovare.

2. .... madre si chiama Lucia e le voglio molto bene.

3. Io e .... marito ci siamo conosciuti in Italia.

4. .... sorelle si sono divertite alla festa.

5. .... cane è molto bello. Da quanto tempo ce l'hai?

6. .... cugini sono di Milano. Ogni tanto gli telefono per sapere come stanno.

7. Abito vicino allo stadio, ... casa non è molto grande.

8. Venite anche tu e .... sorella alla festa?

9. .... fratello si chiama Ruggero. Vado molto d'accordo con lui.

10. .... genitori si sono addormentati tardi ieri sera perché hanno guardato tutto il film.

3 **Trasforma le seguenti frasi come nel modello.**
Transform the following sentences as in the example.

Esempio: Francesco ha una macchina rossa.

La sua macchina è rossa.

1. Noi abbiamo un gatto molto bello.

....

2. Io ho una casa piccola.

....

3. Voi avete una famiglia numerosa.

....

4. Io ho un computer nuovo.

....

5. Carmine e Sara hanno un appartamento molto elegante.

....

6. Io ho una fidanzata educata e gentile.

....

Preparazione al
GCSE in Italian

Marco De Biasio

AQA

Italian   H
Higher Tier
Controlled Assessment: Unit 3 Speaking + Unit 4 Writing

EDILINGUA

AQA

General Certificate of Secondary Education

Italian

Higher Tier

Unit 3 - Speaking (60 marks – 30% of the marks)

You are likely to face the following type of instruction in the controlled assessment.

Students have to do **two** controlled assessment tasks. These may be drawn from the exemplar tasks we provide or they may be adapted by teachers for their students. Teachers may also devise their own tasks.

Both tasks will be in the form of a dialogue. The tasks will be marked by the teacher and submitted to AQA for moderation.

GCSE in Italian

Context: Leisure - Free Time Activities

Task: My free time

You and your Italian friend are talking about how you spend your free time. Your teacher will play the part of your Italian friend and will ask you the following:

- describe what you like to do in your free time
- describe what kind of leisure activities you used to do when you were a kid
- where you went and what you did last weekend
- what you would like to do next weekend
- whether there are leisure activities you do not like to do and why
- the importance of spending free time with your friends
- !

! Remember, at this point, you will have to respond to something that you have not yet prepared.
The dialogue will last between 4 and 6 minutes.

Context: Leisure - Holidays

Task: Holidays in Italy

An Italian friend living in your country asks you about your recent holidays in Italy.

Your teacher will play the part of your Italian friend and will ask you the following:

- your general impressions of Italy
- which places you visited and what you did in Italy
- how long you stayed in Italy
- your opinions about Italian food
- where you went last summer on holidays
- where you would like to go next summer
- !

! Remember, at this point, you will have to respond to something that you have not yet prepared.
The dialogue will last between 4 and 6 minutes.

Edizioni Edilingua

Controlled Assessment: Unit 3 - Speaking

Context: Home and the Environment - Environment

Task: Environment and pollution

Your Italian friend has just arrived at your house for an exchange study experience. He/She is interested in environmental issues and would like to ask you some questions about the environment and pollution of the area where you live. Your teacher will play the role of your Italian exchange partner.

Your teacher will ask you the following:

- whether the area where you live is polluted
- whether you do anything to improve the environment
- what things your local council should do to improve the environment of your area
- what you think about environmental problems
- whether you have any pets in your house
- which are the main green areas of your city and most important national parks in your country
- !

! Remember, at this point, you will have to respond to something that you have not yet prepared.

The dialogue will last between 4 and 6 minutes.

Context: Work and Education - School/College and Future Plans

Task: School and work

You are being interviewed by an Italian student who is conducting a survey about the relationship between school and work in your country. Your teacher will play the part of the Italian student and will ask you the following:

- which year of school you are currently in
- your favourite school subject(s)
- whether you will go on to study at university and why
- whether it is easy in your country to find a good job after finishing school
- what are the most required skills to get a good job in your country
- in which field you would like to work
- !

! Remember, at this point, you will have to respond to something that you have not yet prepared.

The dialogue will last between 4 and 6 minutes.

Preparazione al
GCSE in Italian

Context: **Lifestyle - Health**

Task: **Healthy lifestyle**

An Italian nutritionist is asking you some questions about your lifestyle. Your teacher will play the part of the Italian nutritionist. He/She will ask you the following:

- what you do to keep healthy in terms of food and physical activities
- whether stress affects your health
- whether you used to do or currently do anything unhealthy
- your opinion about the lifestyle of the people of your country
- whether in your school a healthy lifestyle is promoted and how
- some advice for people who want to change their lifestyle
- !

! Remember, at this point, you will have to respond to something that you have not yet prepared.

The dialogue will last between 4 and 6 minutes.

Context: **Work and Education - Current and Future Jobs**

Task: **Job interview**

You are having a telephone job interview with the manager of an Italian employment agency. Your teacher, who will play the role of the Italian manager, will ask you the following:

- your personal details (name, nationality, age, etc.)
- what kind of job you are looking for and why
- your foreign language and IT skills
- your personal skills
- your past work experience
- your hobbies and interests
- !

! Remember, at this point, you will have to respond to something that you have not yet prepared.

The dialogue will last between 4 and 6 minutes.

Edizioni Edilingua

Controlled Assessment: Unit 3 - Speaking

Context: Lifestyle - Relationships and Choices

Task: Social issues and equality

Interview with a former member of a gang. Your teacher, who will play the role of the journalist, will ask you the following:

- personal details: your name, age, where you live, etc.
- how you spent your days when you were a member of a gang
- how you spend your days now and how you feel
- what you would like to do in the future
- the importance of family and school in giving you support to change your life
- some advice for someone who would like to abandon a criminal gang
- !

! Remember, at this point, you will have to respond to something that you have not yet prepared.

The dialogue will last between 4 and 6 minutes.

Context: Leisure - Free Time and the Media

Task: Advantages and disadvantages of new technologies

An Italian journalist is conducting a survey about the relationship between the media (newspapers and magazines, TV programs, Internet, etc.) and people's lives. Your teacher will play the role of the Italian journalist.

Your teacher will ask you the following:

- which media you normally use for information and why
- which kind of articles you prefer to read and why
- how often you watch TV and which kind of programs you prefer and why
- how often you use the Internet and what for
- advantages and disadvantages of the Internet
- whether you think that sometimes the media can be dangerous
- !

! Remember, at this point, you will have to respond to something that you have not yet prepared.

The dialogue will last between 4 and 6 minutes.

GCSE in Italian

Cross Context

Task: **House and family**

You are having a phone conversation with your future Italian exchange partner who will come to live at your house next summer. He/She is asking you some questions about the area where you live, your house and family. Your teacher will play the part of the Italian exchange partner and will ask the following:

- the location of the area where you live and a general description of it
- whether you like it or not
- a general description of your home (rooms and furniture)
- a description of your family members (name, age, profession, physical description and character, etc.)
- how the weather is during summer
- whether you would like to live elsewhere in the future
- !

! Remember, at this point, you will have to respond to something that you have not yet prepared.

The dialogue will last between 4 and 6 minutes.

Context: **Lifestyle - Relationships and Choices**

Task: **Friendship and love relationships**

An Italian sociologist is interviewing you about the relationship you have with your friends and with your boyfriend/girlfriend. Your teacher will play the role of the Italian sociologist.

Your teacher will ask you the following:

- your best friend(s) (physical description and character)
- what you do with your friends in free time
- best things to do to maintain a strong friendship
- the importance of friendship
- whether you have a boyfriend/girlfriend and his or her description
- best things to do to have a good love relationship
- !

! Remember, at this point, you will have to respond to something that you have not yet prepared.

The dialogue will last between 4 and 6 minutes.

Cross Context

Task: Money and fashion

You are talking to a young Italian designer who is interested in fashion in your country. He/She will ask you about the relationship you have with fashion and the money you spend on clothes. Your teacher will play the role of the Italian designer.

Your teacher will ask you the following:

- what clothes you like to wear and why
- what clothes you don't like to wear
- on which occasions you wear elegant clothes
- whether you are interested in fashion and designer clothes
- whether you think it is good to spend a lot of money to buy designer clothes
- how often you go shopping for clothes
- !

! Remember, at this point, you will have to respond to something that you have not yet prepared.

The dialogue will last between 4 and 6 minutes.

Cross Context

Task: Sports and lifestyle

Your Italian exchange partner is an athlete and he/she is asking you about how you use sport to improve your health. Your teacher will play the role of your Italian exchange partner.

Your teacher will ask you the following:

- your favourite sport (to practise and to watch)
- some detailed information about your favourite athlete
- whether you practise some sports and how often
- whether you think that sport is good for your health or just a bit of fun and why
- what you do to recover when you are unwell
- what you eat to maintain a healthy body
- !

! Remember, at this point, you will have to respond to something that you have not yet prepared.

The dialogue will last between 4 and 6 minutes.

Preparazione al

GCSE in Italian

Cross Context

Task: **Being unemployed**

An Italian journalist is conducting a survey on unemployment in your country. Your teacher will play the role of the Italian journalist and will ask you the following:

- what you used to do before losing your job
- the reason(s) why you lost your job
- what it's like to be unemployed (main problems you have to face)
- whether you are supported by someone (parents, friends, State benefits, etc.)
- what you do during the day
- whether you are married with children
- !

! Remember, at this point, you will have to respond to something that you have not yet prepared.

The dialogue will last between 4 and 6 minutes.

Edizioni Edilingua

AQA

General Certificate of Secondary Education

Italian

Higher Tier

Unit 4 - Writing (60 marks – 30% of the marks)

You are likely to face the following type of instruction in the controlled assessment.

Students have to do **two** controlled assessment tasks. These may be drawn from the exemplar tasks we provide or they may be adapted by teachers for their students. Teachers may also devise their own tasks.

The tasks will be marked by AQA. Students must complete all work independently. Students must have access to dictionaries while writing up their final version under supervision.

Preparazione al
GCSE in Italian

Context: Work and Education

Task Title: HOLIDAY JOB

You would like to get a holiday job in Italy. You write a letter to the manager of an Italian hotel where you describe your aim to work there.

You could mention

- your personal details (name, nationality, age, current profession, etc.)
- the foreign languages you can speak
- your IT skills
- your personal skills
- why you would like to work in the hotel
- what you know about the hotel
- your past work experience

Context: Work and Education - School/College and Future Plans

Task Title: SCHOOL AND FUTURE JOB PLANS

The head teacher of an Italian school asks you to describe your life at school, mentioning your feelings and hopes about your future professional life.

You could mention

- details of your school (name, location, type, age of the students, etc.)
- whether you like to go to school or not and why
- your favourite subject(s) and teacher(s)
- the subject(s) you don't like and why
- what you would like to do after you have finished school (work, university, go abroad, etc.)
- what work you would like to do in the future and why
- the best paid jobs in your country

Edizioni Edilingua

Controlled Assessment: Unit 4 - Writing

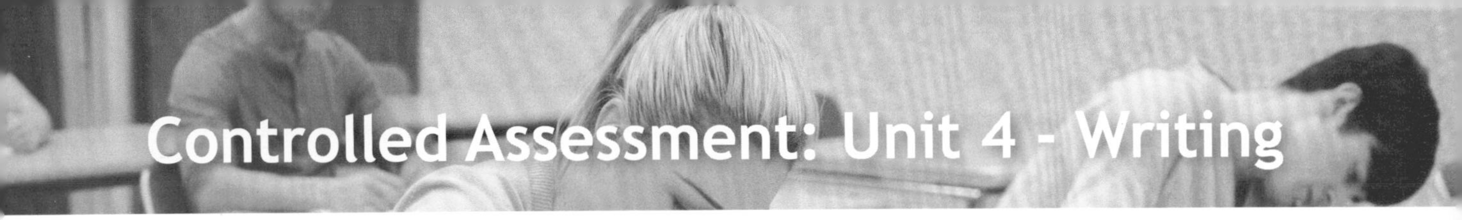

Context: Lifestyle - Health

Task Title: A GOOD COMBINATION OF FOOD AND EXERCISE

You are writing a text for an Italian health blog to describe what should be done to live well.

You could mention

- foods that should be eaten
- foods that should be avoided
- exercises to be done, also mentioning the frequency
- health problems in your country
- sport(s) that you practise regularly
- whether you (have) had any health problem

Context: Home and Environment - Environment

Task Title: ENCOURAGING STUDENTS TO PROTECT THE ENVIRONMENT

An environmental association asks you to write a letter to an Italian school to encourage students to protect the environment.

You could mention

- most serious environmental issues
- possible solutions to environmental problems
- what you do to protect the environment
- whether you have pets at home
- whether pollution is a problem in your country
- whether you are part of an environmental organisation
- your future hopes for the environment

GCSE in Italian

Context: **Home and the Environment – Home and Local area**

Task Title: **HOW TO PROTECT THE ENVIRONMENT**

An Italian environmental magazine asks you to write an article about the environmental issues in your country.

You could mention

- a description of the area where you live (location, flora and fauna, whether you like it or not)
- a description of your house
- what you and your family do to protect the environment
- whether people in your country do something to protect the environment
- what schools should do to encourage people to embrace environmental causes
- whether you are member of an environmental association
- whether the environment of your area has either improved or got worse in the last few years

Context: **Lifestyle – Relationships and Choices**

Task Title: **MY FRIENDS AND ME**

Your Italian penfriend is asking you to describe yourself and your friends and your relationship with them.

You could include

- your physical description and character
- your best friend(s) (description and character)
- whether there is someone you don't get on with and why
- what you like to do during your free time with your friends
- the importance of friendship
- how you manage your time between study and friends
- your plans for how to spend next weekend with your friend

Edizioni Edilingua

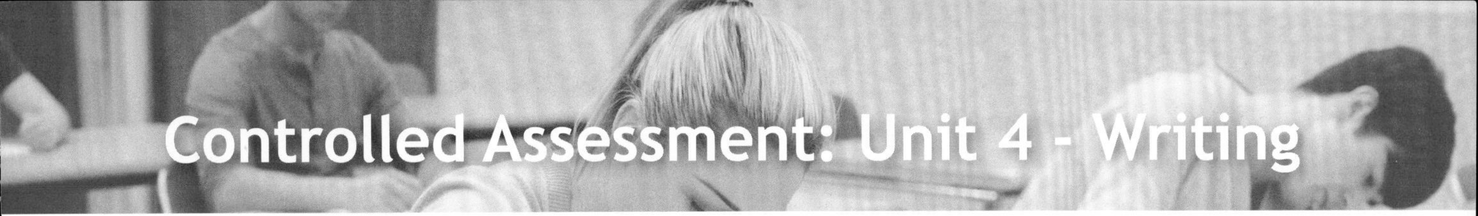

Controlled Assessment: Unit 4 - Writing

Context: **Leisure - Free Time and the Media**

Task Title: **TECHNOLOGY AND FREE TIME**

Your Italian penfriend has asked you how you use the media in your free time.

You could mention

- whether you prefer open air amusements or those offered by new technologies
- what media you use in your free time (newspapers, magazines web-sites, TV, Radio, etc.) and how often
- what media young people in your country prefer to use in their free time
- advantages and disadvantages of the Internet
- how media could be useful to improve education
- how you imagine young people used their free time a century ago
- whether, according to you, new media have improved people's lives

Context: **Leisure - Holidays**

Task Title: **HOLIDAYS IN MY COUNTRY OR ABROAD?**

An Italian tourism magazine has asked you to write an article about your favourite way(s) to spend your holidays.

You could mention

- whether you prefer to spend your holidays either in your country or abroad and why
- your favourite tourist places to visit
- what you normally do when you are on holidays
- whether you have already been to Italy and when
- where you went and what you did during your most recent holiday
- where you would like to go for your next holiday
- best places to visit for a foreign tourist in your country

Preparazione al
GCSE in Italian

Context: Leisure – Free Time and the Media

Task Title: FASHION AND CELEBRITIES

An Italian fashion magazine asks you to describe how fashion is viewed by young people in your country.

You could include

- your opinion about fashion
- whether you know some Italian designers
- how you normally dress (elegantly or casually, clothes you normally wear)
- whether you spend a lot of money on clothes
- one celebrity you particularly admire and his/her dressing style
- whether you think that the most important celebrities of your country shape young people's dressing style and why
- how you think you will dress in ten years

Cross Context

Task Title: MY HOME AND FAMILY

Your Italian penfriend is coming to visit you for an exchange program and he/she wants you to describe your family and house.

In the answer you could include

- the description of your house (location, rooms and furniture)
- the description of the room in which he/she will sleep
- in which room you normally have dinner with your family
- the description of your family members (names, ages, occupation, physical description and character, etc.)
- the member of your family you get along with best
- the importance of family
- your future family plans (marriage, children, place to live, etc.)

Edizioni Edilingua

Cross Context

Task Title: **HOLIDAYS WITH MY FRIENDS, WITH MY FAMILY OR ALONE?**

You have just returned from a holiday in Italy. You write to your Italian penfriend to describe it.

You could mention

- which parts of Italy you visited
- the duration of your stay
- what you did during the holiday
- whether you made new acquaintances
- with whom you went (family or friends)
- how you prefer to spend holidays (with your friends, with your family or alone?) and why
- where you would like to go for your next holiday

Preparazione al GCSE in Italian

Marco De Biasio

AQA

Italian   H
Higher Tier
Examination: Unit 1 Listening + Unit 2 Reading

EDILINGUA

General Certificate of Secondary Education

Italian

Higher Tier

Unit 1 - Listening

You are likely to face the following type of instruction in the exam.

Time allowed
- 40 minutes + 5 minutes reading before the test

Instructions
- Use black ink or ball-point pen.
- Answer **all** questions.
- You must answer the questions in the spaces provided. Do not write your answer outside the box around each page or on blank pages.
- Answer the questions in **English**.
- You now have five minutes to read through the question paper. You may make notes during this time.

Information
- The marks for questions are shown in brackets.
- The maximum mark for this paper is 40.
- You must **not** use a dictionary.

18 **1**   Sports

How often does Barbara practise these sports?

A. once a week

B. often

C. never

D. every day

Write the correct letter in the boxes.

1. (i)

☐   *(1 mark)*

1. (ii)

☐   *(1 mark)*

2 **Foods**

What kind of food would you recommend to these people?

A

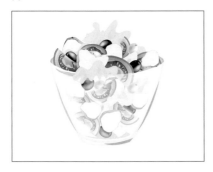

B

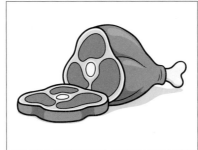

C

Write the correct letter in the boxes. You may use each picture more than once.

2. (a) ☐   *(1 mark)*

2. (b) ☐   *(1 mark)*

2. (c) ☐   *(1 mark)*

2. (d) ☐   *(1 mark)*

Preparazione al
GCSE in Italian

 3   Work

What don't these young people like about their job?

A. it is underpaid.

B. it is too stressful.

C. the office is too far from his/her house.

D. some colleagues are unpleasant.

E. it is boring and repetitive.

F. the boss is too strict.

Write the correct letter in the boxes.

3. (a) ☐   *(1 mark)*

3. (b) ☐   *(1 mark)*

3. (c) ☐   *(1 mark)*

3. (d) ☐   *(1 mark)*

Edizioni Edilingua

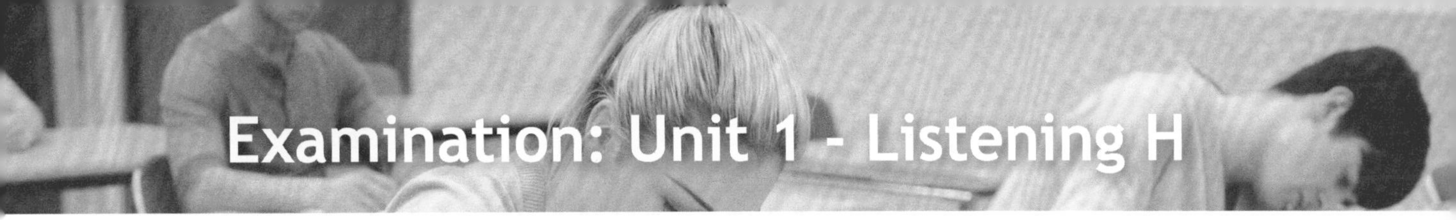

(21) 4   **Holidays**

What does Elisa do when she goes on holidays?

She ...

A. takes pictures.

B. relaxes.

C. swims and practises sport.

D. skies.

E. goes to concerts.

Write the correct letter in the boxes.

4. (a) 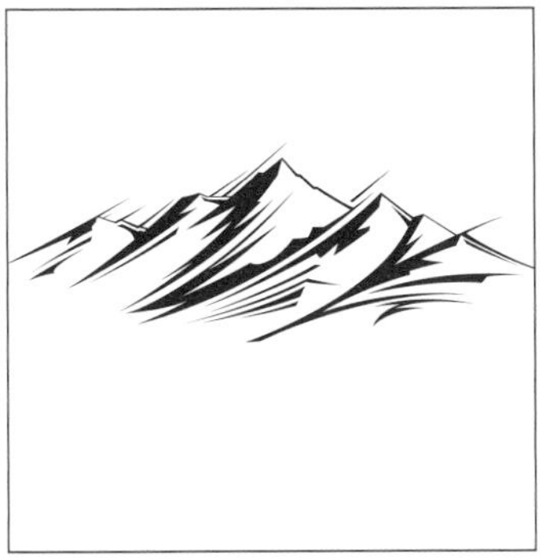   ☐   *(1 mark)*

4. (b) 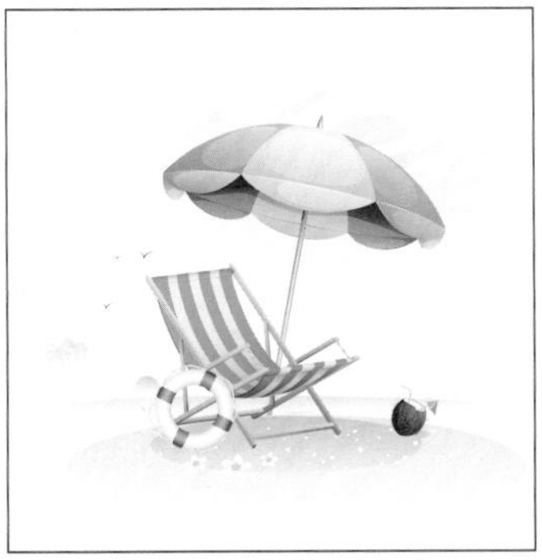   ☐   *(1 mark)*

4. (c) 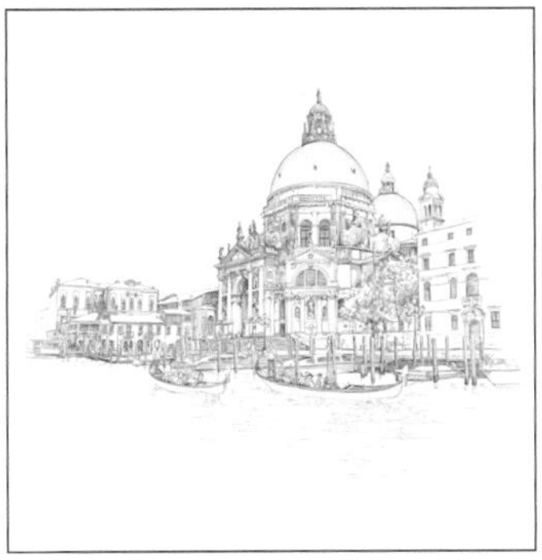   ☐   *(1 mark)*

Preparazione al
GCSE in Italian

(22) 5   School

Which **three** statements are true?

Enrico ...

A. studies at the high school.

B. studies hard.

C. is a good student.

D. likes Maths.

E. does not like History.

F. thinks that his English teacher is too strict.

Write the correct letter in the boxes.

☐   ☐   ☐

(3 marks)

Edizioni Edilingua

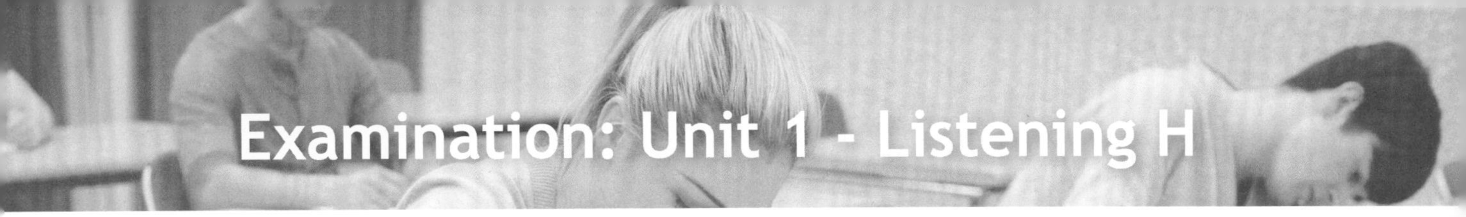

(23) 6 **Leisure**

Clara explains what she did last night.

Complete the sentences.

6. (a) (When?) She met with her friends ....

(1 mark)

6. (b) (Where?) She went ....

(1 mark)

6. (c) (How much?) The price of the ticket is ....

(1 mark)

6. (d) (What?) The most amusing thing about the evening was ....

....

(1 mark)

Preparazione al
GCSE in Italian

(24) 7   **Activities**

What reasons do these people give for not doing the following activities?

| ACTIVITY | REASON |

7. (a)

....

(1 mark)

7. (b)

....

(1 mark)

7. (c)

....

(1 mark)

7. (d)

....

(1 mark)

Edizioni Edilingua

Examination: Unit 1 - Listening H

25 **8** **Clothes**

What are these young people's views about clothing styles?

Write **P** (positive), **N** (negative), **P + N** (positive and negative).

Write the correct letters in the boxes.

8. (a)

☐ *(1 mark)*

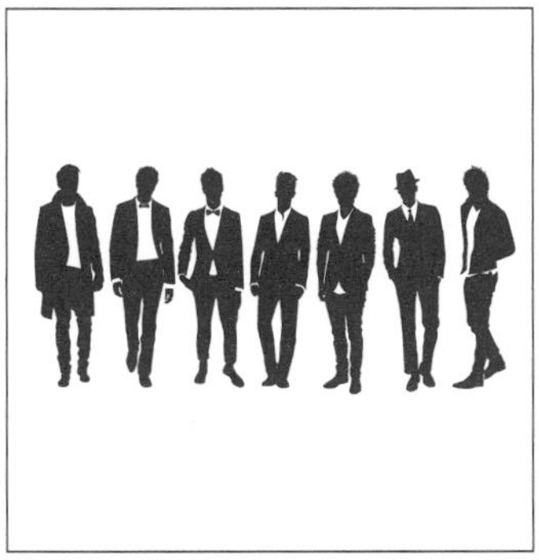

8. (b)

☐ *(1 mark)*

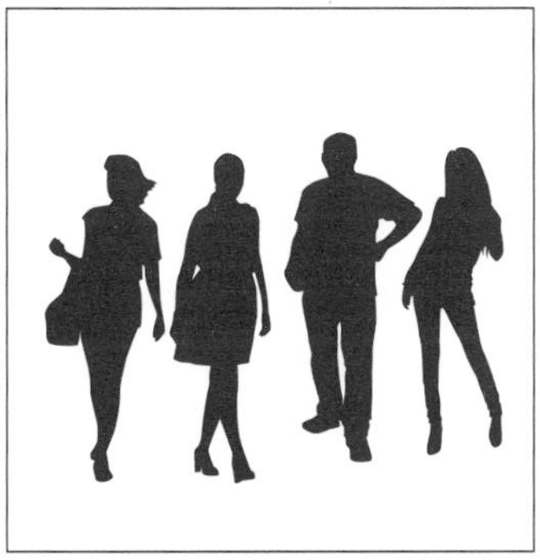

8. (c)

☐ *(1 mark)*

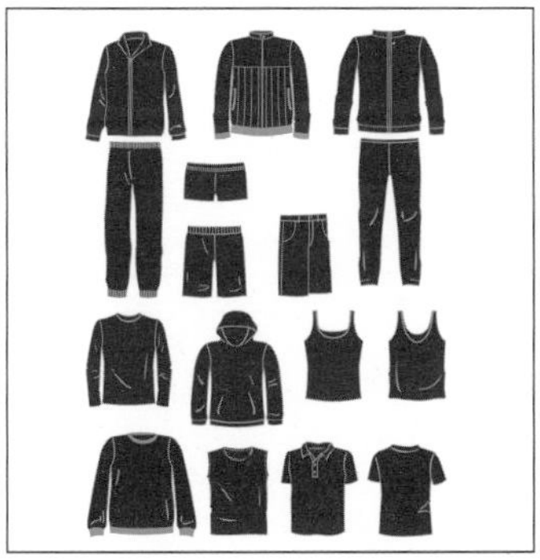

8. (d)

☐ *(1 mark)*

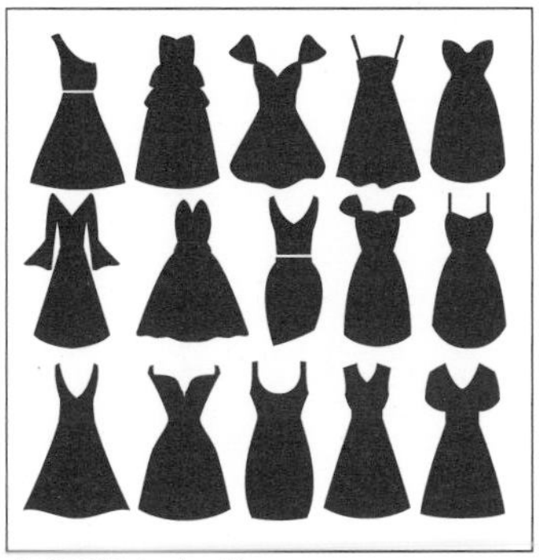

GCSE in Italian

9 Environment

What do these young people do to protect the environment?

Who ...

A. does not waste water?

B. is involved in an environmental association?

C. uses public transport?

D. separates waste?

E. plants new trees?

F. does not waste paper?

Write the correct letter in the boxes.

9. (a) Paolo ☐ *(1 mark)*

9. (b) Annalisa ☐ *(1 mark)*

9. (c) Alberto ☐ *(1 mark)*

9. (d) Pamela ☐ *(1 mark)*

(27) **10**   **Pets**

Veronica is talking about her pets.

Write **P** (past), **N** (now), **F** (future).

Write the correct letter in the boxes.

10. (a)    ☐   *(1 mark)*

10. (b)    ☐   *(1 mark)*

10. (c)    ☐   *(1 mark)*

10. (d)    ☐   *(1 mark)*

28 **11**   **Young mums**

Giovanna is being interviewed about her opinions on being a young mum.

Answer the questions.

11. (a)   What does Giovanna say about being a young mum? Give **two** details.

1. ....

2. ....

(2 marks)

11. (b)   Give **two** reasons why Giovanna does not want to look for a baby-sitter.

1. ....

2. ....

(2 marks)

Edizioni Edilingua

General Certificate of Secondary Education

Italian
Higher Tier
Unit 2 - Reading

You are likely to face the following type of instruction in the exam.

Time allowed
- 50 minutes

Instructions
- Use black ink or ball-point pen.
- Answer **all** questions.
- You must answer the questions in the spaces provided. Do not write your answer outside the box around each page or on blank pages.
- Answer the questions in **English**.
- Do all rough work in this answer book. Cross through any work you do not want to be marked.

Information
- The marks for questions are shown in brackets.
- The maximum mark for this paper is 45.
- You must **not** use a dictionary.

1   Your Italian friend sends you this e-mail to describe her free time.

Da ▾	
A...	
Cc...	
Oggetto:	

Cara Mary,
come stai? Spero bene.
Ti scrivo questa mail per descriverti quello che faccio di solito nel mio tempo libero. Dunque, durante la settimana dopo aver fatto i compiti guardo la TV oppure gioco con i videogiochi. Due volte alla settimana, il martedì e il giovedì, vado al corso di tennis al club vicino a casa mia. Qualche volta il pomeriggio verso le cinque vado al bar a prendere un tè con i miei amici. Il fine settimana molto spesso esco con i miei genitori e andiamo in centro a fare la spesa. Il sabato sera o la domenica pomeriggio vado al cinema con la mia amica Sabrina. Alcune volte andiamo a fare una passeggiata al parco e in estate andiamo in piscina la domenica pomeriggio. Non andiamo quasi mai in discoteca perché non ci piace. Infatti, tutte le volte che i nostri amici ci invitano, noi rifiutiamo trovando sempre qualche scusa per dire di no. Il prossimo fine settimana penso che andremo a visitare una mostra d'arte in un museo e forse dopo, se c'è tempo, andremo a prendere un caffè.
E tu invece cosa fai nel tempo libero?

Ciao
Federica

According to this e-mail, which **four** statements are correct?

A. During the week, Federica watches TV after doing the homework.

B. She plays tennis during the weekends.

C. She goes shopping with her friend Sabrina.

D. She and Sabrina like going to the cinema.

E. She and Sabrina sometimes go for a walk.

F. She invites Sabrina to go to the disco.

G. Next weekend she will go to visit an exhibition.

H. She asks Mary whether she would like to have a coffee together.

Write the correct letter in the boxes.

☐   ☐   ☐   ☐

(4 marks)

2 Read these four messages published in a Disqus on the Internet.

Quest'estate andrò in montagna sugli Appennini con la mia famiglia. L'anno scorso siamo andati al mare e dunque per me va bene cambiare quest'anno. Penso che faremo escursioni nei boschi, faremo fotografie al magnifico paesaggio e forse andremo a cavallo. Spero di potermi rilassare e divertire.
Dario

Anche se non mi piace molto il mare, l'estate prossima io le mia fidanzata andremo in Sardegna nella casa dei miei zii. Non dovremo pagare le spese dell'alloggio perché saremo ospitati, però il viaggio in nave è abbastanza caro. Spero di divertirmi e, se sentirò caldo, andrò a fare il bagno.
Andrea

Una mia amica di Londra mi ha invitato a passare due settimane a casa sua. Abita in una casa molto grande nel centro della città. Mi ha promesso che mi porterà in giro per farmi conoscere le strade e i musei più importanti. La sera vorrei andare in discoteca oppure a teatro. Non vedo l'ora di partire!
Monica

L'anno scorso sono andata in campagna dai miei nonni per due settimane. È stato molto bello e rilassante. Di giorno facevo passeggiate, leggevo, giocavo con i cani e la sera parlavo con le mie sorelle. Quest'estate invece io e la mia famiglia andremo al lago di Garda. Partiremo il 10 e torneremo il 20 agosto. È la prima volta che ci vado e sono molto curiosa di vedere il lago più grande d'Italia.
Barbara

Preparazione al
GCSE in Italian

What are these four young people doing during the summer?

Write **D** (Dario), **A** (Andrea), **M** (Monica), **B** (Barbara) in the boxes.

Who ...

2. (a)   is going to take pictures of landscapes?   ☐   *(1 mark)*

2. (b)   is going to the lake?   ☐   *(1 mark)*

2. (c)   is going to hike in the woods?   ☐   *(1 mark)*

2. (d)   is staying at his uncle's house?   ☐   *(1 mark)*

2. (e)   is going to this place for the first time?   ☐   *(1 mark)*

2. (f)   is going to visit museums?   ☐   *(1 mark)*

2. (g)   is going by ship?   ☐   *(1 mark)*

Edizioni Edilingua

3   Franco sends you this e-mail.

	Da ▾	
Invia	A...	
	Cc...	
	Oggetto:	

Salve,
Alla fine abbiamo deciso di trovarci alle 8 davanti al cinema. Se vuoi venire anche tu, rispondi a questo messaggio appena puoi così compro il biglietto anche per te. Andiamo a vedere una commedia divertente di Virzì. Daniela non viene perché va allo stadio a vedere una partita di calcio.

Ciao,
Franco

Write the correct letter in the boxes.

3. (a)   Franco invites you to see ...

      A. a play.

      B. a film.   ☐   *(1 mark)*

      C. a football match.

3. (b)   The place of the meeting is ...

      A. in front of the stadium.

      B. behind the cinema.   ☐   *(1 mark)*

      C. in front of the cinema.

3. (c)   Daniela is not going with them because ...

      A. she's going to see a football match.

      B. she's going to stay at the office.   ☐   *(1 mark)*

      C. she's tired.

Preparazione al
GCSE in Italian

4   You receive this e-mail from your friend Michela.

Da ▾	
A...	
Cc...	
Oggetto:	

Ciao ...,

Come stai? Spero bene. Ti scrivo per raccontarti che sabato scorso sono andata alla festa di compleanno di Silvia a casa sua. È stata una festa molto bella e ci siamo divertiti tutti. Abbiamo festeggiato nell'enorme giardino di casa sua. C'era un tavolo molto grande da cui ognuno poteva prendere quello che voleva: panini, patatine, pasticcini, coca-cola, aranciata, succo di frutta. C'erano molte persone fra amici, parenti e compagni di scuola. In tutto eravamo una trentina di persone. Abbiamo mangiato e bevuto, abbiamo cantato, abbiamo ballato, abbiamo dato i regali a Silvia e fatto tante altre cose. Io le ho regalato un libro di Charles Dickens, invece Sara le ha regalato un profumo. Lei era molto contenta ed emozionata e quando le ho detto che tu non potevi venire perché avevi la febbre le è dispiaciuto molto.

La prossima settimana io e Chiara andremo al cinema. Ti va di venire con noi? Penso di invitare anche altre persone.

Un abbraccio,
Michela

According to the text, which of the following statements are: **T** (true), **F** (false), **?** (not in the text)?

4. (a)	Michela is describing Silvia's birthday party.	☐	*(1 mark)*
4. (b)	Silvia's friends and relatives were there.	☐	*(1 mark)*
4. (c)	During the party people were telling jokes.	☐	*(1 mark)*
4. (d)	Sara gave Silvia a book by Charles Dickens.	☐	*(1 mark)*
4. (e)	Silvia was sorry because you could not go.	☐	*(1 mark)*
4. (f)	Michela is going to invite Silvia to the cinema.	☐	*(1 mark)*

Edizioni Edilingua

5   Some people are discussing health and lifestyle on the Internet.

MARIO
Per me la salute è molto importante. Infatti non fumo e non bevo nessun alcolico. Inoltre evito i grassi e mangio pochi dolci. Faccio molta ginnastica in palestra e corro al parco tutte le sere.

FEDERICA
Anch'io sto molto attenta alla sa-lute. Per esempio evito sia gli alcolici che le sigarette. Comunque qualche volta esagero con il tiramisù o gli hamburger oppure non so resistere a un buon bicchiere di vino. Qualche volta vado al club a giocare a tennis.

DANIELE
Bevo almeno sei caffè al giorno e mangio carne rossa sia a pranzo che a cena. Non faccio nessuno sport perché sono pigro e preferisco stare disteso sul divano a guardare la TV.

CLAUDIA
Sono vegetariana e dunque mangio pasta, frutta e verdura. Non bevo gli alcolici perché non mi piacciono. Come sport pratico lo sci e faccio molte passeggiate in montagna.

According to what these young people wrote online, their lifestyles are: **H** (healthy), **U** (unhealthy), **H + U** (healthy and unhealthy).

Write the correct letters in the boxes.

5. (a)   Mario   ☐   *(1 mark)*

5. (b)   Federica ☐   *(1 mark)*

5. (c)   Daniele   ☐   *(1 mark)*

5. (d)   Claudia   ☐   *(1 mark)*

Preparazione al
GCSE in Italian

6   Read this article about the building of a new hotel.

> Un grande e moderno albergo sarà costruito vicino al centro storico nella zona che al momento è un parco pubblico. Il Comune ha approvato il progetto affermando che il nuovo albergo offrirà nuove opportunità di lavoro per i giovani disoccupati della città. Inoltre la presenza di questo albergo faciliterà l'arrivo di nuovi turisti e dunque maggiori guadagni economici. Il proprietario ha anche promesso che investirà una parte dei guadagni nel miglioramento delle strade. Tuttavia alcune associazioni di cittadini si oppongono alla costruzione dell'albergo perché secondo loro il parco è l'unica zona verde della città dove i bambini possono giocare. Oltretutto da un punto di vista estetico un albergo moderno vicino al centro storico non è bello da vedere. Molti sono contrari anche perché i lavori di costruzione saranno lunghi e determineranno problemi di traffico e di rumore.

According to this article, what are the advantages and disadvantages of the new hotel?

Mention **three** advantages and **three** disadvantages.

Advantages	Disadvantages
(i)	(i)
(ii)	(ii)
(iii)	(iii)

(6 marks)

                                                Edizioni Edilingua

7   Read these comments about fashion published in a blog.

Segui la moda?

Sabrina

La moda non m'interessa affatto. Mi vesto sempre in modo molto casual sia per andare al lavoro che per uscire con le mie amiche. Di solito indosso una maglietta, un paio di pantaloni jeans e un paio di scarpe da ginnastica.

Giancarlo

Normalmente mi vesto informale però penso di seguire la moda nel senso che preferisco indossare vestiti di marca. Sono un po' costosi, lo so, però non so farne a meno. La moda mi piace molto anche se, ripeto, l'eleganza per me non è importante.

Elisabetta

Per me la moda e l'eleganza sono tutto. Prima di uscire devo scegliere i vestiti più belli ed eleganti da indossare. Il fine settimana vado a fare compere nei migliori negozi di abbigliamento: compro vestiti, pantaloni, camicette, scarpe con i tacchi alti, e altre cose, tutte eleganti e dei migliori stilisti sia italiani che stranieri.

Are these three people interested in fashion?

A. definitely, especially in designer and elegant clothes.

B. not at all.

C. only in Italian designer clothes.

D. only in casual designer clothes.

E. only in cheap designer clothes.

Write the correct letter in the boxes.

7. (a)   Sabrina   ☐   *(1 mark)*

7. (b)   Giancarlo   ☐   *(1 mark)*

7. (c)   Elisabetta   ☐   *(1 mark)*

8   Read these headlines about social issues.

Which subject does each headline refer to?

A. Violence among youth

B. Athletics

C. New theatre play

D. Young people's unemployment

E. Polluted rivers

F. Students abandoning university

G. Economic policy

Write the correct letter in the boxes.

8.(a)   La disoccupazione mai così alta: il 43% dei giovani è senza lavoro.   ☐   *(1 mark)*

8.(b)   L'atleta più veloce è arrivato solo terzo. Questa volta dovrà accontentarsi solo di una medaglia di bronzo.   ☐   *(1 mark)*

8.(c)   I fiumi della Lombardia sono più inquinati rispetto a dieci anni fa. Molte specie di pesci rischiano di scomparire.   ☐   *(1 mark)*

8.(d)   In Italia diminuiscono i laureati. Il 70% degli studenti si ritira dopo il secondo anno di università.   ☐   *(1 mark)*

8.(e)   Il nuovo spettacolo teatrale della commedia di Shakespeare arriverà in città il prossimo mese.   ☐   *(1 mark)*

9   Some young people are discussing work and unemployment in Italy.

Roberto

Purtroppo oggi-giorno in Italia è molto difficile trovare lavoro, in particolare al Sud, dove la disoccupazione è così alta che molti giovani sono costretti a emigrare al Nord o all'estero. In Inghilterra, secondo me, ci sono molte più opportunità però c'è anche molta competizione.

Gianfranco

Sono andato a lavorare in Inghilterra due anni fa perché in Italia ero stufo di essere disoccupato. Molte volte in Italia per trovare lavoro devi conoscere le persone giuste altrimenti non vai da nessuna parte. Qui a Londra invece devi dimostrare di essere bravo e laborioso, flessibile ed efficiente.

Debora

Ho 26 anni e sono laureata in Lettere. Con una laurea di questo tipo in Italia è molto difficile trovare un buon lavoro. Penso di aver mandato già una trentina di domande di lavoro ma per ora non ho ricevuto nessuna risposta. Ad ogni modo non penso di emigrare all'estero perché qui c'è la mia famiglia, c'è il mio ragazzo con cui mi voglio sposare, ci sono i miei amici e poi amo troppo questo Paese. Inoltre io e una mia amica vogliamo aprire una libreria.

Write the correct letter in the boxes.

9. (a) (i) The three young people are discussing ...

A. the lack of job opportunities in England.

B. job competition in Italy. ☐ *(1 mark)*

C. the lack of job opportunities in Italy.

9. (a) (ii) Roberto thinks that in Italy ...

A. many young people have a good job.

B. many young people from the North need to emigrate to get a job. ☐ *(1 mark)*

C. many young people from the South need to emigrate to get a job.

9. (b) (i) Mention **two** skills Gianfranco thinks one should have to get a job in London.

1. ....

2. ....

(2 marks)

9. (b) (ii) Give **three** reasons why Debora does not plan to emigrate.

1. ....

2. ....

3. ....

(3 marks)

Edizioni Edilingua

Chapter 1- *Media and Arts*
CINEMA
Page13
2 1. Roberto è andato al cinema la settimana scorsa con la sua amica Giulia; 2. Ha visto *Caterina va in città*; 3. Il film è ambientato a Roma; 4. Il film parla di una ragazza di tredici anni di nome Caterina che va a vivere a Roma e conosce nuovi amici. Il padre fa l'insegnante e sogna di diventare scrittore mentre la madre è una casalinga infelice; 5. Il film gli è piaciuto molto perché descrive bene il mondo dei giovani italiani di oggi

Pages 14 and 15
b 2. d'azione; 3. commedia; 5. drammatico; 6. fantascienza; 7. di guerra; 9. storico; 10. dell'orrore; 11. western

3 1. attrice; 2. regista; 3. fila/coda; 4. colonna; 5. successo; 6. western; 7. attore; 8. biglietti; 9. locandina; 10. effetti; 11. azione; 12. recita

Page 16
4 1. Gli attori principali; 2. Il film parla di; 3. Il film mi è piaciuto; 4. I personaggi principali; 5. s'intitola; 6. dura

Page 18
Attività di lettura (*Edexcel - H*) Reading task
a. B; b. C; c. A; d. B; e. A; f. B; g. C; h. A

Page 19
Attività d'ascolto (*Edexcel - H*) Listening task
a, d, f, g
Grammatica: Maschile: *l'* + vocale, *i* + consonante, *gli* + vocale; **Femminile:** *la* + consonante, *le* + vocale

Page 20
1 2. la; 3. le; 4. lo; 5. le; 6. gli; 7. gli; 8. gli; 9. la; 10. i; 11. il; 12. il; 13. la; 14. la; 15. la; 16. le; 17. l'; 18. la; 19. gli; 20. la
2 1. le; 2. il; 3. i; 4. il; 5. la; 6. l'; 7. i; 8. il; 9. la; 10. i; 11. i; 12. la; 13. le; 14. le; 15. le; 16. l'; 17. il; 18. le; 19. lo; 20. i
3 1. gli; 2. la; 3. i; 4. gli; 5. le; 6. il; 7. la; 8. la; 9. il; 10. l'; 11. la; 12. la; 13. le; 14. l'; 15. la; 16. il; 17. gli; 18. i; 19. la; 20. l'

TV PROGRAMS
Page 21
2 1. c; 2. a; 3. b; 4. a

Pages 22 and 23
b 1. schermo; 2. cartoni animati; 3. telespettatori; 4. partita; 5. conduttore/presentatore; 6. telecomando

3 1. conduttore/presentatore; 2. episodio; 3. telecomando; 4. partita; 5. pubblicità; 6. animati; 7. previsioni; 8. telegiornale; 9. spegnere; 10. schermo; 11. onda; 12. diretta

Page 24
4 1. Mi piace guardare le partite di calcio con i miei amici; 2. Il mio programma televisivo preferito è *Hell's Kitchen*; 3. "Mi piacciono le telenovele/soap opera" "Anche a me."; 4. Il varietà è alle 9 su Rai2; 5. "Non mi piace guardare la TV." "Neanche a me."; 6. Mi interessano i documentari

Pages 27 and 28
Attività di lettura (*Edexcel - H*) Reading task
a. *Domenica in* is broadcast on Rai1 every Sunday from 2pm to 7pm; b. Interviews to famous people, live performance of singers, presentations of new films and many other interesting things; c. Massimo Giletti presented *Domenica in* last year, Mara Venier is presenting the program this year; d. Because they prefer to go out, to go to the club or to go for a walk with their friends; e. *Domenica Live*, it is broadcast on Canale 5

Attività di ascolto (*Edexcel - H*) Listening task
(i) B; (ii) C; (iii) A; (iv) B
Grammatica: Maschile: *un* + vocale; **Femminile:** *una* + consonante

1 2. un; 3. uno; 4. una; 5. un/un'; 6. una; 7. un; 8. un'; 9. uno; 10. una; 11. un; 12. un; 13. uno; 14. una; 15. un; 16. un'; 17. una; 18. uno; 19. un; 20. una; 21. una; 22. una; 23. un; 24. un; 25. un

2 1.una; 2. un; 3. Un, una; 4. una; 5. Un, uno; 6. un; 7. uno; 8. una; 9. un; 10. un'

NEWSPAPERS AND MAGAZINES
Page 29
2 Vero: 1, 4, 6, 7, 8; **Falso:** 2, 3, 5

Pages 30 and 31
b 2. c; 3. b; 4. d; 5. f; 6. a

3 1. estera; 2. leggo, giornale/quotidiano; 3. economia, cultura; 4. intervista; 5. rivista; 6. giornalista; 7. notizie; 8. titoli; 9. sezione; 10. sport

Page 32
5 1. durante; 2. Mentre; 3. dunque/allora/pertanto/perciò/quindi; 4. dunque/allora/pertanto/perciò/quindi; 5. Siccome/Dato che/Poiché; 6. prima (di tutto)/per prima cosa/innanzi tutto, poi/dopo/più tardi, infine/alla fine

Page 34
Attività di lettura (*Edexcel - F/H*) Reading task
a. Silvana; b. Marta; c. Giulia; d. Luca
Attività d'ascolto (*Edexcel - F/H*) Listening task
B. *La Repubblica*; C. *Il Messaggero*; D. *La Stampa*; E. *Il Sole 24 Ore*

Pages 35 and 36
Grammatica: *Io* compro, *Noi* compriamo; *Tu* leggi, *Voi* leggete; *Lui/Lei* apre, *Loro* aprono
1 1. vivete, Viviamo; 2. leggiamo; 3. preparate; 4. lavorano; 5. prende; 6. studia; 7. legge; 8. mangiamo; 9. leggete; 10. parlo; 11. guardi; 12. corriamo

Page 37
3 1. andiamo; 2. venite; 3. dicono, hanno; 4. abbiamo; 5. escono, vanno; 6. facciamo, fate; 7. esco, vado; 8. stanno; 9. rimaniamo, siamo; 10. diciamo

INTERNET
Page 38
2 Sì: 2, 3, 6, 7; **No:** 1, 4, 5, 8

Page 39
a 2. schermo; 3. chiavetta USB; 5. tastiera; 6. cuffie; 7. stampante; 8. casse

Page 40
3 1. chattare, vado; 2. motore; 3. mando/spedisco/invio/scrivo; 4. ho scaricato; 5. sito; 6. salvare; 7. andare/navigare, mail; 8. stampante, salvare/copiare; 9. installare; 10. tastiera

Page 45
Attività di lettura (*AQA - H*) Reading task
A, D, F, G
Attività d'ascolto (*AQA - H*) Listening task
YouTube - c; Skype - d; Facebook - b; e-mail - a

Page 46
Grammatica: *Io* devo, *Noi* dobbiamo; *Lui/Lei* vuole, *Loro* vogliono; *Tu* puoi, *Voi* potete
1 1. dobbiamo; 2. posso; 3. Vuoi, posso, devo; 4. vogliono; 5. possiamo; 6. vuole; 7. devo; 8. può

CULTURAL EVENTS
Pagina 47
2 1. Claudia è andata a Milano al concerto di Rihanna con Adriana; 2. Adriana è la compagna di scuola di Claudia; 3. Sono partite alle 10 della mattina da Venezia e sono arrivate a Milano a mezzogiorno e mezzo; 4. Hanno pranzato in un fast food; 5. Durante il concerto gli spettatori cantavano e ballavano; 6. Il concerto è durato circa due ore; 7. Erano molto stanche ma anche molto contente; 8. Sono tornate a Venezia il giorno dopo verso le 7 del mattino

Pages 48 and 49
a 2. compleanno; 4. mostra; 5. matrimonio; 6. opera teatrale
3 1. concerto; 2. laurea; 3. matrimonio; 4. compleanno, abbiamo mangiato, regali; 5. teatrale, tragedia, hanno recitato; 6. museo, mostra, pittore

Page 50
4 1. Domenica mattina prima ho fatto colazione, poi ho navigato su Internet e infine ho pranzato; 2. Sabato pomeriggio prima di tutto ho fatto i compiti, dopo ho telefonato a Carla, poi ho pranzato e alla fine sono uscito con Carla; 3. Venerdì sera innanzi tutto ho fatto la doccia, poi sono andato in centro, dopo ho incontrato gli amici e alla fine sono andato a teatro; 4. Ieri mattina per prima cosa ho fatto colazione, dopo sono uscito di casa, poi ho preso l'autobus e infine sono arrivato a scuola; 5. Domenica pomeriggio prima di tutto ho pranzato, poi ho ascoltato un po' di musica, più tardi ho telefonato ad Andrea e infine sono andato al cinema con lui; 6. Al matrimonio di Sergio e Francesca prima abbiamo assistito alla cerimonia, poi abbiamo ascoltato il discorso degli sposi, poi abbiamo fatto un brindisi e alla fine abbiamo pranzato all'aperto

Page 52
6 Sono uscito, sono arrivato, c'erano, Avevamo, abbiamo parlato, abbiamo mangiato, abbiamo ascoltato, era, c'era, ha dato, è riuscito, era, abbiamo mangiato, abbiamo cantato, Eravamo, era, dovevamo, sono tornato, ho mangiato, avevo

Page 55
Attività di lettura (AQA – F/H) Reading task
a. T; b. F; c. ?; d. ?; e. T
Attività d'ascolto (AQA – F/H) Listening task
1. c; 2. d; 3. e; 4. a

Page 56
Grammatica: Lui/Lei ha, Loro hanno; Io sono, Noi siamo
Page 57
1 1. abbiamo; 2. ho; 3. siamo; 4. ha; 5. siamo; 6. siete
2 1. ho studiato; 2. hai capito, ho capito; 3. abbiamo cenato; 4. sono uscite; 5. è andato; 6. è entrata; 7. hanno finito; 8. siamo tornati; 9. ha lavorato; 10. avete mangiato
3 1. ho fatto; 2. siamo rimasti/e, abbiamo visto; 3. è venuto; 4. hai scritto; 5. ho letto; 6. ha detto; 7. abbiamo fatto; 8. avete aperto

Page 59
5 1. giocavo; 2. ero; 3. dicevano; 4. ero; 5. pensavano; 6. erano; 7. avevano; 8. ero; 9. sapevano; 10. potevo; 11. credeva; 12. diceva; 13. era; 14. si sbagliava
6 1. è andato; 2. andava; 3. abbiamo mangiato; 4. mangiavamo; 5. uscivo; 6. sono uscito/a; 7. scriveva; 8. ha scritto
BOOKS
Pages 60 and 61
2 1. a; 2. c; 3. c; 4. c; 5. b; 6. b
b 2. d; 3. a; 4. c; 5. f; 6. b

Page 62
3 1. opera; 2. scrittrice; 3. stile; 4. fiaba; 5. poeti; 8. I protagonisti; 7. ha scritto; 8. leggere; 9. ambientazione; 10. generi
Pages 64 and 65
6 1. Romeo e Giulietta è un'opera teatrale di Shakespeare. È ambientato a Verona nel XVI secolo. I protagonisti sono Giulietta e Romeo, due giovani amanti di due famiglie rivali. La storia parla dell'amore tra Giulietta e Romeo e della loro fine tragica. Secondo me, è un libro interessante ma molto triste; 2. Orgoglio e pregiudizio è un romanzo di Jane Austen. È ambientato in Inghilterra alla fine del XVIII secolo. I protagonisti sono Elizabeth Benneth e la sua famiglia e Darcy, un ricco gentiluomo. La storia parla dell'amore tra Darcy ed Elizabeth Bennet. Secondo me, è un libro difficile ma anche divertente; 3. La donna in nero è un racconto di Susan Hill. È ambientato negli anni '20 del XX secolo in un piccolo paese inglese. I protagonisti sono Arthur Kipps, un giovane avvocato, e una

misteriosa donna vestita di nero. La storia parla di Arthur Kipps che scopre segreti inquietanti dentro la casa dove abitava una donna anziana morta da poco. Secondo me, è un libro appassionante ma qualche volta fa paura; 4. Il signore delle mosche è un romanzo di William Golding. È ambientato in un'isola deserta nel XX secolo. I protagonisti sono un gruppo di bambini inglesi sopravvissuti a un incidente aereo. La storia parla di come questi bambini inglesi organizzano la loro vita nell'isola deserta. Secondo me, è un libro facile ma un po' violento.

Page 67
Attività di lettura (Edexcel – H) Reading task
(i) B; (ii) B; (iii) A; (iv) C
Page 68
Attività d'ascolto (Edexcel – F/H) Listening task
Carlo - F; Monica - B; Francesco - E; Marco - C
Grammatica: 1. la scheda; 2. i nomi; 3. i nomi; 4. me; 5. te; 6. le fotocopie
Pages 70 and 71
1 1. la; 2. Ne; 3. la; 4. Vi; 5. ti; 6. li; 7. Ne; 8. Lo; 9. Ne; 10. Le
2 1. Ne ho bevuti; 2. l'abbiamo portato; 3. l'ha ancora letto; 4. Ci hanno chiamato/i/e; 5. ti ho salutato/a, ti ho visto/a; 6. L'ho conosciuta; 7. Ne ho fotocopiate; 8. L'abbiamo incontrato; 9. ne ho bevuta; 10. L'hanno comprata
3 1. Sì, l'ho vista./No, non l'ho vista; 2. Sì, la mangio./No, non la mangio; 3. Sì, lo conosciamo./No, non lo conosciamo; 4. Sì, l'ho vista./No, non l'ho vista; 5. Sì, l'ho visitata./No, non l'ho visitata; 6. Sì, l'ho letto./No, non l'ho letto

Chapter 2 - Sports and Free time
SPORTS
Page 73
2 1. Monica ha partecipato alle gare di atletica. È arrivata prima nei 100 e nei 200 metri; 2. Nicola ha fatto il torneo di calcio. La sua squadra è arrivata seconda; 3. Monica si allena almeno due ore al giorno; 4. Monica torna a casa alle 8, verso le otto e un quarto cena, guarda un po' la TV e poi controlla i compiti che ha fatto nel pomeriggio. Alla fine si sente molto stanca e si addormenta verso le dieci e mezza; 5. Anche Nicola si addormenta verso le dieci e mezza; 6. Monica preferisce il tennis, la pallavolo e il pattinaggio
Pages 74 and 75
b 2. tennis; 4. pallacanestro; 5. rugby; 6. equitazione; 8. pattinaggio; 9. ciclismo; 10. atletica; 11. automobilismo
c 2. f; 3. e; 4. g; 5. c; 6. d; 7. b; 8. h
Page 76
3 1. palestra, piscina; 2. gara; 3. medaglia; 4.tifosi, partita; 5. pallacanestro; 6. olimpiadi; 7. automobilismo; 8. Andare, bicicletta; 9. ha perso; 10. sciare; 11. calciatore, squadra; 12. ha segnato/fatto
Page 78
6 1. "Sono arrivato primo/a nella gara di nuoto." ...; 2. "Ho segnato due gol nella partita di calcio." ...; 3. "Ho fatto un record nella gara dei 100 metri nella mia scuola." ...; 4. "Ho vinto la partita di pallavolo." ...; 5. "Ho corso per più di un'ora." ...; 6. "Sono arrivato/a in finale al torneo di ping pong." ...
Page 81
Attività di lettura (Edexcel – H) Reading task
a. Robert is an English boy from Manchester. He likes football; b. He goes to the stadium to watch the match with his friends; c. On Monday and Wednesday in the pitch near his house; d. Swimming; e. His best friend is Marco. He does equitation
Attività d'ascolto (Edexcel – F/H) Listening task
A, C, E, G
Pages 82 and 83
Grammatica: mi sveglio, mi metto, mi vesto, mi alzo, mi addormento, mi sento, mi lavo, mi diverto, mi annoio
Page 84
1 1. mi alleno; 2. ti svegli, mi sveglio; 3. ci alziamo; 4. si ad-

dormenta; 5. mi lavo; 6. ti diverti; 7. ci riposiamo; 8. si chiama; 9. mi preparo; 10. mi vesto

Page 85

3 1. si *è svegliato*, si *è fatto*; 2. mi *sono divertita*; 3. si *è annoiata*; 4. si *sono arrabbiati*; 5. ti *sei lavato*; 6. ci *siamo alzati*, ci *siamo vestiti*; 7. vi *siete comportati*; 8. si *è addormentata*

4 1. Di solito mi sveglio alle sei, ma ieri mattina mi sono svegliato/a alle sette; 2. Susanna si è alzata presto ieri; 3. Ieri sera/notte ci siamo addormentati/e tardi; 4. Mi sono arrabbiato/a con Paul ieri sera/notte; 5. Ci siamo divertiti/e a teatro la scorsa settimana; 6. Mi sono annoiato/a durante la partita di calcio

FREE TIME

Page 86

2 Vero: 1, 3, 6; **Falso:** 2, 4, 5

Pages 87 and 88

b 2. andare a teatro; 3. andare al ristorante; 4. giocare con i videogiochi; 5. fare una passeggiata; 6. andare al bar; 7. andare in discoteca; 9. fare una festa; 10. fare acquisti/compere/spese; 12. andare al cinema; 13. leggere; 14. guardare la TV; 16. andare a pesca

3 1. faccio; 2. settimana, passeggiata; 3. compere/acquisti/spese; 4. festa; 5. videogiochi; 6. ascoltare; 7. suoni; 8. leggo, ballare; 9. navigare; 10. ristorante; 11. guarda; 12. sabato

Page 91

5 1. Quando; 2. Dove; 3. Perché; 4. Come; 5. Quale/Che; 6. Quante; 7. (Che) Cosa; 8. Chi/Qual; 9. (Che) Cosa; 10. Che/Quale

6 1. Cosa fai il fine settimana?; 2. Come stanno Paolo e Maria?; 3. Dove vai/(Che) Cosa fai il sabato sera?; 4. Qual è il tuo passatempo preferito?; 5. A Milano cosa fanno/dove vanno i giovani il fine settimana?; 6. Perché fai sport?

Page 94

Attività di lettura (*AQA – H*) Reading task
a. A; b. M; c. A; d. F; e. S; f. F; g. M; h. S

Attività di ascolto (*AQA – H*) Listening task
a. N; b. P; c. P; d. P + N

Page 96

1 1. andrò; 2. studierai, studierò; 3. verremo; 4. scriverà; 5. dormirò, sarò; 6. prenderà; 7. dovremo; 8. farete, faremo; 9. uscirò; 10. sarai

FOOD AND DRINK

Page 98

2 Sì: 1, 3, 7, 8; **No:** 2, 4, 5, 6

Pages 99 and 100

b 2. pollo; 3. prosciutto; 4. arrosto; 5. insalata mista; 6. carote; 7. pomodori; 8. tiramisù; 9. cornetto; 10. limone; 11. banana; 12. salmone; 13. spremuta d'arancia; 14. caffè

Page 103

4 1. colazione, faccio; 2. ristorante; 3. carne; 4. rosso, bevo; 5. dolce; 6. litro/bicchiere, succo; 7. caffè, zucchero; 8. verdure, lattuga; 9. tè; 10. patatine/patate

Page 104

5 1. Domani sera io e Franca andiamo/andremo al ristorante; 2. Ieri a pranzo io ho mangiato gli spaghetti al pomodoro; 3. Monica il pomeriggio di solito mangia una mela o una pesca; 4. Da piccolo io mangiavo molta frutta e verdura; 5. Il prossimo fine settimana io cucino/cucinerò l'arrosto di vitello per i miei amici; 6. Francesca e Dario bevono/prendono sempre il vino bianco con il pesce

6 *Risposte possibili*: 1. Gli spaghetti al pomodoro sono buoni, caldi e saporiti; 2. L'arrosto di vitello è buono, salato, saporito e un po' pesante; 3. L'English Breakfast è buono, caldo, salato, grasso, saporito e pesante; 4. Le lasagne sono buone, calde, salate, saporite, grasse e pesanti; 5. L'insalata mista è fresca, buona, leggera e magra; 6. La cioccolata calda è dolce e buona

Page 106

Attività di lettura (*Edexcel – H*) Reading task
1. sweet; 2. lunch; 3. meat; 4. light

Page 107

Attività d'ascolto (*Edexcel – H*) Listening task
(i) C; (ii) A; (iii) C; (iv) A

Page 108

Grammatica: mi, ti, ci

1 1. le; 2. Gli; 3. vi; 4. ti; 5. vi; 6. mi; 7. mi; 8. le; 9. mi/ci; 10. mi/ci; 11. mi/ci; 12. vi, ci; 13. Gli; 14. Ti, mi; 15. Gli

LIFESTYLE

Page 109

2 1. Per avere qualche consiglio per dimagrire un po'; 2. Dice che stare a dieta fa male alla salute; 3. Non si sente molto bene perché è sempre stanca e debole e qualche volta ha una fame terribile; 4. Di non mangiare spuntini fuori dai pasti e di fare un po' di attività fisica. Di consultare un medico o un dietologo (prima di cominciare a fare la dieta) e soprattutto di non prendere farmaci che non conosce e che possono avere effetti collaterali; 5. Altrimenti Valeria si sente stanca e stressata

Pages 111 and 112

3 2. Lei ha mal di stomaco; 3. Lei ha mal di denti; 4. Lui ha il raffreddore; 5. Lui ha la febbre; 6. Lei ha l'influenza

4 1. influenza, medicina/farmaco; 2. male; 3. dieta; 4. mi sono tagliato/a; 5. mal; 6. dolore; 7. denti; 8. dottore/medico/dietologo; 9. stomaco; 10. perdere; 11. ospedale; 12. febbre; 13. effetti; 14. oculista; 15. ingrassare

5 Fa bene (alla salute): avere molti interessi, stare con gli amici, rilassarsi, mangiare frutta e verdura, passeggiare, lo yoga, divertirsi; **Fa male (alla salute):** lo stress, le bevande alcoliche, lavorare troppo, mangiare molti cibi grassi, annoiarsi, stare troppo da soli, arrabbiarsi

Page 113

6 *Frasi possibili*: Mentre fare attività fisica fa bene alla salute, fumare fa male./Fare attività fisica fa bene alla salute, mentre/invece fumare fa male; Mentre avere molti interessi fa bene alla salute, annoiarsi fa male./Avere molti interessi fa bene alla salute, mentre/invece annoiarsi fa male; Mentre stare con gli amici fa bene alla salute, stare troppo da soli fa male./Stare con gli amici fa bene alla salute, mentre/invece stare troppo da soli fa male; Mentre rilassarsi fa bene alla salute, lavorare troppo fa male./Rilassarsi fa bene alla salute, mentre/invece lavorare troppo fa male; Mentre mangiare frutta e verdura fa bene alla salute, mangiare molti cibi grassi fa male./Mangiare frutta e verdura fa bene alla salute, mentre/invece mangiare molti cibi grassi fa male; Mentre lo yoga fa bene alla salute, arrabbiarsi fa male./Lo yoga fa bene alla salute, mentre/invece arrabbiarsi fa male

e mangia, *non* prendere, dormi

Page 116

9 2. b; 3. f; 4. a; 5. c; 6. d; 7. i; 8. g; 9. h; 10. l

Page 119

Attività di lettura (*AQA – H*) Reading task
a. H; b. U; c. H + U; d. H

Page 120

Attività d'ascolto (*AQA – H*) Listening task
B, E, F

Page 122

1 1. Va' dal dottore; 2. Parlate in italiano durante la lezione; 3. Non uscire questa sera; 4. Mangiamo a casa; 5. Pulisci la casa; 6. Non tornate tardi; 7. Non fumare; 8. Cominciamo una dieta; 9. Leggi questo libro; 10. Non mangiare troppa carne

2 1. fa'; 2. prendete; 3. Andiamo; 4. scrivi; 5. Dormiamo; 6. essere; 7. non lavorate; 8. compra; 9. stare; 10. Prendiamo

Page 123

3 1. invitala; 2. non telefonargli/non gli telefonare; 3. leggilo; 4. telefoniamogli; 5. rispondile; 6. prendiamole

Preparazione al
GCSE in Italian

4 1. Non andare in quel ristorante. È caro e il cibo non è buono; 2. Chiamalo adesso, per favore; 3. Telefonami quando arrivi a casa, per favore; 4. Non essere così maleducato con i tuoi amici; 5. Leggi il messaggio e dimmi la tua opinione; 6. Compra del pane per la cena; 7. Pranza con me oggi. Mi sento triste; 8. Riposa(ti) e non guardare la TV; 9. Parla in italiano durante la lezione; 10. Porta delle bibite alla festa stasera

FASHION

Page 125
2 1. b; 2. a; 3. c; 4. b; 5. a; 6. a

Pages 126 and 127
b 1. cotone; 2. camicia; 3. pantaloni; 4. sciarpa; 5. jeans; 6. scarpe; 7. paio; 8. cappello; 9. stivali; 10. cuoio

Pages 128 and 129
3 1. abbigliamento; 2. numero; 3. guanti, cappotto; 4. taglia; 5. strette; 6. elegante/classico; 7. larghi/grandi/lunghi; 8. paio; 9. casual; 10. tuta; 11. stilista; 12. porta/indossa/compra/acquista
4 *Soluzioni possibili*: 1. *Roberto indossa* un paio di scarpe da ginnastica, un paio di jeans, una camicia bianca, una cravatta nera e un cappello nero; 2. *Francesca* indossa un vestito elegante chiaro e porta una borsetta della stessa tonalità; 3. *Fabrizio* indossa una giacca, un maglione nero e un paio di jeans; 4. *Federica* indossa un paio di sandali, un paio di pantaloni grigio scuro e una blusa grigio chiaro; 5. *Marco* indossa un paio di scarpe nere classiche, un paio di jeans e un giubbotto nero di pelle; 6. *Giovanna* indossa un giacchetto di jeans, un paio di guanti bianchi e un berretto di lana colorato

Page 131
5 1. duecentocinquanta; 2. ottantasei; 3. settantaquattro; 4. diciotto; 5. centotrentatré; 5. quarantadue

Pages 136 and 137
Attività di lettura (*Edexcel - F/H*) Reading task
(i) A; (ii) C; (iii) B; (iv) B
Attività d'ascolto (*Edexcel - F/H*) Listening task
(i) A; (ii) C; (iii) B (iv) A

Page 138
1 1. I pantaloni di velluto sono più grandi/larghi dei pantaloni jeans./I pantaloni jeans sono più piccoli/stretti dei pantaloni di velluto; 2. La maglietta è più economica della camicia./La camicia è più cara/costosa della maglietta./La maglietta è meno cara/costosa della camicia; 3. Gli stivali sono più grandi delle scarpe con i tacchi./Le scarpe con i tacchi sono più piccole degli stivali; 4. La camicia di cotone costa come/quanto il maglione di lana; 5. La giacca a scacchi è più piccola/stretta della giacca a righe./La giacca a righe è più grande/larga della giacca a scacchi; 6. Il vestito azzurro è più economico del vestito verde./Il vestito verde è più caro/costoso del vestito azzurro./Il vestito azzurro è meno caro/costoso del vestito verde

Chapter 3 - *Holidays and Geography*
HOLIDAYS, EXCURSIONS AND ACCOMMODATION
Pages 139 and 140
2 1. Fiona è andata in vacanza in Italia il mese scorso con la sua famiglia; 2. È partita da Londra in aereo/con l'aereo; 3. A Roma ha visitato i musei, le chiese, le piazze e tutti gli altri monumenti importanti. Ha girato per la città in autobus, in tram e in metrò e ha fatto anche lunghe passeggiate a piedi; 4. È andata a Firenze con il/in treno; 5. Ha visitato anche Venezia e Milano; 6. È tornata a Londra il 20 agosto

Page 141
b 2. treno; 3. aereo; 4. metrò; 6. bicicletta; 7. autobus; 8. motocicletta; 10. taxi; 11. tram

Page 142
c 1. aprile; 2. agosto; 3. ottobre; 4. dicembre

Pages 143 and 144
d a. Ferragosto; b. Natale; c. Pasqua; e. Capodanno
3 1. aereo; 2. gita; 3.mare; 4. Natale; 5. inverno; 6. macchi-

na; 7. prenotare, camera; 8. primavera; 9. nave/traghetto; 10. bagagli; 11. metrò; 12. autunno; 13. Passo/Trascorro; 14. ho visitato; 15. ostello

Page 147
f 1. e; 2. b; 3. d; 4. f; 5. c; 6. a

Page 148
h 2. l; 3. d; 4. b; 5. i; 6. e; 7. m; 8. h; 9. g; 10. f; 11. n; 12. c

Page 150
i 2. h; 3. g; 4. b; 5. e; 6. f; 7. i; 8. l; 9. c; 10. d

Page 152
m italiana, spagnolo, inglese, australiane, giapponesi

Page 155
Attività di lettura (*Edexcel - F/H*) Reading task
a. 20%; b. 15%; c. 5%; d. 10%

Page 156
Attività d'ascolto (*Edexcel - F/H*) Listening task
c, d, f, h

Page 157
1 1. a, in; 2. a; 3. di; 4. a, a; 5. a, in; 6. in, al, in; 7. da; 8. a, da; 9. al, in; 10. per l'

HOUSE AND PUBLIC PLACES
Pages 158 and 159
2 1. A; 2. B; 3. B; 4. A; 5. C; 6. C

Page 160
b 2. cucina; 3. salotto/soggiorno; 5. bagno; 8. cameretta/camera per ragazzi; 12. balcone

Pages 161 and 162
3 1. abito; 2. camere, salotto/soggiorno; 3. riscaldamento; 4. affitto; 5. cucina/salotto/soggiorno; 6. periferia; 7. edificio/condominio/palazzo; 8. grande/spaziosa; 9. bagno; 10. quartiere; 11. garage; 12. abbiamo arredato
c. 8, 9, 6, 14, 12, 11, 16, 17, 2, 19, 27, 24, 28, 26, 23, 4, 22, 15, 7

Page 164
5 *Risposte possibili*: 1. Il letto è a destra dell'armadio, di fronte alla finestra; 2. Il tappeto è davanti al letto; 3. I libri sono sulla libreria; 4. La scrivania è davanti alla sedia a fianco della libreria; 5. La sedia è a fianco della libreria fra la scrivania e la finestra; 6. L'armadio è a destra della libreria; 7. La cassettiera è sotto la libreria, a fianco della scrivania vicino alla finestra; 8. Il computer è sulla scrivania accanto alla libreria davanti alla sedia e alla finestra

Page 170
Attività di lettura (*AQA - H*) Reading task
B, C, F, H
Attività di ascolto (*AQA - F/H*) Listening task
a. six months ago; b. the most important churches, monuments and squares; c. three, two; d. three months

Page 171
Grammatica: all', alla, dell', della, nella, sulla
1 1. allo; 2. del; 3. sulla; 4. al; 5. alla; 6. sul; 7. nel; 8. nell'; 9. sulla, dello; 10. del
2 1. sul; 2. dell'; 3. sul; 4. dell', al; 5. nel; 6. all'; 7. alla, del; 8. nella; 9. sulla; 10. della

GEOGRAPHY AND ENVIRONMENT
Page 172
2 Vero: 1, 4, 6, 7; **Falso:** 2, 3, 5, 8

Page 173
b 2. h; 3. e; 4. d; 5. b; 6. f; 7. g; 8. c

Pages 174 and 175
c 1. lupo; 2. volpe; 3. lepre; 4. aquila; 5. orso; 6. cervo; 7. falco; 8. lince
3 1. verde; 2. isola; 3. alberi/animali; 4. cane; 5. Parco; 6. fiume; 7. selvatici; 8. mari; 9. uccelli; 10. natura, raccolta; 11. costa; 12. contea; 13. inquinamento; 14. paesaggi

Page 177
4 1. La Lombardia confina a nord con la Svizzera, a est con il

Edizioni Edilingua

Trentino-Alto Adige e il Veneto, a sud con l'Emilia-Romagna e a ovest con il Piemonte; 2. La Puglia confina a nord con il Molise e a ovest con la Campania e la Basilicata; 3. Il Lazio confina a nord con la Toscana, a est con l'Umbria, l'Abruzzo e il Molise e a sud con la Campania; 4. Il Molise confina a nord con l'Abruzzo, a sud con la Puglia e la Campania e a ovest con il Lazio; 5. L'Emilia-Romagna confina a nord con la Lombardia e il Veneto, a sud con le Marche e la Toscana e a ovest con la Liguria; 6. Il Piemonte confina a nord con la Svizzera, a est con la Lombardia, a sud con la Liguria e a ovest con la Valle d'Aosta e la Francia; 7. Il Veneto confina a nord con l'Austria, a est con il Friuli-Venezia Giulia, a sud con l'Emilia-Romagna e a ovest con il Trentino-Alto Adige e la Lombardia; 8. La Basilicata confina a nord con la Puglia, a sud con la Calabria e a ovest con la Campania

Page 179

5 1. Sono operatore ecologico, cioè pulisco le strade e raccolgo i rifiuti; 2. Ci sono alcuni mammiferi selvatici, cioè il cervo, la lince e il lupo; 3. È in Abruzzo, cioè nell'Italia centrale; 4. Preferisco la Toscana, vale a dire una regione molto verde e con molta cultura; 5. Si trova fra Verona e Brescia, ovvero al nord; 6. Faccio la raccolta differenziata, vale a dire che separo i rifiuti e li butto in contenitori differenti

Page 180

h 2. nevica; 3. fa caldo; 4. fa freddo; 5. c'è/tira vento; 6. c'è la nebbia; 7. c'è il sole

Page 186

Attività di lettura (AQA - H) Reading task
Advantages: Children can play in the open air; Everybody can walk quietly on the pedestrain zones; New trees will be planted so the quality of air will be improved
Disadvantages: Citizens will have to pay many taxes; People using the car will have to travel a longer route; The branches of the trees may grow and get into the houses; People could find it difficult to recycle if not informed

Page 187

Attività d'ascolto (AQA - F/H) Listening Task
a. plant more trees; b. use public transport; c. recycling/waste sorting; d. reduce electric consumption

Page 188

Grammatica: alcune, certe, diversi

Page 189

1 1. molta/tanta/parecchia; 2. pochi; 3. qualche; 4. nessuna; 5. Alcuni/Pochi; 6. Alcune/Certe; 7. altri/molti/tanti/parecchi/diversi; 8. troppa; 9. molte/tante/parecchie; 10. molto/tanto; 11. molti/tanti/parecchi; 12. poche

page 190

2 1. Di solito quando vado al pub bevo poche birre; 2. Molti/Tanti/Parecchi italiani vengono a Londra a lavorare ogni anno; 3. Alcuni giorni fa/Qualche giorno fa sono andato/a al cinema; 4. Loro bevono troppo caffè; 5. Ho letto diversi libri di Charles Dickens; 6. Non abbiamo nessuna macchina perché preferiamo prendere l'autobus; 7. Vado a scuola ogni giorno/tutti i giorni; 8. Tu fumi troppe sigarette; 9. Noi abbiamo molti/tanti/parecchi amici; 10. Non ho bevuto nessun caffè oggi

Chapter 4 - *Education and Work*
SCHOOL AND UNIVERSITY

Page 192

2 1. Linda ha preso 7 all'interrogazione di Storia; 2. Daniele ha preso 6 al compito di Letteratura; 3. Daniele è bravo nelle materie scientifiche: Matematica, Chimica, Fisica e Scienze; 4. Linda va bene nelle materie umanistiche: Letteratura e Storia; 5. A Linda piacerebbe studiare Lettere all'università; 6. Daniele vorrebbe studiare Chimica all'università; 7. Franco è preoccupato perché ha l'insufficienza in varie materie e la sua condotta non è buona e se continua così, lo boccerano; 8. Gli consiglia di studiare di più, fare sempre i compiti,

stare attento durante la lezione e comportarsi bene; 9. Gli consiglia di stare più tempo sui libri e impegnarsi molto invece di giocare con il computer o guardare la televisione; 10. Gli propone di studiare tutti insieme a casa sua; 11. Sì; 12. Sì

Page 194

b 2. Matematica; 3. Geografia; 5. Storia; 6. Musica; 7. Educazione fisica; 9. Arte; 10. Letteratura; 11. Italiano

Page 195

c 2. e; 3. h; 4. b; 5. c; 6. d; 7. f; 8. g
d 3. lavagna; 5. banco; 6. quaderno; 7. penna; 8. libro

Page 196

3 1. facoltà, Medicina; 2. materia; 3. ho preso; 4. cestino; 5. penna; 6. università; 7. insegnante/professoressa; 8. leggere; 9. lavagna; 10. si impegna; 11. umanistiche, Matematica/Scienze; 12. si comporta; 13. imparare; 14. voti; 15. attento/a

Page 200

7 1. Alessandro studia molto, dunque/quindi è un bravo studente; 2. Secondo me, Matematica è una materia abbastanza difficile; 3. Ieri abbiamo letto un po' del romanzo durante la lezione; 4. Non sono riuscito a capire molto di quel tema; 5. Ho solo un'ora alla settimana di Chimica; 6. Non mi piace affatto prendere appunti

Page 204

Attività di lettura (Edexcel - H) Reading task
a. He got a 7 in English; b. Yes, they were; c. He got a 6. He was not happy about it because he expected more; d. He should improve his spelling; e. History; f. Literature
Attività d'ascolto (Edexcel - F/H) Listening task
b, c, d, h

Page 206

1 1. vorrei; 2. potresti; 3. andrei; 4. andresti; 5. piacerebbe; 6. Dovresti; 7. visiterei; 8. guadagnerei; 9. sarebbe; 10. mi accompagneresti
2 1. Non dovresti lavorare troppo; 2. Mamma, potresti aiutarmi con gli esercizi di italiano?; 3. Al posto tuo, andrei a Firenze; 4. Con una casa come quella, organizzerei feste ogni settimana; 5. Franco dovrebbe studiare di più; 6. Francesca, andresti a prendermi un po' d'acqua, per favore?

WORK AND EMPLOYMENT

Page 207

2 Vero: 3, 4, 6, 7, 8; **Falso:** 1, 2, 5

Pages 208 and 209

b 2. conducente/autista; 3. commessa; 4. architetto; 6. cameriere; 7. veterinario; 8. giornalista; 10. medico; 12. meccanico; 13. insegnante; 14. cuoco; 16. segretaria; 18. attore

Pages 210 and 211

c 2. f; 3. e; 4. b; 5. h; 6. c; 7. d; 8. g
3 1. officina, cuoco; 2. lavoro, Sono; 3. pensione; 4. offerta; 5. grado; 6. fa; 7. ufficio; 8. impresa/ditta/azienda/casa; 9. guadagna; 10. contratto; 11. ristorante; 12. requisiti; 13. ferie; 14. curriculum; 15. operaio/a

Page 212

4 *Frasi possibili*: 1. Oltre all'italiano, posso parlare lo spagnolo./Sono in grado non solo di parlare l'italiano, ma anche lo spagnolo; 2. Non solo ho esperienza nel campo turistico, ma anche nel campo finanziario; 3. Oltre a Word, posso usare Excel./Sono in grado non solo di usare Word, ma anche Excel; 4. Non solo sono calmo/a ma anche laborioso/a; 5. Non solo ho esperienza nel ramo della scuola, ma anche nel ramo dell'università; 6. Oltre all'inglese, posso parlare il francese./Sono in grado non solo di parlare l'inglese, ma anche il francese

Page 214

7 *Frasi possibili*: 1. Sto per fare una telefonata; 2. Sto per fare una riunione; 3. Sto per mandare/spedire/inviare un fax; 4. Sto per servire i clienti; 5. Sto per fare un colloquio di lavoro; 6. Sto per cucinare

Preparazione al
GCSE in Italian

Page 218
Attività di lettura (*Edexcel - F/H*) Reading task
c, d, f, h
Attività di ascolto (*Edexcel - H*) Listening task
a. He worked as waiter in Venice; b. He started at 10am; c. He stopped at 10pm; d. He took orders from customers and served them, collected dirty dishes, prepared coffes and cappuccinos; e. He rested, went for a walk, visited a museum; f. He will pay university fees
Page 220
1 1. sta facendo; 2. stavo studiando; 3. stanno lavorando; 4. sta andando; 5. stavamo tornando; 6. stai facendo, Sto scrivendo; 7. stavano giocando; 8. stiamo facendo; 9. stavo dormendo; 10. stai guardando, sto ascoltando
2 1. "Cosa stai facendo?" "Sto facendo colazione."; 2. Sto per uscire; 3. Stavo per fare la doccia quando Filippo mi ha chiamato; 4. Stiamo per cominciare l'università; 5. Franco stava bevendo un bicchiere di vino in quel momento; 6. Alessandro sta per finire l'esame; 7. Stavo studiando Letteratura italiana quando Gino mi ha telefonato per dirmi che dovevo fare il colloquio di lavoro; 8. Stavano per andare via quando li ho fermati; 9. A quest'ora ieri stavamo dormendo; 10. Stavo per scrivere la domanda di lavoro quando è arrivato Marco.
FAMILY
Page 221
2 **Sì:** 1, 2, 5, 6, 8; **No:** 3, 4, 7
Page 222
b 1. madre; 2. padre; 3. moglie; 4. marito; 5. genitori; 6. figli; 7. figlio; 8. fratello; 9. sorella; 10. cugini; 11. zio; 12. zia; 13. nipote; 14. nipote; 15. nonni
Page 223
3 1. convivono; 2. genitori, padre; 3. sorella, 4. aspetta; 5. single/celibe; 6. si sposano/si sposeranno; 7. nonni; 8. cugini; 9. divorziare/separarsi; 10. fratello
Page 226
4 *Soluzioni possibili:* 1. *Roberto* è giovane, carino, bello. Ha i capelli castani e la barba; 2. *Annalisa* è giovane, bella, magra con i capelli lunghi, ricci e biondi; 3. *Il signor Rossi* è basso, vecchio, ha i capelli bianchi e la barba; 4. *Flavio* è giovane, bello, magro e ha i capelli neri e ricci; 5. *Jessica* è bella, con i capelli lisci e lunghi; 6. *Yassin* è giovane e calvo; 7. *Filippo* è un po' vecchio. Ha i baffi e i capelli corti e bianchi; 8. *Cathy* è giovane e molto bella. Ha i capelli lunghi e mossi
Page 228
6 1. buona; 2. simpatico/allegro; 3. educata; 4. maleducato; 5. ambiziosa; 6. triste; 7. generosi; 8. pigro; 9. timida; 10. intelligente
Page 233
Attività di lettura (*AQA - H*) Reading task
(a): (i) A; (ii) C **(b):** (i) have fun during the weekend, work hard, travel abroad; (ii) They cannot afford tho pay the rent; (iii) Provide them with a good education, take them to the park, cinema and swimming pool and support them during difficult times
Page 234
Attività d'ascolto (*AQA - H*) Listening Task
a. A; b. D; c. E; d. B
Pages 235 and 236
Grammatica: *il* mio *maestro, la* mia *casa, i* miei *genitori, i* miei *amici, le* mie *scarpe*
1 1. la mia; 2. la mia; 3. Sua; 4. Mio; 5. tua; 6. le sue; 7. Mio; 8. il tuo; 9. sua; 10. tua
2 1. Le mie; 2. Mia; 3. mio; 4. Le mie; 5. Il tuo; 6. I miei; 7. la mia; 8. tua; 9. Mio; 10. I miei
3 1. Il nostro gatto è molto bello; 2. La mia casa è piccola; 3. La vostra famiglia è numerosa; 4. Il mio computer è nuovo; 5. Il loro appartamento è molto elegante; 6. La mia fidanzata è educata e gentile

Prove AQA
UNIT 1 - *Listening - Higher Tiers*
1 1. (i) B; 1. (ii) A
2 2. (a) A; 2. (b) C; 2. (c) A; 2. (d) B
3 3. (a) E; 3. (b) B; 3. (c) A; 3. (d) D
4 4. (a) D; 4. (b) C; 4. (c) A
5 A, D, F
6 6 (a) last night; 6 (b) to the club/disco; 6 (c) 15 Euros; 6 (d) They met a lot of new people of their age
7 7 (a) She gets bored; 7 (b) He has to study Maths; 7 (c) He cannot play football and he's not interested either; 7 (d) He has to go to his grandparents'
8 8. (a) N; 8. (b) P; 8. (c) P + N; 8. (d) P + N
9 9. (a) D; 9. (b) C; 9. (c) A; 9. (d) E
10 10. (a) N; 10. (b) P; 10. (c) F; 10. (d) N
11 11. (a) 1. It's a wonderful thing, even if she has to make a lot of sacrifices; 2. She cannot study at the university and she cannot work either; 11. (b) 1. It's too expensive. She prefers to stay with her child; 2. Her mother and sister can help her
UNIT 2 - *Reading - Higher Tiers*
1 A, D, E, G
2 2. (a) D; 2. (b) B; 2. (c) D; 2. (d) A; 2. (e) B; 2. (f) M; 2. (g) A
3 3. (a) B; 3. (b) C; 3. (c) A
4 4. (a) T; 4. (b) T; 4. (c) ?; 4. (d) F; 4. (e) T; 4. (f) ?
5 5. (a) H; 5. (b) H + U; 5. (c) U; 5. (d) H
6 **Advantages:** i. New job opportunities for young unemployed; ii. The arrival of new tourists and more profits; iii. The owner will invest part of the profits to improve the streets
Disadvantages: i. The hotel will be built on a public park where children go to play; ii. A modern hotel in the historic centre is not beautiful to see; iii. The construction of the hotel will take ages and cause traffic problems and noise
7 7. (a) B; 7. (b) D; 7. (c) A
8 8. (a) D; 8. (b) B; 8. (c) E; 8. (d) F; 8. (e) C
9 9. (a) (i) C; 9. (a) (ii) C; 9. (b) (i) be good, be hard-working, flexible, efficient; 9. (b) (ii) her family, her boyfriend, her friends, she loves her country and she would like to open a bookshop

Prove EDEXCEL
UNIT 1 - *Listening and understanding in Italian - Higher Tiers*
1 B, C, E, F
2 (i) B; (ii) A; (iii) C; (iv) B
3 (i) C; (ii) C; (iii) B; (iv) B
4 (i) A; (ii) D; (iii) C; (iv) A
5 (a) C, D, F, G / (b) (i) A; (ii) B; (iii) C; (iv) A
6 A, E, F, G
7 (i) C; (ii) E; (iii) B; (iv) D
8 a. At his grandparents'; b. He will take walks, he will read some books, he will fish; c. In a pub; d. At the end of the summer, at the beginning of September; e. English and Spanish. They are widespread and spoken in many Western countries so they are useful to get a job in a company dealing with firms from England, the U.S., Spain or a latin-American country; f. He likes foreign languages and he's willing to make sacrifice
UNIT 3 - *Reading and understanding in Italian - Higher Tiers*
1 F, B, E, C, D, H, I, G
2 (a) (i); (b) (ii); (c) (i); (d) (i)
3 (i) D; (ii) F; (iii) A; (iv) B
4 (a) A beautiful kitten from a tree; (b) No; (c) An eight-year-old child who climed up the tree; (d) He was meowing; (e) When he realised that the cat was meowing because he was desperate, he made the decision to climb up the tree to save Benjamin; (f) No; (g) She didn't let him go out for a week; (h) At his home
5 (i) A; (ii) G; (iii) H; (iv) F
6 (a) Patrizia; (b) Silvia; (c) Veronica; (d) Giancarlo
7 (c), (d), (e), (g)
8 (a) (i); (b) (i); (c) (iii); (d) (ii)

Edizioni Edilingua

Via della Grammatica for English speakers (A1-B2) contains 40 units, practice activities and self-assessment test - all in full colour.

Each unit uses simple language and numerous examples to address one or more aspects of grammar, before providing activities that are stimulating and fun.

Vocabulary is introduced gradually. Authentic texts offer students the chance to enrich and deepen thier knowledge of Italy.

The book includes the answers to the exercises.

All the activities in interactive form, together with other resources and tools, can be found on *i-d-e-e* (www.i-d-e-e.it) the first educational platform for students and teachers.

| 978-960-693-050-8 | Via della Grammatica for English speakers |

Via dei Verbi 1 (A1-B1) is a guide on the most commonly used verbs in the Italian language. The volume presents a useful multilingual dictionary, on which the auxiliary verb and an example phrase are provided for each verb. Following, there are exercises divided by level and by letter. Grammar tables of verb formation and tense accordance can be found in the appendices, as well as answer keys, making this a useful tool for self-studying.

All the activities in interactive form can be found on *i-d-e-e*.

| 978-88-98433-30-8 | Via dei Verbi 1 |

Collana Primiracconti per ragazzi
letture semplificate per adolescenti stranieri

The *Primiracconti per ragazzi* stories are available with an audio CD and have a section packed with stimulating activities, the answers to which are provided in the Appendix.

Furto a scuola (A1)
Gli strani ospiti (A2)
Un'avventura indimenticabile (B1)

978-88-98433-29-2	Furto a scuola (+ CD audio)
978-88-99358-01-3	Gli strani ospiti (+ CD audio)
978-88-99358-02-0	Un'avventura indimenticabile (+ CD audio)

Collana Primiracconti
letture semplificate per studenti stranieri

The *Primiracconti* stories are available with or without an audio CD and have a section packed with stimulating activities, the answers to which are provided in the Appendix.

Un giorno diverso (A2-B1)
Il manoscritto di Giotto (A2-B1)
Lo straniero (A2-B1)

978-960-6632-19-8	Un giorno diverso
978-960-693-000-3	Un giorno diverso (+ CD audio)
978-960-693-017-1	Il manoscritto di Giotto
978-960-693-014-0	Il manoscritto di Giotto (+ CD audio)
978-960-693-036-2	Lo straniero
978-960-6632-78-5	Lo straniero (+ CD audio)

Collana Imparare l'italiano con i fumetti
testi autentici e attività per stranieri

Each volume presents, in full color, a short version of the original story, information about the writer and the illustrator, on the most important characters of the story and its context. A wide variety of activities accompany the student to the comprehension, global and analytical, and to the discovery of vocabulary, of the communicative elements and of the cultural, pragmatic and socio-linguistic aspects.

The following 4 volumes of Dylan Dog and Julia are B1-B2 level.

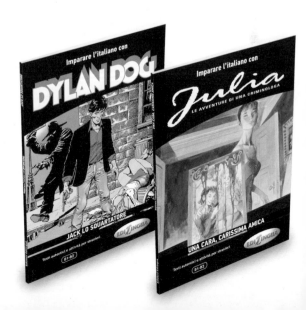

978-88-98433-15-5	Imparare l'italiano con Dylan Dog - L'alba dei morti viventi
978-88-98433-16-2	Imparare l'italiano con Dylan Dog - Jack lo squartatore
978-88-98433-27-8	Imparare l'italiano con Julia - Ucciderò
978-88-99358-00-6	Imparare l'italiano con Julia - Una cara, carissima amica